БОРИС
БАБКИН

БОРИС БАБКИН

КАМНИ БЕССМЕРТИЯ

Астрель
МОСКВА

УДК 821.161.1
ББК 84 (2Рос=Рус)6-44
Б12

Компьютерный дизайн Э.Э. Кунтыш

Подписано в печать 06.12.2012. Формат 84×108 $^1/_{32}$.
Бумага газетная. Печать офсетная.
Усл. печ. л. 21,84. Тираж 2500 экз. Заказ 61.

Бабкин, Борис

Б12   Камни бессмертия : [роман] / Борис Бабкин. — Москва:
Астрель, 2013. — 411, [5] с.

ISBN 978-5-271-46169-9

Камни бессмертия. Семь таинственных алмазов из древней азиатской
легенды. Неужели в легенде кроется зерно истины?

Ученый, обнаруживший первый из алмазов в Монголии, убит, а за
найденным им сокровищем устроили охоту криминальные группировки
из США, России, Германии, Англии, Латинской Америки...

Где остальные камни?

И какая судьба постигнет их владельцев — следующих в списке пре-
ступных «охотников за бессмертием»?

Информация просачивается в Сеть по крупицам — и среди прочего
выясняется вдруг, что где-то в сибирской глубинке старый охотник подарил фамильную реликвию, таинственный алмаз необычной огранки,
скромной молодой женщине-фельдшеру...

УДК 821.161.1
ББК 84 (2Рос=Рус)6-44

Хатанбулаг. Монголия

— Собственно, все получилось очень легко, — улыбаясь, проговорил по-монгольски с европейским акцентом верзила в белой шапке, особо подчеркивающей его загорелое лицо. — Они спали и...

— Взяли? — тоже по-монгольски и гораздо правильнее спросил крепкий, среднего роста мужчина в белом тулупе.

— Ага, — кивнул загорелый.

— Где? — по-немецки спросил крепкий.

— А деньги? — улыбаясь, тоже по-немецки спросил верзила.

— Вот, — кивнул тот на стоявший рядом с ним белый дипломат. — Товар покажи...

— Мы можем просто взять деньги, — засмеялся верзила. Он сжал кулак левой руки, ладонь правой легла на рукоятку пистолета, скрытого дубленкой.

— Не думаю, — спокойно проговорил крепкий. — Хотя бы потому, что ты никогда не убивал заказчиков, и еще потому, что я умный и одновременно трус, — засмеялся он. — Я верил тебе, когда ты обещал полную безопасность, но я трус, и именно поэтому подстраховался. Не обижайся, Отто, — миролюбиво улыбнулся он.

— Я что-то не понял, — усмехнулся загорелый и заметил, что монголы бросают оружие.

— Что делать? — спросил подошедший к крепкому монгол.

— Все в порядке, Батый, — усмехнулся крепкий. — Ведь так, Отто?

— Ну, конечно, — по-монгольски заверил тот Батыя. — А вы, Иван, умнее, чем я думал, — улыбнулся он. — Но, надеюсь, вы поняли правильно — это недоразумение и...

— Ну, конечно, — засмеялся Иван. — А теперь давайте вернемся к делу. Где заказ?

— Вот. — Немец вытащил из бокового кармана что-то, обернутое носовым платком.

— Откройте, Отто, — улыбнулся Иван. Тот аккуратно развернул края платка. Иван увидел небольшую, со спичечный коробок, бархатную коробочку. Отто осторожно открыл ее. Под лучами солнца на его ладони заиграли разноцветные сполохи.

— Мне кажется, это стоит намного больше, — посмотрел на Ивана Отто.

— Разумеется, — улыбнулся тот. — Собственно, спасибо тебе, — вздохнул он. — Я должен был это сделать, но не хотелось самому. А теперь сделаю запросто. И даже с удовольствием, — улыбаясь, добавил он.

— Что ты сделаешь? — спросил Отто, покосившись в сторону державших под прицелом его людей пятерых в желто-белом камуфляже с капюшонами на головах мужчин. Батый кивнул. Одновременно хлопнули выстрелы автоматов с глушителями. Монголы Отто рухнули с лошадей на песок. Он рванулся вправо. Дважды выстрелил пистолет. Отто упал ничком.

— Уходим, — подскочив к упавшей коробочке, схватил ее русский. Убедившись, что переливавшийся всеми цветами камушек в ней, кинулся к подлетавшему к месту вертолету.

— Уходите, — крикнул своим людям Батый. — Встреча на месте!

Улан-Батор

— Странно, — произнес лысый, с небольшой седой бородкой мужчина лет пятидесяти пяти. — Они должны уже были ждать у Ноена. По крайней мере, Товасон так говорил. Странно, — повторил он.

— Извините, профессор, — вздохнул подтянутый, крепко сложенный мужчина в куртке песочного цвета. — Мои люди начали поиск. В районе высохшей реки видели группу людей. Так сообщил один из пастухов, и там же недавно видели двоих америко, как говорят, — усмехнулся он. — В общем, ищем.

Ноен (в пяти километрах)

— И что дальше? — недовольно, на плохом монгольском спросил долговязый худощавый мужчина в темных очках и белой бандане.

— Сюда, — кивнул мальчик лет пятнадцати. — Там мы их нашли. — Долговязый увидел в скале вход в пещеру. Чертыхнулся.

— Проверьте, — по-английски бросил он. — Если этот щенок наврал, я ему ноги выдерну и руки отрежу. — Двое крепких молодых людей с автоматами пошли вслед за постоянно оглядывавшимся мальчиком. — И как можно жить в таких местах, — пробормотал долговязый. — Настоящая преисподняя. Именно поэтому и...

— Здесь! — услышал он крик. Чертыхнувшись, пошел в ту сторону. За ним шли двое вооруженных автоматами парней.

— Тут их кончали, — верзила кивнул на несколько темных пятен на гладкой поверхности скальной площадки. Долговязый увидел пепел от костра. Посмотрел на говорившего. Тот показал на вход в пещеру.

— Дай деньги, — протянул руку мальчик. Вытащив пятьдесят долларов, долговязый вложил их в ладонь мальчика.

— И не мерзнет, — усмехнулся он и пошел к пещере. Стоявший у входа рослый мужчина включил фонарик и направил луч в пещеру. Долговязый увидел четыре обнаженных обезглавленных тела. — Да, — качнул он головой. — А это точно...

— Да, — не дал ему говорить рослый и протянул маленький футлярчик с порванной цепочкой. Долговязый открыл и увидел бумажку. Вытащив, развернул.

— Точно они, — сплюнул он. — А головы где?

— Здесь, — крикнул стоявший у края площадки парень. — В кустах. Две женщины и двое мужчин...

— Их убили сонными, — проговорил, склоняясь над кострищем, невысокий мужчина. — Убийц было четверо, — медленно обследовав площадку, уверенно проговорил он. — Один из них не монгол, — тут же, остановившись у края площадки слева от пещеры, добавил он.

— А почему ты так решил, Шерлок Холмс техасский? — насмешливо спросил долговязый.

— Видишь ли, Брет, — посмотрел на него тот. — Следы от обуви, — кивнул он вниз. — По крайней мере, размер не монгольских недоростков, хотя и у них бывают высокие, но вне населенных пунктов такую обувь не носят. Во-вторых...

— Значит, один из них белый, — отметил вслух Брет. — Но на кой им отрезали головы? — непонимающе спросил он. — Ладно бы их сожгли, чтоб не опознали сразу, а так...

— Древнее поверье монгольских разбойников, — усмехнулся Шерлок Холмс. — Положи отделенные головы убитых тобой за наживу на две туши барана и это принесет удачу.

— А ты откуда это знаешь, Фил?

— Я много чего знаю, — усмехнулся тот, — на взгляд других, совсем ненужного.

— А ты работал в полиции, Фил? — поинтересовался стоявший справа от пещеры.

— В полиции — нет, — качнул головой тот. — В ФБР, да. Но недолго, — усмехнулся он. — Полгода всего и вынужден был уйти. По состоянию здоровья, — засмеялся он. — Я не герой, а попал в группу, в которой риск неотъемлем...

— Струсил, — усмехнулся задавший вопрос.

— Можно сказать, что и так, — спокойно ответил Фил.

— Все тщательно обыщите и все, что найдете, с собой, — требовательно проговорил Брет и вытащил из чехла спутниковый телефон.

— Что там, Брет? — услышал он голос верзилы.

— Ты, Пофтор? — прищурился Брет.

— Да я, черт тебя возьми... Что там?

— Товасон и остальные убиты, — перебил его Брет. — Нашли тела и головы. Сейчас все тщательно проверяем, и если что-то...

— Значит, они все убиты?

— Черт тебя возьми, Гарри, — прорычал Брет, — без голов могут быть живы...

— Понял, — усмехнулся тот. — Проверьте все тщательно, о вылете сообщите, — требовательно проговорил он и телефон отключился.

— И везет же придуркам, — усмехнулся Брет. — Только что стреляет классно и в рукопашном равных нет, а так — идиот.

В небе над Монголией

— Утром буду в России, — говорил в телефон Иван. — Все получилось удачно.

— Камень у тебя? — перебил его мужской голос.

— Разумеется, у меня, — усмехнулся Иван. — Неужели ты думаешь, я бы вернулся без него?

— Я думал, что ты вообще не вернешься, — тоже усмехнулся его собеседник. — Я, надо признаться, немного удивлен, что ты возвращаешься.

— Буду откровенным, — засмеялся Иван. — Если бы задание дал не Профенко, я бы, наверное, изменил маршрут. А он все-таки и платит хорошо, и вообще меня во всем наше сотрудничество устраивает.

— А ты изменился, Иволгин. — Когда тебя ждать?

— Через три часа буду на месте, — взглянув на часы, ответил Иван.

Хулд

— Очень хорошо, Алу, — кивнул коренастый монгол. — Если будем нужны, мы всегда...

— Разумеется, — усмехнулся Батый. — Но особо не светитесь. Наверняка будут искать тех, кто убил там людей. Пусть бандитов, но все же будут искать. И кроме того, они скорее всего до этого тоже кого-то убили. Предупреди остальных, чтоб не...

— Все будет хорошо, Батый, — поклонился коренастый. — А ты действительно...

— До встречи, — сложив руки ладонями перед собой, кивнул Батый.

Борзя. Россия

— Прелесть, — проговорил бритоголовый плотный мужчина лет тридцати. — И сколько это примерно стоит?

— Если будешь задавать такие вопросы, — усмехнулся Иван, — очень скоро почувствуешь зависть и недовольство. Почему работаю я, а такие деньги будут у другого. Затем начнешь узнавать места, где можно сбыть товар, и все, — кивнув, заверил его Иван. — Ты очень скоро предашь нанимателя, в данном случае хозяина, и попытаешься реализовать товар сам. И будешь уверен, что сумеешь остановить хозяина шантажом. Мол, если что-то со мной случится, то все о тебе будет известно милиции. Это старый прием, и обычно похороны оплачиваются, — спокойно проговорил он. — Надо оценивать то, что отдаешь хозяину, по той цене, которую получил ты. Это верное правило не стать предателем. Жадность и зависть начинаются с вопроса, который ты задал, — продолжал Иван. — Поэтому оценивай его стоимость полученными за эту командировку деньгами. Это мой бесплатный совет, Орехов. Понял, Гена?

— Да, вообще-то да. Садимся и полетели. В Корынском самолет, и в Красноярск. Оттуда в Москву.

Улан-Батор. Монголия

— Так-так, — прошептал профессор. — Значит, Товасон убит. Интересно, за что его убили? Как ты думаешь, Гарри? — спросил он верзилу.

— Да тут могут убить за кусок хлеба, — усмехнулся тот. — Я, например...

— Его убили за что-то конкретное, — вмешался Брет. — Если бы убивали просто за кусок хлеба, — посмотрел он на Гарри, — то все было бы иначе. Не отрубали бы головы и не затаскивали тела в пещеру. Убийцы ничего не искали, просто забрали рюкзаки и сумки. И то, что им нужно было, взял вместе с нагрудным карманом рубашки профессора какой-то белый. Вот карман, — положил он на стол кусок материи. — Видите? — Он посмотрел на профессора. — Оторван. Значит, знали, что им нужно. А бандиты-помощники просто похватали вещи убитых. Профессор, Товасон что-то нашел, — повторил он. — И был убит. Как вы думаете, что он мог найти?

11

— Трудно что-либо ответить, — растерянно посмотрел на него тот. — Антор что-то говорил о поиске щита Чингисхана. Но это просто...

— Щит не мог поместиться в карман, — спокойно проговорил Брет. — Собственно, то, что я сейчас вам говорил, мне объяснил Фил. — Он кивнул на окно. — Ролли Фил.

— И он очень близок к истине, — вздохнул профессор. — Ладно, — сказал он, помолчав, — возвращайся домой.

— А почему монгольская полиция ничего не предпринимает? — спросил Брет.

— Потому что Товасон незаконно находился на территории этого государства, — пояснил профессор.

— Профессор. — В комнату вошел темнокожий молодой мужчина. — К вам двое из монгольской милиции.

— Причину своего визита, надеюсь, они назвали? — поинтересовался профессор.

— Они просто требуют принять их, — ответил темнокожий. — Один из них вполне прилично говорит по-английски, сэр.

— Хорошо, Али. — Профессор посмотрел на часы. — Пригласи их.

Ноен (в пяти километрах от Улан-Батора)

— А этого куда? — спросил сидевший на лошади монгол в белом матерчатом шлеме.

— Забросайте чем-нибудь, — ответил куривший трубку с удлиненным мундштуком пожилой монгол.

— Он жив, отец, — спрыгнув с лошади, сообщил тот. — Ранен, но жив.

— Мертвых у Пустого колодца оставим, — решил пожилой. — Его с собой возьмем.

Улан-Батор

— Я не понимаю, о чем вы говорите, — покачал головой профессор.

В кабинете кроме него находились двое: коренастый молодой монгол в штатском и седой полковник монгольской милиции.

— Послушайте нас внимательно, профессор Чейз, — недовольно проговорил с небольшим акцентом по-английски молодой. — Нам известно, что вы поддерживали связь с убитым недалеко от Ноена Товасоном. И нам хотелось бы знать, что убитый делал на территории Монголии и что могло послужить...

— Вот что я вам скажу, — неожиданно для обоих проговорил Чейз по-монгольски. Посетители удивленно уставились на него. — Я не знаю, чем занимался профессор Товасон. Это раз. Во-вторых, я не понимаю, почему вы заявились ко мне. Я нахожусь на территории вашего государства легально и с согласия вашего правительства занимался своим делом. То, что к вам, в вашу страну, — уточнил он, — незаконно попал профессор-востоковед из Англии, минус вам и вашей службе, — заметил он. — И попрошу вас извиниться и покинуть мой кабинет. Я гражданин Соединенных Штатов Америки, — довольно резко, официальным тоном продолжил он. — Имею все необходимые для нахождения в вашем государстве документы и посему попрошу уважать мой труд и не занимать мое время, извините, — кашлянул он, — пустыми разговорами. Честь имею, господа, — кивнув, он указал рукой на дверь.

— И где твой хваленый Гестаповец? — гневно спросила сильная, с хорошей фигурой женщина в купальнике. — Я просто выбросила деньги на ветер, — зло продолжила она. — Лучше бы отдала их нищим. — Натянув на темные короткие волосы купальную шапочку, она нырнула в воду.

— Странно, — виновато заговорил стоявший у края бассейна мужчина лет сорока, среднего роста, с редкими короткими волосами, из-за чего казался почти лысым. — Он должен был уже приехать. Я ничего не могу понять.

— А я, кажется, все поняла, — ухватившись за поручни, рывком поднялась на край бассейна женщина. — Ты просто решил попользоваться мной. Но вот что я тебе скажу, Ганс, — усмехнулась она. — Ты вернешь мне всю сумму с процентами. То есть десять тысяч евро плюс двадцать пять процентов. И деньги мне нужны по возвращении в Бонн, — предупредила она.

— Берта, — шагнул к ней Ганс, — я клянусь, что... — Сильный удар в грудь сбросил его в бассейн.

— В Бонне я буду через четыре дня, — услышал вынырнувший из воды Ганс. Он подплыл к поручням и ухватился за них, отфыркиваясь.

— Стерва, — прошептал Ганс. — Не зря ее Амазонкой прозвали. Надо искать деньги. Черт, — сплюнул Ганс. — Где же Отто? Обмануть он не мог. Какой смысл? Солун! — заорал Ганс. — Мне нужно узнать, где Отто.

На его зов к краю бассейна подошел полный монгол.

— Я пошлю людей, — проговорил он. — И завтра вы все узнаете.

Москва. Россия

— Это точно он? — спросил мускулистый молодой мужчина с раскосыми глазами.

— Именно то, что нужно, — улыбнулся Иван. — Хозяин будет доволен. А мне бы хотелось получить премию, — засмеялся он.

— Вот, — отдал ему кейс мускулистый.

* * *

— У вас есть инструкция, — улыбаясь, спросил подтянутый молодой мужчина в темных очках, шрам на левой щеке терялся в небольшой густой бороде, — как вести себя в случае вооруженного?..

— Плати и отваливай, — довольно грубо перебила его полная женщина-кассир. — А то сейчас позову охранника.

— Главное, не провоцировать преступника, — спокойно отозвался бородач. — И запомнить приметы. Наглядный урок, сударыня. — Он направил на нее ствол пистолета. — Смею заверить вас, это не копия ПМ, кои сейчас появились в пневматике, — негромко добавил он. — Сейчас спокойно открывай кассу и деньги сложи в пакет. Пикнешь — убью, — улыбнулся он.

— Чего там, Нинуха? — спросил плотный молодой мужчина в камуфляже.

— Скажи, пьяный выделывается, — усмехнулся бородач.

— Да пьяный выделывается, — сглотнув воздух, испуганно проговорила она.

— Слышь, ты, — подошел охранник, — а ну-ка...

— Предпочитаю обращение на «вы», — не сводя глаз с кассира, резко ответил бородач и, развернувшись, ребром ладони ударил охранника по шее. Тот рухнул на пол. — Деньги быстрее, сударыня, — улыбаясь, поторопил бандит побледневшую женщину.

— Написано: на полчаса, — проворчал пожилой мужчина, — а наверняка часа два не откроют.

— Наверное, налоговая там, — посмотрев на часы, проговорил подошедший парень.

— Вот и купили пива, — усмехнулся его спутник. — Пошли в бар. Дороже, конечно, но без пива...

— Пошли, — кивнул первый.

15

* * *

— Извините, сударыня, — улыбнулся бородач, — но я надеюсь, что «скорая» приедет быстро. Милицию вызовите вы. — Закрыв молнию спортивной сумки, он неторопливо двинулся к выходу. Убрал табличку «Извините. Закрыты на полчаса», и открыв дверь, вышел. — Не советую, — остановил он молодую женщину. — Там человеку плохо. А вас могут обвинить в краже.

— Неудачно пытаетесь знакомиться, — засмеялась та и вошла. Бородач увидел подъезжавшую «скорую». Усмехнувшись, неторопливо свернул в проулок.

— Помогите, — услышал он громкий женский крик.

— Я предупреждал, — улыбнувшись, пробормотал он.

— Продавщица связанная и охранник на полу, — испуганно говорила фельдшерице и санитару «скорой помощи» бледная женщина в шубе. — Не шевелятся.

— Надо милицию вызывать, — остановил фельдшера санитар. — Видно, ограбление.

— У нас сегодня праздник? — весело спросила сидевшая в кресле молодая женщина в коротком халате.

— Когда я вижу тебя, — улыбаясь, поставил на стол бутылку шампанского молодой мужчина спортивного телосложения, — у меня сразу появляется праздничное настроение. — Жестом фокусника извлек из сумки букет белых роз.

— Розы в январе, — засмеялась она, — это так романтично.

«Лучше бы спросила, сколько они стоят», — мысленно усмехнулся он.

— А закуска где? — улыбнулась женщина.

«Вот и женись, — снова мысленно ответил он. — И будешь борщ и щи варить». Повернувшись, начал выкладывать из сумки фрукты, мясную нарезку, икру черную и красную. «А так хочется картошки жареной с огурцами», — вздохнул он.

— Ну и как? — улыбнулся крепкий, с седыми волосами загорелый мужчина.

— Просто великолепно, — прошептала стройная черноволосая женщина. — Но как вы сумели привезти это? — непонимающе спросила она. — Я абсолютно уверена, что подобное на таможне просто бы...

— Милая Рената, — засмеялся мужчина. — Разумеется, это, мягко говоря, нелегально. Но согласись, сие стоит небольшого риска, — вздохнул он. — Я оставлю это себе, — заявил мужчина.

— Вадим Константинович, — вздохнула Рената, — я понимаю, что это стоит очень больших денег, но думаю, что...

— Знаешь, Рената, — улыбаясь, прервал ее он, — ты совершенно права, но дело в том, что мне обошлось это почти бесплатно. — Он снова засмеялся. — Я просто хотел поразить тебя и вижу, мне это удалось.

— Несомненно, — произнесла она, не отрывая взгляда от лежавшего в бархатной коробочке и переливавшегося от попадавшего на него света из окна разноцветными темными сполохами небольшого, величиной примерно с виноградину, камушка. — Что это? — тихо спросила Рената.

— Один из семи камней «грозди жизни», — ответил Вадим Константинович. — Я не знаю точно, но по крайней мере так мне сказали. Собственно, для меня это просто уникальный по форме и цвету алмаз и не более. Несмотря на кажущуюся округлость, он имеет форму ромба. А сейчас, я надеюсь, вы не откажете мне в предложении отметить мое приобретение.

— Разумеется, нет, уважаемый Вадим, — улыбнулась Рената.

— Третье подобное преступление за две недели, — недовольно отметил полковник милиции. — Интеллигентный бандит. Заходит в небольшой магазин, вешает табличку «Извините, перерыв на полчаса», заводит разговор с кассиром, вырубает охранника и, прихватив деньги и то, что набрал, уходит. И вызывает «скорую», связав кассира. И приметы совпадают. Борода, очки, приятный голос. Рост примерно метр восемьдесят — метр восемьдесят три. И это все. И...

— На левой щеке шрам, — напомнил капитан милиции.

— Да-да, — кивнул полковник. — Разбой произошел в трех районах, и мы знаем только одно: появился какой-то отморозок-интеллигент с пушкой и ограбил три магазина. Первый в Гальяново, там он взял из кассы двадцать три тысячи и, как заявляет кассир, примерно на десять тысяч продуктов. Уместилось все в спортивную сумку, то есть брал только дорогое. И еще одно, — вспомнил он. — Бандит владеет какой-то разновидностью восточных боевых искусств. Во всех случаях бьет один раз, и человек не приходит в себя до приезда «скорой». Потом в течение минут пятнадцати чувствует слабость. Ствол, конечно, может быть и пневматический. Он называл марку ПМ, — добавил полковник. — Но вполне возможно, просто пытался выдать желаемое за действительное. Обычно бандиты не сообщают о марке оружия и не ведут предварительных бесед. «У вас есть инструкция на случай разбойного нападения», — недовольно проворчал он. — Он говорил это трижды. Интеллигент хренов. В общем, работаем параллельно с тремя райотделами. Странность в том, что преступник уходит, как только подъезжает «скорая», — немного удивленно вспомнил он. — Но пока вызывают нас, время уходит, и он исчезает. Интеллигент-невидимка, желтуху ему в печень, — процедил полковник. Посмотрел на бритоголового оперативника. — Ты, Чижиков, займешься этим интеллигентом.

— Есть, — вздохнул тот.

18

— Что у нас по нападению на обменный пункт на шоссе Энтузиастов? — Полковник посмотрел на майора милиции.

— Везет тебе, Чиж, — прошептал сидевший рядом с ним опер.

— Тебе тоже не хворать, — усмехнулся тот.

Тула

— А в ресторане, а в ресторане, — напевала пожилая женщина, помешивая в кастрюле поварешкой щи. — И там цыгане...

— Мам! — раздался мужской голос. — Ты где?

— Саша, — повернувшись, громко отозвалась она, — я на кухне. Обед довариваю. Ну, что у тебя...

— Да все хреново. — На кухню вошел рослый, коротко остриженный молодой мужчина. — В неоплачиваемый отпуск отправили. Что делать, — недовольно пробормотал он. — Хорошо еще, не взял кредит, а то бы влип по самое некуда. Видите ли, специалисты нужны, — довольно зло вспомнил он чьи-то слова. — А ты, мол, без году неделю работаешь, так что отдохни пока. А «пока», это, похоже, навсегда. Скорее всего безработным я стал.

— Хватит, Саша. Ну, что теперь сделаешь, ты особо не расстраивайся, — вздохнув, посоветовала мать. — Сбережения есть, слава богу, всего на зиму наготовлено. Не пропадем. А ты бы поменьше свою Алену баловал, — проворчала она. — Она ведь знала, что только хуже будет, а все равно в Турцию эту уехала. И без Турции бы прожила. А ты ей во всем потакаешь, мне не даешь слова ска...

— Да хватит, мам! — не сдержался он. — Алена путевку купила еще до...

— Вот всегда так, — всхлипнула мать.

— Ну перестань, — подошел он к ней. — Просто не думали мы, что меня с работы попрут. Ничего, я позвоню

Олегу, он говорил, в любое время возьмет к себе. Так что, живы будем, не помрем, — обняв мать, поцеловал. — Ну перестань. Конечно, не хотел я, и не пошел бы в бар этот, но...

— Не ходи к Олегу, Сашенька, — попросила мать. — Ведь там одни бандиты у него собираются и проститутки клиентов богатых...

— Но я не буду ни с проститутками общаться, ни с бандитами, — возразил он. — Просто за порядком буду следить.

— Боюсь я, — всхлипнула мать. — Ведь там и покалечить могут...

— Покалечить я сам могу, — вновь коснулся губами морщинистой щеки матери Александр. Он хотел добавить еще что-то, но раздался звонок телефона. — Наверное, Алена. — Он посмотрел на часы и взял телефонную трубку. — Здравствуй, милая. Как вы там?

— Нормально, — услышал он знакомый голос. — Собственно, я звоню, чтобы уточнить. Тебя действительно с работы?..

— А ты откуда знаешь? — спросил Александр.

— Эх, Бурин, Бурин, — насмешливо отозвалась жена. — Ты когда умнее станешь? Я с Веркой Ахатовой здесь. А у нее муж...

— Он меня и наладил, — раздраженно прервал жену Александр. — Видите ли, у меня...

— И что делать будешь? — спросила жена.

— Да, думаю, к Олегу Васильеву пойду, — вздохнул он. — А иначе...

— Решил поближе к Анке быть, — в голосе послышалась усмешка. — Да, собственно, чего от тебя ждать, неудачник?! Папа предлагал тебе...

— Алена, — опешил он. — Ты...

— Знаешь, Сашенька, — перебила его жена, — я поняла, что ты ни на что не способен. Ты как был, так и остался неудачником. Я просто вынуждена была выйти за тебя замуж. Забеременела, — напомнила она. — Папа предлагал тебе...

— Знаешь, Аленка, — криво улыбнулся он, — мама, оказывается, права. Долго же ты меня терпела, бедненькая.

— А ты что-то спокоен, — удивленно заметила жена.

— А ты хотела, чтобы я матерился, — вздохнул он. — Орал, обзывал тебя или умолял, мол, без тебя жить не могу? Хрен дождешься. Я же по голосу понял, что ты все решила. Короче, приедешь, поговорим. — Он впечатал трубку в аппарат.

— Саша, — вздохнув, несмело начала мать. — Ты...

— Похоже, разбежимся, — усмехнулся Александр. — Она, видно, решила меня бросить еще до отъезда, поэтому и уехала. Мы же говорили, что с этим кризисом многие работу потеряют. А уж я был почти уверен, что меня вышибут. И муж подруги Аленки... — Он посмотрел на мать. — Хотя она ни при чем, наверное, — пробормотал он. — Палыча понять можно, он и так в последнее время еле концы с концами сводит. Я действительно не особо в технике силен, — признал он. — Ладно. К Олегу тоже не буду торопиться, — решил он. — Деньги есть пока. В общем, посмотрю пару дней, похожу, может, где нормальная работа подвернется. Не хочу я вышибалой в бар к Олегу идти.

— И правильно, — поспешно согласилась мать. — А насчет Аленки подумай.

— Не надо, мам, — покачал он головой. — Я сам уже не смогу с ней жить. Да, собственно, и Димке легче будет, — невольно признал он. — А то и я, и он у Аленки на шее сидели бы.

— Все будет хорошо, Саша, — заверила его мама.

— Надеюсь, — вздохнул он. — Дай выпить, мам.

— А может, не надо, Сашенька? — вздохнула мать. — Ведь рюмкой дело не поправишь. А насчет...

21

— Да просто выпить хочу, — засмеялся он. — Не стану я алкоголиком. Выпью и пойду телевизор смотреть. И думать буду, как жить и что делать. Выкрутимся, — больше для себя, чем для мамы проговорил он.

— Конечно, не совсем хорошо это, — проговорил плешивый плотный мужчина лет сорока пяти, — но вроде и правильно, с другой стороны. Кризис, и не только я, но и многие сокращают штат рабочих. А Сашка все-таки не специалист. Добросовестный, понятное дело, но не тот уровень у него. Конечно, не думал я, что вот так все кувырком пойдет, — вздохнул он. — Собственно, все государство сейчас кувырком катится. КамАЗ прикрывают, митинги, демонстрации разные, что-то бормочет наше правительство, мол, помощь и так далее. — Он выматерился. — А что же вы, сукины дети, матерям одиноким не помогаете? — продолжал он зло. — Платите копейки. Попробуй ребенка одень и накорми на те гроши, которые даете. А сейчас вообще караул, хоть выходи и криком кричи, помогите, люди добрые. Но как раз в основном люди добрые-то и попали под колеса кризиса этого. Я, например, вот чего никак в толк не возьму: Америка — виновник кризиса, а доллары, ети его душу, везде в ходу, — процедил он. — Почему так все?..

— Хватит, Палыч, — прервал длинноволосый молодой мужчина атлетического сложения. — Ты распишись, что бабки получил, и я поехал. А то ты мне надоел порядком, — усмехнулся он.

— Где подпись ставить? — Палыч вытащил ручку из стакана с карандашами.

— Придет твой Сашка, — подмигнул симпатичной брюнетке мускулистый, коротко стриженный мужчина лет тридцати пяти. — Выбили его с работы. Так что явится. А тут еще на ухо шепнули, что вроде как Аленка ему ручкой сделала, — подмигнул он. — Так что...

— А ты-то что так рад? — перебила его она.

— Да все знают, что Алекс боец классный, — ответил мускулистый. — И наверняка меньше выделываться будут парни с площади. А то приходят и ставят из себя невесть что, — недовольно проговорил он. — Ворон у них заправляет. Я с ним базарил, вроде обещал придержать. А те как подопьют, начинают выделываться. А Бурю знают, — кивнул он. — И наверняка меньше выступать будут.

— А сам-то чего? — усмехнулась Анна. — У тебя же вроде и крыша имеется, а ты, как только появятся...

— Так Ворон и есть крыша, — недовольно перебил ее тот. — А с ментами договориться не вышло. Сейчас прижали нашу доблестную милицию, вот и ссут. Да и без больших денег с ними, один хрен, не договоришься. А Буря Алекс, собственно...

— Я не думаю, что он придет к тебе вышибалой, — повторила Анна.

— А может, почирикаешь с ним, — подмигнул он ей. — Ведь у вас товарищеские отношения. Намекни, что, мол, обижают и...

— За меня есть кому заступиться, — усмехнулась Анна.

«И что делать?» — переключая каналы, думал сидевший на диване Александр. — Куда пойти, куда податься? — проборматал он. — К Олегу в бар? Неа. Оттуда уже трое на срок ушли. Олег чем-то там торгует, с милицией договориться не выходит, и уже троих повязали. То ли стволы, то ли взрывчатка. Да и игра там, — вспомнил он. — И эти крутые оргии устраивают. Не пойду. И что делать? — взяв бутылку водки, сделал из горлышка три глотка. Закусил соленым огурцом.

— Саша, — услышал он голос матери, — как ты?

— Нормально, — ответил он. — Мам, ты не сердись и не думай ничего, бутылку я все ж уделаю. Могу я сейчас настроение в водке утопить? Потому как нет настроения вообще никакого. — Он снова сделал три глотка.

— Сашенька, сынок, — заглянула в комнату мать. — Может, съездим к Людмиле? Она новый дом купила, точнее, ей...

— Мам, — вздохнул он. — Ну, выпью я эту бутылку и пиво. Лягу спать. Завтра вставать не надо, отосплюсь и не пойду никуда. После выпивки мне всегда не совсем хорошо. Отлежусь и подумаю, как дальше жить и что делать. Не волнуйся ты, — улыбнулся он. — Я как почувствую, что запьянел, в кровать и баю-баюшки.

— Давай и я с тобой за компанию, — стараясь говорить весело, мать подошла к сыну.

— Чтоб мне меньше досталось, — понял он. — Все. — Он отдал наполовину пустую бутылку «Путинки» матери. — Сейчас пива выпью с рыбкой и спать. — Заиграла музыка лежавшего на столике сотового. Он взял телефон.

— Привет, — услышал он голос. — Ты вроде как сейчас без работы.

— Пока не звони. — Александр отключил телефон. — Олег, — кивнул он матери. — Я спать. Меня нет.

Ярославль

— Спасибо теще, — остановив темно-синюю «Ниву», вздохнул лысый здоровяк. — А все говорят, что теща, мол, враг номер один, — улыбнулся он. — Собственно, и я поначалу так мыслил. А сейчас, если бы не она, не знал бы, что и делать. Надеяться не на что, разве что в Волге рыбу ловить сетью. — А тут еще Зинуля моя приболела. Но теперь легче будет. — Мужчина вытащил из пачки сигарету и прикурил. — Надо сигарет купить, — решил он. — Магазин за углом. — Открыв дверь, вышел из машины. Опомнившись, встав на сиденье коленями, вдавил кнопку замка дверцы. Вылез и, захлопнув дверь водителя, закрыл на ключ. Сунул ключ в левый боковой карман дубленки. —

Благодать, — засмеялся он. На лысине таяли редкие снежинки. — Шапку забыл.

Достав ключ, начал открывать дверцу. Услышал позади скрип снега под ногами нескольких человек. Понял, что идут к нему. Развернувшись, выпрямился. Дернув головой влево, ушел от удара бутылки из-под шампанского, и носком левой ноги, обутой в унт, ударил бьющего между ног. Ему справа заехали по уху. Он локтем снизу резко поддел подбородок рослого парня и сразу, распрямив правую руку, выбросил ее в ударе. Кулак пришелся в нос коренастого парня. Тот плюхнулся на задницу. Лысый ударом ноги бросил его на спину. На него сыпались удары еще двоих. Он чувствовал резкую боль в левой ключице, на которую пришелся удар бутылкой. Лысый правой рукой перехватил руку с ножом одного из нападавших и ударом ноги в колено противника сбил того на асфальт. Последний что-то громко крикнул. Лысый увидел бегущих к нему еще троих. Ударом ноги в живот его согнули. И ударили по шее. Он рухнул лицом вниз.

— Милиция! — визгливо кричал женский голос вверху. С третьего этажа, выглядывая в окно, орала какая-то женщина. Лысый на короткое мгновение потерял сознание. Тряхнув головой, постарался правой рукой прикрыть ноющую, стреляющую болью ключицу. Услышал мат и звуки ударов.

— Менты! — гортанно выкрикнул чей-то голос.

— Жив, земеля? — присев рядом, спросил худощавый мужчина в кожаной куртке и шапке из чернобурки.

— Да вроде как да, — промычал лысый и попытался встать.

— Извини, земляк, милиция, — усмехнулся «лисья шапка» и, встав, рванул за угол.

— Лежать! — требовательно заорал чей-то голос и лысому по спине пришелся сильный удар дубинки. От боли в ключице он потерял сознание.

Трое милиционеров пару раз приложили дубинками шестерых лежавших на асфальте драчунов.

— Лежать всем, не дергаться, — властно предупредил старший сержант. Двое начали обыскивать задержанных.

— Лешенька, — промурлыкала обнявшая худощавого в лисьей шапке миловидная женщина в дубленке. — Да ты просто Чак Норрис. Не думала, что ты на такое способен.

— Давай об этом поговорим дома, — оглянувшись назад, усмехнулся худощавый.

— Да вы чего лысого-то лупите! — высунувшись из окна, кричала рыжеволосая женщина. — На него эти напали! Ему и так досталось! Если бы не парень, убили бы.

— Какой парень?! — посмотрев вверх, спросил старший сержант.

— За него заступился, — крикнула женщина. — Сначала на него четверо напали и бутылкой ударили! Но он сумел двоих уложить! — громко рассказывала она. — А...

— Вы спуститесь и поедем с нами, — перебил ее старший сержант.

— Я болею, — услышали милиционеры, и окно закрылось.

— Кто еще что-то видел? — обратился милиционер к окружавшим место происшествия людям.

— Да мы только подошли.

— А он жив?

— Гастарбайтеры это. — И люди начали поспешно расходиться.

— «Скорую», может? — спросил, выглянув из остановившегося микроавтобуса, старший лейтенант.

— Не надо «скорой», — промычал пытавшийся подняться лысый.

— Не надо «скорой», Панин! — весело крикнул старший сержант.

26

— А этим двоим похоже нужна, — осмотрев шестерых лежавших, усмехнулся тот.

— Денег нет, — простонал лысый. — Вот тут деньги были, — сидя на снегу, он лихорадочно шарил по карману расстегнутой дубленки.

— Мы кошелек и права у тебя взяли и больше ничего. Вот, возвращаем, — сказал, подойдя к нему, сержант.

— Где деньги? — поймав протянутую руку, рывком дернул его к себе лысый. Сержант упал. Голова попала в левое плечо лысого. От боли тот вырубился.

— Ты чего, сука! — подоспел с дубинкой плотный милиционер.

— Тормози, — оттолкнул его старлей. — А ты, мужик, не блатуй, — предупредил он. — А то из потерпевшего запросто можешь в задержанного превратиться. Что у тебя взяли, вернули. — Он поднял права и кошелек, смахнул с них снег. — Поехали, напишешь заявление и все подробно изложишь, о пропаже денег тоже. Сколько денег-то было?

— Триста пятьдесят тысяч, — катая желваки, процедил лысый. Милиционеры переглянулись.

— А откуда такая сумма? — насторожился старлей.

— Слышь, мужики, — вздохнув, попросил лысый, — отдайте деньги.

— Да ты чего? — раздраженно прервал его сержант. — Ты на нас думаешь?

— Мужики, — вздохнул лысый, — мне эти деньги позарез нужны.

— Поехали с нами, — прервал его старший лейтенант. — А ты вообще, кто есть-то?

— Казаков Илья, — отдал ему права мужчина. — Из Дорожаева. Ну точнее, из Выселок, это совсем рядом, — добавил он. — У нас там ферма своя, пасеку летом держим. Кредит брали, а тут, сами знаете. Ну и чтоб отдать все, пока не разорились, решили вернуть все, что банку должны. Вот теща и дала. А тут такое...

— Да скорее всего тот, — перебил его сержант, — который помог тебе, и взял.

— Не брал он, — качнув головой, уверенно перебил его Казаков. — Он просто присел и спросил, как я. А тут вас увидел и сбежал. Оно, собственно, и понятно...

— Вот он и взял деньги, — повторно заявил сержант.

— Да не он, — стоял на своем Казаков.

— Поехали, что ли? — поторопил своих водитель микроавтобуса.

— Кто с покалеченными уехал? — спросил старлей.

— Никаких дел, сегодня я отдыхаю, — проговорил Павел Игоревич, среднего роста мужчина лет пятидесяти, одетый в домашний халат. Он вытер голову полотенцем и сел в кресло. В кабинет вошла стройная миловидная женщина в белом брючном костюме, в руках у нее был поднос, на котором стояли ваза с фруктами, бутылка «Русской» водки, рюмка и лежала гаванская сигара. — И что бы я без тебя делал, Римма? — отложив полотенце, улыбнулся мужчина.

— Ваша прежняя секретарша была не хуже, — улыбаясь, ответила та. Поставив поднос, открыла бутылку, налила водки.

— Римма, — вздохнул он, — ты мне принеси сала и огурцов с помидорами. Соленых, — добавил он. — А то меня от этой западной закуски тошнить скоро будет. Водка хороша под соленья, — подмигнул он ей. — А то таблетки придумали от похмелья, — покачал он головой. — А что может заменить холодный рассол? Надеюсь, у нас есть что-нибудь под водку.

— Разумеется, Павел Игоревич, — улыбнулась Римма.

В кабинет вошел плотный высокий мужчина в темно-синем костюме и поставил на столик две тарелки.

— Опачки, — довольно потер руки Павел Игоревич. — Вот сие по-нашенскому. — Взяв огурец, откусил. — Благодать-то какая, — промычал он. — Откуда это великоле-

28

пие, Римма? Благодать-то какая. Неужели из супермаркета?

— Тетя моя привезла, — засмеялась Римма. — А она делает очень хорошие...

— Божественные, — не дал договорить ей Павел Игоревич. — Под «Русскую» русская закуска, просто чудненько! А мясца она случаем не привезла? — тут же спросил он.

— Сейчас принесут картошку жареную с мясом, — улыбнулась Римма.

— Ты чудо, Атоцкая, — сказал Павел Игоревич.

— Но вот почему-то мужики предпочитают обычных, — с грустью проговорила она.

— Просто разные бывают ситуации, — вздохнул он. — Да, собственно, ты, Римма, и сама виновата, ведь у тебя был...

— Вот именно, — сухо сказала Римма. — Был. Я еще вам нужна? — тем же тоном спросила она.

— Я думал, ты составишь мне компанию, — улыбнулся он.

— Извините, — казенно улыбнулась Римма, — но я не могу. До свидания, Павел Игоревич.

— До завтра, — усмехнулся он. Римма вышла. — А действительно под водку соленья лучше, — наливая рюмку, пробормотал он. Посмотрел на дверь. — Римка, конечно, хороший человек, и баба красивая, но я женат и у меня сын. Правда, авантюрист, занозу ему в задницу, — пробормотал Павел Игоревич. — Но зато не из тех, кто на чужое зарится. — Он выпил. Выдохнув, захрустел огурчиком. — Отлично, — снова оценил он. — Интересно, чем сейчас занят сын? — Он снова налил водки. Посмотрел на часы. — Еще час и баюшки. — Выпив, улыбнулся. — Хорошо после парной вот так вот. И правильно говорил Сергеич, пиво сразу по выходу, затем в холодный бассейн, и водку под домашние соленья. Помолодевшим чувствую себя, — засмеялся Павел Игоревич.

* * *

— Мне нужен господин Доринов, — сказал сидевший за рулем «ягуара» с открытым верхом загорелый мужчина в темных очках.

— Как доложить? — поинтересовался мордатый охранник в камуфляже цвета хаки.

— Кадич, — ответил загорелый, — Артур Валерьевич.

— Вам именно сейчас надо? — уточнил охранник.

— А ты думаешь, я приехал, чтобы только увидеть твою наглую морду? — усмехнулся Кадич.

— Извините, — на всякий случай буркнул охранник. — Здесь к боссу. Кадич Артур, — сообщил он по переговорному устройству.

— Я сама, видите ли, виновата, — рассерженно шептала Римма. — Обещал жениться, а потом просто забыл. И я виновата. А этот молодящийся старичок с большим состоянием оказывал знаки внимания, а когда я не дала ему, повысил зарплату и заявил, что я поступила правильно. А это еще кто? — притормозив, проводила она взглядом проехавший мимо «ягуар». — Такой машины на моей памяти не было.

— Как-то не вовремя, — вздохнув, поморщился Павел Игоревич. — Пустите, — бросил он в микрофон переговорного устройства внутренней связи. — И какого черта понадобилось, занозу ему в задницу. — В дверь постучали. — Пусть входит, — наливая рюмку, отозвался Доринов.

Дверь открылась, и вошел Кадич.

— Добрый вечер, — сказал он. — Я по поручению...

— Садись. — Взяв стакан, Доринов дунул в него. Поставив, налил водки. — Пей, — коснувшись рюмкой края стакана, кивнул он. — А то можем друг друга не понять. Я

30

уже столько же выпил. — Артур спокойно взял стакан и выпил, не отрываясь. Поставил и, посмотрев на хозяина, начал закусывать.

— Картошка, босс, — вошел с подносом, на котором стояла сковородка с жареной картошкой и мясом, бритоголовый азиат.

— Пораньше надо было, — кивнул Доринов. — Больше сегодня никого не принимаю. Приедет Регина — я занят.

— Понятно, босс, — кивнул тот, поставил поднос и вышел.

— Что там произошло? — спросил Павел Игоревич.

Выселки

— И все-таки это есть, — уверенно заявил молодой худощавый темноволосый мужчина. Сняв очки, тряхнул головой. — Я абсолютно уверен, что это не просто...

— Хватит, Веня, — усмехнулась плотная рыжеволосая женщина. — Ты бы лучше за дело взялся. Хотя бы со мной на рынке торговал, и то хлеб. А ты как пулемет строчишь куда-то письма разные, что-то придумываешь, а тебе ни разу даже не ответили. А ты...

— Но послушай, Таня, — вздохнул Вениамин, — я все больше...

— Может, хватит по ушам ездить? — войдя в комнату, недовольно прервал его небритый здоровяк. — Танька, — кивнул он, — налей щец. Хавать хочу. А ты, умник, цепляй лопату и вперед, снег чистить. Понятно?

— Трудно не понять сказанное таким тоном, — вздохнул Веня. — Как говорила бабушка, послал Бог родных.

— Ты чего там лепечешь, умник? — довольно зло спросил здоровяк.

— Да просто настраиваюсь на работу, — спокойно ответил Вениамин. — Нужную ауру нахожу.

31

— Вот и топай отсюда со своей аурой, — захохотал здоровяк. — Пройдешь хотя бы до дороги, караул закричишь. А то все думает, запросто деньги даются.

— Послушайте, Никита Савельевич, — спокойно проговорил Вениамин, — мне очень хотелось бы знать: вас к труду на земле-кормилице в колонии приучили или сей дар врожденный?

— Ты зону не тронь, сучонок, — рванулся к нему Никита.

— Охолони, Никита, — преградив ему дорогу, закричала Татьяна. — А ты бы лучше уезжал.

— Да ты тоже не вякай особо, — прервал ее муж. — Куда он поедет? Квартиру продали, чтоб мне в зону не попасть, а теперь, значит, гуляй Веня. Ты особо там не напрягайся, — уже миролюбиво посоветовал он. — Снегу полно, но чистить надо до нового. А насчет земли, так меня бабка все время на ней держала. Ну, чтоб понимал, что не так просто ей все эти банки-склянки на зиму даются. И собственно, я ей благодарен, — кивнул он. — И Таньке, сестренке твоей, тоже, — посмотрел он на жену. — А то где б я сейчас был, — вздохнул он. — Мы кредит этот долбаный взяли, япона мать, — процедил он. — Взяли в баксах, а тут раз — и хобот к носу. Если бы не ты, хана бы мне. Я ж этому адвокату долбаному хотел все по-человечески пояснить, ну и...

— И по морде, — сердито прервала его жена. — А кулаком быка-двухлетка с ног сбиваешь. Если бы не ты... — благодарно посмотрела она на Вениамина.

— Хватит вам рассыпаться в благодарностях, — остановил ее брат. — В конце концов квартиру и дачу нам оставили на двоих. Я думал, поживу на природе, организую здесь свое дело, но увы. — Он развел руками. — Во-первых, как вы упомянули, кризис поставил всех в крайне неудобное положение. Ну и разумеется, не мог же я допустить, чтоб моя племянница росла без отца, — вздохнул он. — Но я тут совершенно случайно попал на одну...

— А тебе не надоедает эта техника? — прервал его Никита. — Я порой от телика и то устаю. А ты сутками за этой хреновиной сидишь.

— Сейчас без этой хреновины, — посмотрев на него, заговорил Веня, — как без воды, ни туды и ни сюды. Будущее за ним.

— Погодь, — усмехнулся Никита. — Выходит, что и хавку будут эти компьютеры делать. Картошку хрен чем заменишь, — качнул он головой. — И мясо тоже.

— Я говорю о получении информации, — начал Веня. — И...

— Мне, собственно, по хрену вся эта техника, — сказал Никита. — Вот повесил тарелку «Триколор» и доволен. Программ полно. Сотовый тоже клево, — кивнул он. — Звони откуда хочешь. Правда, вот гоп-стопникам беда. Запросто можно под ментуру попасть. Поставишь на уши кого-нибудь, а кто-то позвонит и...

— Да хватит, Никита, — недовольно перебила Таня. — А снег-то почистить надо, — сказала она, посмотрев в окно. — А то обещают снова и мороз, и снегопад.

— Иду. — Вениамин поднялся и вышел.

— Ты больше не заикайся, чтоб уезжал, — проводив его взглядом, предупредил жену Никита. — Я срываюсь на него зря, — признал он. — Просто порой как подумаешь, что делать и... — махнув рукой, закончил матом. Налил в стакан самогона и выпил. Выдохнув, вилкой подцепил огурец. — Вот представь, что-то случится, — пробормотал он. — Ну там, Ленка заболеет или еще что.

— Типун тебе на язык, — перекрестилась Таня. — Ты наговоришь, пожалуй.

— А ты давно в Бога-то поверила? — насмешливо спросил он.

— Когда тебя в зоне чуть не убили, — ответила она. — Я как получила записку от твоего приятеля, чуть с ума не сошла. И поделиться не с кем. На тебя же все смотрели как на бешеную собаку. А так хотелось сочувствия. Отцу позвонила, он и слушать не стал, трубку бросил, Венька в Японии был как раз.

— Я тебя о Боге спросил, — усмехнулся муж, — а ты мне про соседей и папаню чешешь.

— Вот и пошла в церковь, — вздохнула Таня. — И знаешь, — она виновато улыбнулась, — полегче стало. Уверенность появилась, что с тобой все хорошо будет. Вот с тех пор я и начала, если что-то случится, к Богу обращаться. А затем и просить, чтоб беды не было.

— Бог не Яшка, — усмехнулся муж, — знает, кому тяжко. Только мура все это голимая, — махнул рукой Никита.

— Знаешь что, — рассердилась Таня. — Не говори о том, чего не понимаешь!

— Да не кипишуй, Танька, — рассмеялся он. — Веришь, дело твое. Ты мне лучше пивка дай. Там в холодильнике пара пузырей была.

— Ты когда по-человечески говорить начнешь? — открыв холодильник и выставив две бутылки пива, вздохнула она. — Ведь дочь уже все понимает.

— Я при ней молчу и мордам умный делаю, — усмехнулся Никита.

— Татьяна, — услышали они голос Вени, — к вам соседка. Ты, Никита, вовремя к колонке снег почистил, а то бы она не пролезла.

— Чего за соседка еще там? — недовольно спросил Никита.

— К нам только Казаковы и ходят, — отмахнулась Таня, выходя из кухни.

— И ништяк, — сказал ей вслед Никита. — Другим и делать тут не хрена.

— Да что с тобой? — ахнула, бросаясь к вошедшей крепкой женщине, Татьяна.

— Илюшу моего милиция забрала, — снимая припорошенный снежком пуховый платок, ответила та. — Табанков, участковый наш, только что приезжал. И говорит, что Илья в милиции в Ярославле. А он повез кредит отдавать, — всхлипнула она. — Мама дала двести тысяч, пятьдесят у нас было и сто еще у дяди Миши взяли. Тот приезжал в отпуск с Колымы, он старатель в артели какой-то и зарабатывает неплохо.

— Ты не тарахти про дядьку, — перебил ее вышедший на голоса Никита. — Что за дела там с Ильей?

— В милицию попал, — всхлипнула женщина. — Участковый приезжал...

— Что мент говорил? — снова перебил ее Никита.

— Ну, что Илья в милиции, — ответила та. И опустив голову, заплакала.

— Да не лей влагу, — проворчал он. — Что базарил участковый? За что взяли, говорил?

— Да что-то говорил, — всхлипнула она. — Интересуются твоим...

— Тогда не ссы в компот, — усмехнулся Никита. — Просто, видать, за мелочовку хапанули, ну послал кого или буханул в неположенном месте. Если бы за что-то серьезное взяли, у тебя бы уже со шмоном были. Подожди. Суток через пятнадцать вернется, — подмигнул он соседке. — А может, просто за рулем был поддавши, вот и замели.

— Он не пьет за рулем, — возразила она.

— А кто ж скажет, что пьет, Зинка, — рассмеялся Никита. — Так что не ломай уши, все путем с твоим мужиком, — заверил он ее.

— Ты думаешь? — спросила она.

— Век воли не видать, — заверил он ее. — И на пароходе не кататься, — засмеялся он снова.

Ярославль

— Слушайте меня внимательно, Казаков, — говорил капитан милиции, дежурный по отделению. — Деньги у вас взяли те, кто напал. Вы же говорите, что потеряли сознание, а потом...

— Да не те взяли, — перебил его Казаков. — Уверен, что кто-то из милиционеров. Вы бы обыскали их.

— А ты упертый, — усмехнулся капитан. — В общем, вот что, — недовольно проговорил он, — пиши заявление. Но мой тебе совет, не указывай на патрульных. Я тебе по-человечески советую. Пиши на тех, кто напал. И хоть что-то, но получишь. А на патрульных напишешь, еще и за клевету можешь попасть. Понятно?

— Пойми, капитан, — Казаков опустил голову, — кранты мне без денег. И так должен теще и банку, и сейчас заработать такие деньги негде. Зима, сам понимаешь.

— Да понимаю я все, — нетерпеливо сказал капитан. — Но и ты пойми. Даже если взяли эти, — он кивнул влево, — твои деньги, не докажешь ты ничего. Свидетелей нет, денег у них тоже нет. И мой тебе совет, — повторил он. — Пиши заявление на тех, кто напал. И что-то получить сможешь. Конечно, не сразу, а в течение какого-то времени. Понял?

— Понял, кто кого донял, — опустив голову, процедил Илья.

— Смотри, Казаков, довыделываешься. Я тебе нормальный выход предлагаю.

— Понятно, — вздохнул Илья. — Можно лист бумаги и ручку? И подскажите, что писать и кому. Я же никогда раньше потерпевшим не был, — поморщившись, сказал он.

— Судимость была? — спросил капитан.

— Условно, — кивнул Казаков. — В шестнадцать за драку. Мы с соседней деревней...

— Не сидел? — перебил его милиционер.

— Бог миловал, — вздохнул Казаков.

— Значит, вот как, — сказал Павел Игоревич. — Но я, например, думаю, что сказки все это, — усмехнулся он. — Как могут семь...

— Да это, собственно, все понимают, — улыбнулся сидевший за столиком Кадич. — Но деньги платят тоже сказочные. Если за один предлагают почти пол-лимона евро, но если собрать все, то сколько можно будет получить? — Он уставился на Доринова. Тот нахмурился.

— Да я, собственно, случайно услышал про эту штуку, — признался он. — В Турции был и как-то встретился с одним жидом. Он, как только СССР распался, с Украины в Израиль смотался. Так вот, он перебрал немного и что-то начал молоть про вечную жизнь. Я думал, по пьяному делу просто заговаривается. Ведь пьяные мы все гении, — засмеялся Доринов. — А на следующий день этот жид заявляется ко мне и так вроде и не совсем открыто, но начал допытываться, не говорил ли он что о камнях вечной жизни. И я понял, что он очень нервничает. И сделал вывод, что есть в его рассказе золотое зерно. То есть надо все вспомнить и, отбросив разную чепуху, которую он добавлял, понять суть. А суть получилась такова, что все сходится на камнях. Их то ли семь, то ли меньше, но может, и больше. И потерялись они в конце восемнадцатого века или даже в начале девятнадцатого. Но корнями эта история уходит в шестнадцатый или даже пятнадцатый век. Ну и разумеется, понятно, что связано это с Китаем. Там...

— Об этих камнях вскользь упоминается в книге «Мудрость Востока», — перебил его Кадич. — И сложив камни... — начал вспоминать он. — Ну, не помню, как именно. Но последние слова впечатляют. И получишь жизнь вечную, и не будет болезней, и смерть не коснется тебя. Вот так примерно, — заключил он.

— А ты откуда это знаешь? — удивленно спросил Доринов. — Я думал, из того, что касается Востока, ты только каратэ интересуешься. Помню, как...

— Мне это мой дядя перед смертью рассказал, — пояснил Артур. — Правда, я принял это за бред умирающего, — признался он. — Но месяц назад узнал, что мой двоюродный брат, Эдик, интересуется камушками бессмертия. И через купленного мной охранника я узнал, что Эдик действительно ищет какие-то камушки. Разумеемся, я не поверил в этот бред о бессмертии, но понял, что на этом можно очень прилично заработать. А тут вы упомянули о камнях вечной жизни, — напомнил Артур. — И я...

— Но почему ты решил, что эта немка тоже охотится за камушками? — перебил его Доринов.

— Да, собственно, после разговора с вами, — вздохнул Артур. — Помните, как вы сказали? — напомнил он. — Все это чушь собачья, но получается, что на этой чуши можно заработать нешуточные деньги. И я позвонил своему приятелю Гансу Ульдриху. Потомок старинного баронского рода, — усмехнулся Артур. — Каковым он себя считает. Я познакомился с ним на похоронах дяди. И он обмолвился, что продолжает искать эти камушки. И как вы знаете, позавчера позвонил и сказал, что, кажется, есть шанс получить один из камней.

— Погоди, — усмехнулся Доринов. — Я про это впервые от тебя слышу. Ты зачем приехал? Я думал, что ты узнал что-то существенное, а выходит, что снова одна болтовня. Ты же помнишь, что я говорил. Что-нибудь существенное, и я начну заниматься этим делом. Точнее, окажу тебе любую помощь.

— Да помню я все, — вздохнул Артур. — А приехал для того, чтобы кое-что уточнить.

— Что именно? — перебил его Доринов.

— Вы готовы в случае действительно...

— Да, — не дал договорить ему Доринов. — Но кроме предположений со ссылкой на какие-то записи, я ничего не слышу. Вот что я тебе скажу, мой юный друг, — вздохнул он. — Более я не желаю слушать сказки. Мне нужны достоверные факты, что этот камушек, хотя бы один, существует, а уже потом разговор по делу. То есть где найти и у кого. Я понятно излагаю свою позицию?

— Вполне, — усмехнулся Артур. — По крайней мере откровенно, и хорошо еще не обвинили меня в попытке втянуть вас в авантюру.

— Ты меня заинтересовал, — признался Доринов. — Заявляешься, когда я намерен устроить себе полноценный отдых в полном одиночестве, и снова говоришь, что ты близок к тому, чтобы...

— Я просто хочу, чтобы вы поняли, что я не пытаюсь обмануть вас, — сказал Артур. — Слушайте. — Он вытащил записывающий телефонные разговоры небольшой аппарат. Положив на стол, включил. — Собственно, я не понимаю, чего именно ты хочешь, — раздался его голос. — Мне уже порядком надоели...

— Один камушек, — перебил его на русском с акцентом мужской голос, — очень скоро может оказаться поблизости от меня. По крайней мере я на это очень надеюсь, и поверь, Артур, не без оснований. В Монголии один англичанин, кажется, сумел найти один из камней. Об этом долго говорить, и я все тебе поясню при встрече. Как только буду знать, у кого камушек, я немедленно сообщу тебе. Ты упоминал в наших беседах о человеке, который может все. То есть послать на перехват камушка группу вооруженных людей. И скорее всего это и надо будет сделать. Так что в течение двух суток я тебе скорее всего все объясню, и ты решишь, как забрать этот камушек. Большего пока сказать не могу, но в том, что камушек может оказаться у одного человека, я почти уверен. Да, мама, — тут же проговорил мужчина, — я жив и абсолютно здоров. Перед возвращением обязательно позвоню. Целую и до свидания.

— Я понял так, что кто-то услышал, как он говорит по телефону.

— Откуда был звонок? — спросил Доринов.

— Из Монголии, — ответил Артур. — Я понимаю, что услышанное вами не...

— Ладно, — кивнув, не дал договорить ему Доринов. — Ты, надеюсь, будешь ждать звонка от него здесь?

— Разумеется, — кивнул Артур. — Я поэтому и приехал. И рад, что вы поверили этой записи разговора.

— А твой приятель для потомка немецкого барона очень хорошо говорит по-русски, — усмехнулся Доринов.

— Он до пятнадцати лет жил в Саратове, — вздохнул Артур. — Его родители немцы. Они уехали в Германию после ее объединения.

— Вон даже как, — задумчиво сказал Павел Игоревич. — Ну, так и быть. Если обнаружится что-то существенное, будем партнерами. Ну а если ты просто решил, как говорят в местах не столь отдаленных, навешать мне лапшу на уши, то я мужик обидчивый и не люблю брехунов. Я понятно выразился?

— Интересно, о чем они говорят? — вздохнула стоявшая возле двери в кабинет Римма. — Кто-то идет. — Она быстро отошла от двери и, сев за компьютер, начала просматривать почту.

— У себя? — спросил, входя в комнату, крепкий парень.

— Да, — не взглянув на него, увлеченная работой, кивнула она.

— Один? — уточнил парень.

— С кем-то разговаривает, — ответила она.

— Узнай, можно к нему? — спросил парень.

— Очень срочно? — Она подняла на него глаза.

— А ты думаешь, просто «здрассте» сказать? — усмехнулся он.

— А ты, Кабан, в последнее время обнаглел, — заметила Римма.

— Миль пардон, мадам, — шаркнул он подошвой по полу. Атоцкая сняла трубку телефона внутренней связи и нажала кнопку вызова.

— Ну что еще? — почти сразу отозвался Доринов.

— К вам Кабанов, — сообщила она. — Говорит, очень...

— Пусть входит, — прервал ее голос.

Она положила трубку.

— Иди.

Толкнув дверь, Кабан вошел.

— Вернули с полдороги, — недовольно вспомнила она.

Павел Игоревич выжидательно уставился на вошедшего.

— Я это, — неуверенно начал Кабан. — В общем, может, это и мура, но очкарик сказал, чтоб я вам передал, что он что-то нашел в газете.

— Когда он звонил? — быстро спросил Доринов.

— Да как звякнул, я сразу к вам. У вас мобила не фурычит, вот он и...

— Исчезни, — сказал, схватив сотовый, Доринов. Нашел нужный номер и нажал вызов.

— Я нашел кое-что, Павел Игоревич, — услышал Доринов голос Алика.

— Ко мне зайди, — сказал Павел Игоревич и отключил телефон. — А ты иди пока, — отпустил он Кадича. — Но не забудь, малейшая информация от твоего приятеля барончика, сразу ко мне.

— Разумеется. — Кадич поднялся.

— Если меня не будет, скажи, пусть перезвонит, — потребовал Павел Игоревич.

«Неужели это не сказка, — размышлял Доринов, проводив Артура. — Собственно, Алик не придурок и не стал бы зря тревожить. Похоже, золотая рыбка вот-вот клюнет, — усмехнулся он. — Главное, все выяснить, а уж потом принимать решение. Хотя если верить этому придурку, — вспомнил он Кадича, — то деньги там можно получить большие. Но, разумеется, попусту рисковать не стану. Главное — это информация, а тут Алик незаменим».

«Похоже, он уже занимается этим, — думал Кадич. — А меня держит за марионетку. Ладно, умник, посмотрим, кто выиграет. Но почему Барон не звонит? Ведь еще вчера должен был сообщить, что там вышло. Может, передумал? — остановившись, Артур сунул в рот сигарету. — Но Аркан бы сообщил, что Барон решил меня краем пустить. А может, их там положили всех? Хотя Ганс хрен на сковородку полезет. Он любит чужими руками жар загребать. Но почему не звонит? — Шагнул к двери своей комнаты и увидел стремительно идущего вверх по лестнице худого мужчину в темных очках. — Адвокат Доринова, — узнал Артур, — работает по мелочевке. Интересно, с чем он явился? Знать бы, что в дипломате. — Кадич проводил адвоката взглядом. Прозвучал вызов сотового. — Наконец-то!»

— Тут что-то непонятное произошло, — торопливо проговорил Ганс. — Амазонка рвет и мечет. Койот куда-то пропал. Профессора с его спутниками убили, — продолжил он. — Отрубили головы. Полиция...

— В Монголии милиция, — усмехнулся Артур.

— В общем, озвучили версию, что на профессора и его спутников напали бандиты. Собственно, в это можно поверить. Подобное в Монголии случается. Но дело в том, что убийца Койот. Это его почерк.

— Значит, голяк? — со злостью спросил Артур.

— Мы пытаемся выяснить, где Койот, — услышал он. — Но он исчез, о новых убийствах пока информации нет. К сожалению, найти нужного человека в милиции не удалось.

— Просто плохо искали, — усмехнулся Кадич. — Оборотни везде есть, если уж в прославленном МУРе и то выявили, тогда что говорить о Монголии.

— Я, как только что-то выясню насчет Койота, немедленно сообщу.

— Да мне-то он шел и ехал, — злобно отозвался Артур. — И вот что еще, Гансик, — усмехнулся он. — Если ты мне фуфло двигаешь, пеняй на себя.

— Я плохо знаю выражения русских уголовников, — спокойно проговорил Ганс. — Но я тебя не обманываю. Я ненавижу Хольц. Хуже, пожалуй, не бывает, когда женщина во всем сильнее тебя. Но без нее я ничего конкретного бы не узнал. Ей кто-то позвонил насчет профессора-англичанина, и она откомандировала на поиск Койота. У того в Монголии связи с бандитами и он должен был...

— А если Койот грохнул профессора и забрал камушек себе? — предположил Артур. — Такое бывает, — усмехнулся он. — Вольные стрелки работают в первую очередь для себя.

— Исключено, — услышал он уверенный голос Ганса. — Его не могли бы перекупить, тем более он бы не стал рисковать, забирая камушек себе. Отто, это имя Койота, предпочитает живые деньги. Он бандит, а не торгаш. Тем более он взял задаток. Койот не стал бы обманывать Амазонку, — добавил он. — У нее связи по всему миру, к тому же Койот...

— Мне, собственно, все равно, что с ним и где он, — процедил Артур. — Это ваша проблема. В конце концов, его могла взять милиция. И я не думаю, что он промолчит про вас.

— Его не взяли, — перебил его Ганс. — Его ищут, и скоро мы все узнаем.

— А что прикажешь делать мне, Барончик? — злобно спросил Артур. — Я рассчитывал на приличную сумму и помощь одного довольно влиятельного в решении подобных вопросов человека.

— Подожди, — остановил его Ганс. — Но мы же договорились, что будем действовать сами.

— Сами? — усмехнулся Артур. — То есть мозгом будешь ты, а руками я. Хрен ты угадал, приятель! В общем, мой тебе совет, Барончик: не пудри мне мозги, а то твоя королева амазонок узнает о твоем сотрудничестве со мной, и ты представляешь, что она с тобой сделает, — засмеялся он. — А я выйду на нее и предложу свои услуги. В конце концов, Монголия граничит с Россией, а я могу помочь всем, чем нужно. И людьми в том числе.

— Ты не сделаешь этого, — услышал он испуганный голос Ганса.

— Только в том случае, если пойму, что ты меня не дуришь, — предупредил Артур.

— Так-так, — сняв очки, Доринов положил их в футляр. — Значит, профессор англичанин убит со своими тремя спутницами. Точнее, с одним спутником и двумя спутницами. Я хочу знать все о профессоре и его подчиненных, — заявил он. — Выходит, что Кадич не врал, — прошептал он. — Но тогда зачем ему нужен я? — Он непонимающе взглянул на стоявшего у двери Алика. Кивнул. — Иди работай. Мне нужна информация о профессоре и остальных. Газету оставь. На досуге почитаю, что там пишут наши монгольские друзья. Я же ни разу не был в Монголии и не знаю ни одного монгола, кроме Чингисхана, — рассмеялся он.

— Я уже ушел и работаю, — улыбнулся Алик. — И завтра к утру у вас будет информация.

— Что бы я без тебя делал, — улыбнулся Павел Игоревич. — Деньги возьмешь у Риммы. Двадцать тысяч зеленых. Они нынче в цене. Кстати, а какая зима в Монголии?

— Снегу сейчас там почти нет и на юге плюсовая температура, — усмехнулся Алик. — Хотя и было...

— Возьмешь у Риммы доллары и вот. — Он вытащил из кармана ключи от машины. — Ты мечтал о «вольво» и она твоя. Оформи генеральную доверенность. — Доринов снял трубку. — Отдашь Алику доллары, — сказал он. Алик, рассыпаясь в благодарности и заверяя о своей верности, вышел. «Значит, камушек действительно стоящий, — думал Доринов, — раз убивают. И похоже, это только начало, — усмехнулся Павел Игоревич. — Почему Барон не звонит Артуру? Хотя, может быть, уже позвонил. Но Артур тут же прибежал бы. А он сидит у себя и пьет пиво. Странно».

44

— Илья, — выскочила из дома в халате и тапочках Зинаида. Левая тапочка слетела, но это не остановило ее. Оставляя следы босой ноги на снегу, подскочила к вылезшему из машины мужу.

— Простынешь, Зинуха. — Илья нахлобучил на голову плачущей и улыбающейся жены лисью шапку, подхватил Зину на руки и понес к дому.

— Илюша, — обвив его шею, сквозь слезы шептала Зинаида. — Господи, как хорошо...

— Да хорошо-то хорошо. — Илья внес жену в обдавшую их теплом кухню, опустил на пол. — Да ничего хорошего. Меня, придурка лысого, ограбили, и все деньги вытащили.

— И пусть, — улыбаясь, всхлипнула Зинаида. — Главное, ты дома. Заработаем мы денег. Главное, ты жив и здоров. Все остальное наживем. — Прижавшись к мужу, она заплакала.

— Хватит, Зинуль. — Он ткнулся губами ей в щеку. — Все нормально. Конечно, что менты взяли, хрен докажешь. Дежурный сказал: бесполезно, только себе хуже сделаю. В общем, написал заявление на тех уродов, ну, гастарбайтеры или как их там, — вздохнул Илья. — Хотели еще, чтоб я упомянул мужика, который, собственно, и спас меня. Но я-то помню, как все было.

— Есть будешь? — опомнившись, спросила Зина.

— Ванну приму, а потом выпью и поем, — вздохнул Илья. — И побриться надо да и одежду поменять. И с синяками и ссадинами что-то сделать.

— Господи, да за что же нам все это! — Зинаида снова заплакала.

— Да погоди ты. — Он прижал ее к себе. — Сама вроде говорила, что выкрутимся, а теперь рыдаешь.

— Просто я так перепугалась, — вздохнула она. — Не пойму ничего. Этот гад, — вспомнила она участкового, —

ничего не знает толком, а заявил, что, мол, допрыгался твой богатырь. А я и не знаю, что делать. Хорошо, Орел мне сказал, что если бы тебя арестовали, то уже бы с обыском приехали. А деньги... Ну что поделать. Продадим трактор, машину, ну и скотину какую.

— Да по идее и трактора хватит, — поморщился Илья. — Но как тогда работать? И машину нельзя. Без нее вообще как без рук. В общем, посмотрим. Ну уж если продавать что решим, то машину, конечно, — недовольно признал он. — Трактор для нас важнее.

— Иди брейся, мойся и будешь обедать. И бутылку настойки достану. Надо Орловым сказать, — опомнилась она.

— Да, скажи, пусть через часик подходят, — кивнул Илья. — Орел, конечно, морда уголовная, но один хрен лучше всех этих несудимых.

Тула

— Привет, Буря. — Олег остановил вышедшего из магазина Александра. — Что-то ты куда-то пропал, — пожимая ему руку, проговорил он. — Я уж думал, не в запой ли ушел.

— Да нет, — возразил Бурин. — И не собираюсь. Найду работу. Грузчиком в конце концов буду.

— Да ты не пори хреновину-то, — сказал Олег. — Ко мне иди. И жратва бесплатная, и бабки приличные. Три ночи в неделю, — подмигнул он Александру. — И в воскресенье день. Так что давай, пошли.

— Нет, — покачал головой Бурин. — Нет у меня желания вышибалой работать. Кроме того, у тебя там наркотики...

— Тсс. — Олег оглянулся. — Не шепчи ерунду, Буря, — предупреждающе проговорил он. — А то ведь и обидеть можешь.

— Расстались, — резко оборвал его Александр и пошел к автобусной остановке.

— Пока-то пока, — пробормотал Олег. — Но ты, оказывается, что-то знаешь. Потому что ты, Буря, не из тех, кто просто так языком болтает. Интересно, откуда? — покачал он головой. — Надо будет прошебуршить своих помощников-придурков. Кто-то из них, наверное, шепнул Буре.

— Слюшай, дарагой, — сказал плотный армянин, — ти не думаэш, что слишком занижаешь цэну? Сам поймы. Кризыс, — подмигнул он сидевшему напротив плешивому невзрачному мужчине в круглых очках. — Поэтому всо даражаэт, дарагой.

— Армен, — вздохнул невзрачный. — Давай не будем про мировые трудности в экономике. Нас они не касаются. А насчет цены я тебе просто скажу. Цыгане предлагают товар по той же цене, по которой мы сейчас у тебя берем. Барон их, Миро, обещал даже снизить, — кивнул он. — Поэтому я и говорю: если ты поднимешь цену, извини, но я буду брать товар у цыган. Подумай и позвони, — поднявшись, он, не прощаясь, медленно пошел к выходу из кафе-бара. За ним двинулись четверо крепких парней. Еще двое стояли напротив Армена. Тот, что-то процедив на своем языке, кивнул молоденькой официантке.

— Коньяк. Сто пятьдесят и закусить!

— Добрый день, Павел Павлович, — тихо поздоровался невзрачный.

— Добрый день, Андрей Константинович, — остановился Палыч. — Вы...

— Если вы домой, — тихо прервал его Андрей, — то садитесь, подвезу.

— Да нет, — покачал головой Палыч. — Мне на рынок надо. Кое-что купить. У моей день рождения завтра, вот и хочу продуктов подкупить да цветами ее побаловать.

— Как ваши дела, Павел Павлович? — поинтересовался Андрей. — От кризиса не пострадали?

— Да клиентов, конечно, поменьше стало, — вздохнул тот. — Но пока на плаву, — кивнул он. — Я думаю, все образуется.

— До свидания и поклон вашей очаровательной супруге. — Легкая улыбка скользнула по губам Андрея. Он подошел к «мерседесу», заднюю дверцу открыл рослый молодой мужчина.

— Вот и пойми людей, — пробормотал Палыч. — Мол, Удин просто змей-горыныч. Его и зовут за глаза Удавом, — покачал он головой. — А он у меня машину делал три года назад и до сих пор здоровается, делами моими интересуется. Правда, неприятный у него взгляд. Ну да бог с ним.

— Отвезете цветы, шампанское и торт его супруге, — сев на заднее сиденье, негромко проговорил Андрей. — В десять утра все должно быть у именинницы, — прищурился он. — И пять тысяч на подарок. Хотя не думаю, что она что-то купит, — пробормотал он.

— Куда, босс? — спросил, повернувшись, длинноволосый атлет.

— Ты когда будешь носить нормальную прическу? — негромко спросил Удин. — Все-таки уж не пятнадцать лет. Домой, — ответил он на вопрос. — И желательно, чтобы ты постригся, Буйвол, — напомнил он.

— Да как-то привык, — усмехнулся тот.

— Привычки уважаю, — спокойно проговорил Удав. «Мерседес» тронулся за отъехавшим джипом с четырьмя крепкими парнями. — И вот что, — вздохнул Андрей. — Партия Армена наверняка уже в городе. Надо изъять. И не забудь о цыганах, — тонко улыбнулся он.

— Подожди. — Тая, длинноногая стройная блондинка в коротком халате, засмеялась. — Я что-то не пойму тебя, подруга. То ты сходишь с ума от своего босса, а теперь неожиданно...

— Просто надо думать о будущем, — перебила ее Рената. — А здесь у меня никаких перспектив удачно выйти замуж, — недовольно отметила она. — Конечно, собирается бомонд и есть очень влиятельные люди, кстати, несколько довольно богатых неженатых. Но Зудин держит меня под постоянным контролем и пресекает любые попытки с кем-то познакомиться. Хотя, если говорить честно, внимание мне уделяют.

— А почему тебе не попробовать заарканить самого Вадима? — усмехнулась блондинка. — Он богат.

— Ну, положим, переспать с ним не проблема, — перебила ее Рената. — Но я не иду на это. Во-первых, не желаю быть его любовницей, он их меняет как перчатки. Я хочу серьезных отношений, и я вижу, что нравлюсь ему. А во-вторых, Зоя Андреевна, она моя ровесница, женила на себе Зудина, и никому не отдаст его. Так что я просто ухожу от него. Меня пригласили к...

— Зря, — сказала блондинка. — Хотя бы потому, что Зудин уже устоявшийся в бизнесе и жизни человек. К тому же, что немаловажно, — усмехнулась она, — он стар и, значит, очень скоро может отдать Богу душу, а ты будешь молодой богатой вдовой. Поэтому плюнь ты на все и приласкай Зудина. Я слышала, что отношения между этой Зоей и Вадимом в последнее время очень и очень напряженные. У Зойки, кажется, любовник есть, и это дошло до Зудина. Сейчас он пытается выяснить, насколько эти слухи верны. Так что у тебя есть шанс, подруга, и не упусти его.

— А у тебя как дела? — спросила Рената. — Ты-то как, Тайка?

— Неплохо, — усмехнулась блондинка. — Я с Андреем Удиным. Он более известен как Удав. Я ни в чем не нуждаюсь. Кстати, завтра я буду в Москве, давай встретимся.

— Разумеется, — улыбнувшись, кивнула Рената. — Как приедешь, звони. До встречи.

— Завтра увидимся, подруга. — Рената положила телефон. — Насчет Зудина, может, ты и права. Но как это сделать? Переспать с ним можно в любой момент, но что это даст, — вздохнула она. — Он просто попользуется и выбросит меня. Нет, так не пойдет. Конечно, если у Зойки, Вадим называет ее Зосей, есть любовник, это мне на руку. Надо будет самой все выяснить, — решила она.

— Ромова, — раздался недовольный женский голос. — Куда ты, черт бы тебя подрал, запропастилась?

— А вот и соперница, — усмехнулась Рената. — Я работаю, Зоя Андреевна. — Она вышла из кабинета. — Мне Вадим сказал...

— Вадим Константинович, — гневно перебила ее стройная, с коротко стриженными каштановыми волосами женщина. — Не забывай, кто ты, а кто мой муж! — добавила она. — Еще раз подобное услышу, вылетишь!

— А кто ты такая, чтоб кого-то выставлять, — усмехнулся вошедший мускулистый мужчина в шортах и наброшенном на плечи халате. Его волосы были мокрыми. — Ты просто носишь фамилию отца и не имеешь никакого права что-то решать. Надеюсь, я ясно выразился? — насмешливо спросил он. — Или тебе это должен объяснить отец?

— Антон? — удивленно расширила глаза Зоя. — А я не знала, что ты приехал. Мне никто не доложил.

— Кого ты из себя строишь? — усмехнулся тот. — Не доложили. Быстро же ты научилась быть госпожой. Не доложили, — повторил он. — Год назад ты говорила «не сказали». Привет, — кивнул он. — И оставь нас, — добавил он. — Привет любовнику, — усмехнулся вслед шагнувшей к двери Зое.

50

— Что? — Развернувшись, она влепила ему пощечину. — И ты туда же?! — закричала Зоя. Хотела ударить еще раз, но Антон перехватил ее руку.

— Не надо, — криво улыбнулся он. — А то я могу ответить. — И отпустив ее, посмотрел на Ренату. — Как дела, Ромова?

— Все нормально, — ответила та. — Я рада вас видеть, Антон Вадимович.

— Дожил, — покачал он головой. — Не ожидал от тебя такого, раньше на «ты» были и просто по имени. Где отец?

— Я не знаю, — вздохнула Ромова. — Он уехал утром, и мне просто сообщили, что он отменил все ранее запланированные встречи.

— Понятно, — кивнул Антон. — Интересно, во что снова влез пахан. Ты ничего не знаешь? — Он внимательно посмотрел на нее.

— Нет, — покачала головой Рената. — А вы, ой, — виновато улыбнулась она. — Ты надолго приехал?

— Приблизительно на неделю. Но вполне возможно, задержусь. Кстати, что ты делаешь сегодня вечером?

— Да ничего особенного, — удивленная его вопросом, ответила Ромова.

— Тогда часиков в восемь я заеду за тобой. Договорились?

— Буду ждать, — с улыбкой ответила она.

— Что он себе позволяет? — бормотала Зоя, расхаживая по комнате. — Заявился. А о Григории, кажется, знают уже многие. Вернее, знают, что у меня есть любовник. Интересно, кто выдал эту информацию? — раздраженно спрашивала она себя. — Вадим наверняка знает об этих разговорах. А значит, пытается выяснить, насколько они верны, и скорее всего нанял частных детективов. Жаль, что Григорий через два дня уедет, — вздохнула она. — Но рисковать я тоже не могу.

— Понятно, — кивнул Вадим Константинович. — Значит, все-таки в каждом вымысле есть доля правды. И сколько этих камней всего? И кстати, откуда информация? И чем она подтверждена?

— Собственно, до июня прошлого года, — начал лысый, — это действительно была одна из множества восточных легенд. Некий Ахас ба Ванунга, персидский знахарь, в конце восемнадцатого века нашел средство от всех болезней. Разумеется, это могло бы показаться просто громким, ничем не подтвержденным заявлением, если бы не было так близко к действительности. И болезни он лечил не порошками и отварами, а с помощью некоего числа изготовленных по-особому камней. В легенде говорится о семи. Из них складывалась определенная фигура, и свет камней помогал в лечении. Своеобразная светотерапия. По другой версии, в камни вселилась душа Ванунги, и сумевший найти камушки и сложить их так, как нужно, обретет бессмертие. Разумеется, не в том широком понимании, как мы говорим о бессмертии, имеется в виду, что человек будет жить несравненно дольше так называемого прожиточного максимума, не будет болеть вообще. Примером служит воспоминание о жене Ахас ба Ванунга, она обладала великолепным здоровьем и прожила до ста пятнадцати лет. И умерла не от болезни, а от ножа пытавшихся выяснить тайну ее мужа. Сам Ванунга более нигде не упоминался. Судьба его неизвестна. Правда, кое-кто делает предположения, что он жив до сих пор. Но повторяю, это была просто легенда о прожившей долго и сохранившей женскую привлекательность жене знахаря. Но в июне две тысячи восьмого года в Навале был обнаружен один из камушков Ванунга. То есть был найден алмаз, прекрасно ограненный в форме ромба. Поначалу считали, что найден древний драгоценный камень эпохи...

— А почему начали думать по-другому? — перебил его Вадим Константинович.

— Лаборантка, обследовавшая камень, была сильно простужена. Перегрелась и залезла в холодную воду бассейна. И заболела. Но, поработав с камушком, она неожиданно для всех выздоровела. Хотя лекарств не принимала, их только заказали.

— Понятно, — кивнул Вадим Константинович. — И вы, Аркадий Семенович, думаете, что это...

— Я не думаю, — перебил его лысый. — Я уверен в этом. И мою уверенность подтверждает попытка захвата камушка из частной коллекции профессора Товасона, кстати, убитого недавно в Монголии, где, вполне вероятно, он также нашел один из...

— А почему в Монголии? — прервал его Вадим Константинович. — И почему один?

— В конце легенды сказано, — проговорил Аркадий Семенович, — «И разойдутся семь камней по семи частям света, и никому не удастся воспользоваться великим даром бессмертия». Звучит общо, но суть понятна. Скорее всего знахарь этот, Ахас ба Ванунга, понял, что его убьют за эти камушки, и просто смылся и где-то выкидывал по одному или все сразу выбросил. Скорее всего по одному, — кивнув, заявил он. — Ванунга понял, что камни помогают людям, и не хотел, чтобы этим кто-то воспользовался. И он понимал, ибо был по-своему образованным человеком, что рано или поздно истина о целебной силе камней дойдет до людей и именно поэтому и разбросал их по одному. И эту версию подтверждает найденный в Монголии камень. И я уверен, — проговорил Аркадий Семенович, — что теперь эти камни будут искать. Кто-то для того, чтобы проверить их чудодейственную силу на себе, кто-то для коллекции, а в основном для того, чтобы разбогатеть. Уже сейчас есть люди, готовые выложить за камушек немалые деньги. За один, — уточнил он. — Я уже не говорю обо всех.

— И сколько же? — осторожно спросил Вадим Константинович.

— Я знаю человека, — улыбнулся Аркадий Семенович, — который за этот ромб-алмаз выложит миллион долларов. А почему вы спросили, Зудин?

— Просто интересно, — засмеялся тот, — есть ли на свете идиоты, которые так легко отдадут деньги. Это же по меркам...

— Но, разумеется, если этот человек будет уверен, что это один из тех семи камней, — добавил Аркадий Семенович.

— А как он выяснит, — усмехнулся Зудин, — настоящий это или подделка? Хотя, что я говорю, — тут же опомнился он. — Случай-то уникальный.

— Вы мне не желаете ничего сказать?

— За информацию нужно платить, — улыбаясь, Зудин вытащил бумажник.

— Нет, я не возьму денег, — улыбнулся Аркадий Семенович. — Если вы будете со мной откровенны, у меня два вопроса. Зачем вам понадобилась информация о камнях? И что вы знаете об убийстве профессора Товасона?

— Отвечаю на первый, — улыбнулся Вадим Константинович. — Я прочитал в «Дейли Телеграф» об убийстве профессора в Монголии и именно там почерпнул информацию о семи камнях. Точнее, там было сказано: «один из камней вечной жизни». Пожалуй, я дал ответ на оба вопроса, — засмеялся он.

— Не совсем, — возразил Аркадий Семенович. — У меня есть информация о вашей попытке отследить маршрут профессора Товасона, а значит, вы, точнее, ваши люди, могли и убить профессора.

— Мон шер, — усмехнулся Зудин, — я могу узнать, от кого вы услышали подобную чушь? Или вы просто пытаетесь меня как-то зацепить? — продолжал он. — Вот что я вам скажу, уважаемый Стасин. Не стоит этого делать. Я могу обидеться. А в таких случаях я сам себя боюсь. Знаете, что мы сделаем, — засмеялся снова Зудин. — Сейчас поедем в ФСБ, и вы там все подробно объясните. А я подам на вас в суд за грязную клевету, порочащую имя добропорядочного человека и гражданина великой державы.

— Отто Торман, — перебил его Стасин, — жив. Его еще зовут Койотом. Он же работал на вас в Афганистане в две тысячи...

— Подожди, — остановил его Зудин. — О ком ты говоришь?

— Не переигрывай, Зудин, — рассмеялся Аркадий Семенович. — Или ты пытаешься выиграть время для обдумывания и принятия решения? — спросил он. — Не стоит. Ты влез не в свое дело. Каким-то образом тебе удалось перехватить Отто и, следовательно, забрать у него камушек жизни. Так говорят о камнях заинтересованные в их приобретении люди. И не надо играть в непонимание, Зудин, твое предложение направиться в ФСБ просто смехотворно. А что бы ты делал, если бы я согласился?

— А мое предложение в силе, — спокойно проговорил Зудин. — Больше того, я настаиваю. — Повернувшись, он махнул рукой. К столику сразу подошли трое крепких молодых мужчин в серых костюмах. — Если желаете, — поднявшись, кивнул Зудин, — вызывайте милицию, я с радостью передам вас им. И мы отправимся в ФСБ. Посему предлагаю поехать самим.

— Подождите, Вадим Константинович, — явно перепугался Стасин. — Но я просто хотел, так сказать...

— Вы сказали то, что хотели, — холодно улыбнулся Зудин. — Помогите господину Стасину, — кивнул он телохранителям. — Но аккуратнее, чтобы не причинить ему боль.

— Да вы послушайте, Вадим Константинович, — уже кричал Аркадий Семенович. — Я просто...

— Сбавьте тон, — посоветовал Зудин. — Вы привлекаете внимание, и обслуга может вызвать милицию. Пойдемте, и если по дороге вы сумеете меня убедить, что вы несерьезно обвиняли меня черт знает в чем, я отвезу вас в отель.

Сидевший у стойки бара мускулистый, в темных очках молодой мужчина, потягивая коктейль через соломинку, внимательно наблюдал за Зудиным и Стасиным. Когда подошли гориллы Зудина, усмехнулся. Увидев, что Вадим Константинович с собеседником пошли к выходу в сопровождении громил, скользнул взглядом по залу. Остановил взгляд на симпатичной русоволосой женщине. Разговаривая по сотовому, она поднялась и быстро пошла к выходу. Мужчина, допив коктейль, поднялся.

— Молодая особа в брючном костюме, — негромко проговорил он.

— Вижу, принял, — услышал он голос из наушника.

— Я надеюсь, вы пошутили насчет ФСБ? — подвинувшись вперед, спросил скуластого телохранителя Стасин. — Мы не едем в ФСБ. Это все просто... — И обмякнув от удара, ткнулся лицом в подголовник переднего сиденья. Скуластый, поддержав Стасина, пристегнул его ремнем безопасности.

— Номер машины... — начала женщина в брючном светло-синем костюме... — И вздрогнув, выронила сотовый. Телефон поймал подошедший парень в темных очках.

— Говорил же, не пей много, — недовольно сказал он. К нему подошел мужчина из бара.

— Давай в машину ее, — обратился к парню, и они, подхватив женщину на руки, понесли ее к стоянке.

— Жива? — спросил остановившийся сержант милиции.

— Просто выпила много, — улыбнулся мужчина.

— Сестра моя, — виновато проговорил парень. — А он муж. Я бы такую жену...

— Но она же с вами, — усмехнулся милиционер.

Две машины въехали в подземный гараж. Из «мерседеса» вылез Зудин.

— В комнату для дорогих гостей, — распорядился он. Двое парней, вытащив из джипа бесчувственного Стасина, понесли его вверх по лестнице. Зудин вошел в лифт.

— Вадим Константинович, — несмело обратился к нему лифтер с пистолетом в кобуре на ремне, — ваш сын приехал.

— Когда? — спросил Зудин.

— Как только вы уехали, где-то через минут десять, — сообщил тот. — И Зоя Андреевна приехала. Она попыталась уволить Ромову, но Антон Вадимович не позволил.

— Где он? — перебил его Зудин.

— Полчаса назад уехал и сказал, что вернется утром, — ответил лифтер-охранник. — Обещал позвонить.

— А Зойка тут?

— Уехала раньше Антона Вади...

— Рената? — снова перебил его Зудин.

— А что? — стоя перед зеркалом, усмехнулась Ромова. — Почему бы и нет. Мне необязательно, чтобы он женился на мне. Ребенок и все, он мой. Точнее, часть его состояния. И мне хватит этого. Ты сам напросился, Владик, — засмеялась она.

В подземный гараж двухэтажного коттеджа въехал «форд». Остановился. Из машины вылез парень и, бегом вернувшись к воротам, закрыл их. К машине подошли двое узкоглазых парней.

— Отнесите ее наверх, — требовательно проговорил мужчина в темных очках. Парни вытащили женщину в брючном костюме и понесли на второй этаж. Мужчина вышел из гаража, снял очки, прищурившись, посмотрел на небо. На его лице таяли снежинки. — Ну? — ворчливо спросил по-английски невысокий мужчина в наброшенном на плечи полушубке. — Черт бы побрал эту зимушку-зиму, — по-русски с небольшим акцентом проворчал он. — Ты не ошибся, Квентин?

— Надеюсь, что нет, дядя, — покачал головой тот. — Собственно, ответ мы узнаем через несколько минут. Я вколол ей немного снотворного, так что подождем.

— Но если ты ошибся, то что с ней делать? — вздохнул дядя.

— А какая разница, — рассмеялся Квентин. — Так и так будем убивать.

— Весь в прадеда, — проворчал дядя. — Тому было лишить человека жизни то же самое, что прихлопнуть муху. Шотландцы, мать вашу так, — усмехнувшись, подмигнул он племяннику.

— Где я? — испуганно спросил Стасин.

— У меня, — подмигнул ему Зудин. — Как настроение?

— Я знал, что вы причастны к убийству профессора, — обреченно проговорил Аркадий Семенович. — Что вам надо?

— На кого работаете, Аркадий? — сев в кресло, спросил Зудин.

— Да вы что, — вздохнул тот. — Я просто попытался подловить вас на...

— Вот что, Аркаша, — посмотрел на часы Зудин. — У тебя мало времени. Ты все мне скажешь в любом случае. Или сейчас сам, без принуждения, либо позже. И поверь, мои ребята знают толк в этом деле, — усмехнулся Вадим. — Так что давай по-хорошему. И мы решим, как нам быть. В конце концов, ты сможешь быть богат вдвойне. Ведь тебе платят за работу, — заметил он. — И от меня ты будешь получать определенные деньги. Назовешь счет, и я буду пересылать туда оговоренную сумму. Выбор у тебя небольшой, Аркаша.

— Да перестаньте, Вадим Константинович, — попросил дрожащим голосом Стасин. — Я ничего не знаю.

— Он ваш, — встал Зудин. К лежавшему на кожаной тахте шагнули двое парней.

— Я все скажу! — заверещал Стасин. — Дайте воды, — вздохнул он. — Я все вам расскажу, — повторил он. — Я работаю на Амазонку. Так ее называют. Это зверь, а не женщина, — кивнул он. — Берта Хольц. Она наняла Отто, — добавил Стасин, — чтобы тот убил профессора и его людей и взял камушек. Профессор позвонил своему американскому другу Чарли Чейзу. Тот тоже в Монголии. Профессор-востоковед из США, — вздохнув, он снова попросил: — Воды дайте, пожалуйста.

— Где вода, черт вас возьми? — заорал Зудин. Парень, подскочив, сунул в руку Стасина бутылку минералки. Тот сделал несколько больших глотков. Поперхнувшись, закашлялся. Наклонившись, Зудин приподнял его и похлопал по спине.

— Спасибо, — пробурчал Аркадий.

— При каких профессор-американец? — требовательно спросил Зудин.

— Он ни при чем, — покачал головой Стасин. — Просто кто-то из его людей работает на Амазонку, ну, на...

— Понятно, — кивнул Зудин. — Значит, это перестает быть легендой, — недовольно отметил он. — А как про камни узнала Амазонка?

— Я не посвящен в это, — испуганно ответил Аркадий.

— Это она послала тебя на встречу со мной? — помолчав, спросил Зудин.

— Нет, — возразил Аркадий. — Просто она позвонила и попросила найти человека, на которого Койот работал в Афганистане. Искал там...

— А почему ты решил, что этот человек я? — усмехнулся Зудин.

— Я помню, ты рассказывал, — напомнил Стасин, — что кто-то тебе помог в Афганистане взять у пуштунов золотые монеты и упоминал немца по имени Отто. Поэтому я и...

— Она знает про меня? — спросил Зудин.

— Конечно, нет, — сумел усмехнуться Стасин. — Я решил, что использую и тебя, и ее. Я говорю о деньгах. Покажите мне камушек, Вадим Константинович, — умоляюще попросил он. — Я знаю, вы убьете меня. Я хочу знать, ради чего я рисковал своей жизнью. Собственно, если быть честным, я всю жизнь боялся разного рода авантюр. Сумел наладить дело. Чтобы развернуться, взял кредит. А тут, — он вяло махнул рукой, — кризис и все. Я брал в долларах и... И теперь у меня нет ничего.

— Погоди, — усмехнулся Зудин. — А как ты попал под Амазонку эту?

— Мне поставлял товар, — понуро ответил Стасин, — в основном компьютеры и телевизоры, ее знакомый. Точнее, партнер Берты по бизнесу. Фридрих Кальге, — вздохнул он. — И товар я брал как бы в долг. Рассчитывал...

— Понятно, — кивнул Зудин. — Но камня у меня нет, — усмехнулся он. — Кстати, ты сказал, что Отто жив. Как ты узнал?

— Ничего я не знаю, — промычал Стасин. — Только знаю, что он пропал. И Амазонка думает, что его убили. В том месте видели какого-то русского. И Берта предположила, что русские могли перехватить Койота.

— А почему не предполагает, что Койот взял камушек и смылся с ним? — усмехнулся Зудин.

— Койот бандит, убийца, он может отдать взятый для кого-то товар за более высокую цену, но сам брать ничего себе не будет.

— И она подумала, что камушек перекупил его русский знакомый? — снова усмехнулся Зудин.

— Этого она не исключает, — вздохнув, проговорил Стасин. — Но у Койота есть привычка не продавать второму, а убивать его. И деньги при нем, и товар он отдаст заказчику. Но в этот раз его, видимо, опередили, — кивнул Аркадий.

— На кого работает эта Берта? — спросил Вадим. — Только не говори, что на себя. Я в это не поверю никогда, — предупредил он. — И вообще, кто она такая? Почему баба и вдруг...

— Как я понял, — прервал его Стасин, — на кого-то из своей семьи Шмидт Хольц. Она, собственно, была в военном училище, ну в общем, в армии, — продолжил он, — ФРГ в НАТО, и там у нее вышел конфликт с каким-то американским летчиком. Она ушла из армии. Стреляет отлично, дерется не хуже тренированного мужика, водит машину, в общем, та еще хищница. Я говорю тебе все, что знаю, — заверил он Вадима. — Не убивай меня, — умоляюще попросил он. — Я буду делать все, что скажешь, только не убивай.

— Я подумаю, — подмигнул Зудин. Шагнул к двери. — Бежать даже не пробуй. Не выйдет. Просто отметелят и все. Если что-то захочешь, нажми кнопку под крышкой, — кивнул он на столик, — и сразу же получишь. Все, вплоть до бабы. Ну разумеется, кроме телефона и оружия. — Он снова подмигнул. — А я обдумаю все и решу, как нам с тобой быть. Убивать тебя смысла нет. Как говорится, врагов не убавится. Ты тряпка, — брезгливо проговорил Вадим Константинович. — А пригодиться мне можешь. Кстати, — вспомнил он, — когда у тебя разговор с Амазонкой?

— Завтра, — ответил Аркадий Семенович. — Я должен сказать, нашел я человека...

— А как и где ты должен был его искать? — прервал его Зудин.

— В записной книжке на «З» есть его фамилия и имя. Год рождения. Живет где-то под Москвой. Отто пару раз был с ним в Азии. Наемниками, ну, как их зовут — «дикие гуси»...

— Эта книжка? — вытащил Зудин из кармана его пиджака записную книжку.

— Да, — ответил Стасик.

— На «З», говоришь? Зайцев В.М., — прочитал он. — Был в Конго в девяносто девятом. В Афганистане в две тысячи пятом. Значит, он работал вместе с Койотом на меня, — прошептал Зудин. — Странно. И все? — взглянул он на Аркадия Семеновича.

— Да, — вздохнув, несмело проговорил тот. — Вот именно по этим данным я должен был его найти.

— Ерунда какая-то. — Зудин отбросил записную книжку. — Ты что, хотел в газету объявление дать? Мол, разыскивается Зайцев, который знает Койота и был с ним в горячих точках.

— У меня был телефон подруги Зайцева, — признался Аркадий, — но я его потерял.

— И не запомнил? — прищурился Вадим Константинович.

— Нет, — помрачнел Стасин. — Но я спрошу у Берты, и она назовет номер. Собственно, я ехал именно к тебе, — заметил он. — Я был абсолютно уверен, что ты перекупил Отто, а когда тот попытался убрать твоих людей, его самого убили.

— Ну, что ж, — усмехнулся Зудин. — Поговоришь с Бертой.

— Как себя чувствуете? — войдя в комнату, спросил Квентин.

— Вы кто? — Женщина с трудом приподнялась на кровати, медленно приходя в себя.

— В данное время тот, — улыбнулся он, — кто решает вашу судьбу.

Она испуганно смотрела на него.

— Вы действительно Людмила Сергеевна Чернова? — вытащив из кармана паспорт и открыв его, спросил Квентин.

— Действительно, — проговорила она.

— Что вы делали в баре «Белый аист»?

— Пила кофе, — ответила Людмила. — Я не понимаю, что я тут делаю и кто вы такой.

— На кого работаешь? — спросил Квентин.

— Что? — естественно удивилась она. — Я не понимаю вас, — покачала головой Людмила. — И вообще, кто вы такие? Я была в баре, потом позвонила другу, чтобы он меня встретил. Он, наверное, ищет меня там. Вы бандиты? — В ее голосе было отчаяние.

— Зря ты, Квентин, — входя, пробормотал Шонри. — Мы проверили, кому она звонила до захвата, это какой-то мужчина и он очень волнуется. — Услышав незнакомую речь, женщина, испуганно отпрянув к стене, сжалась.

— А может, мужчина просто прикрытие? — спросил Квентин.

— Знаешь, племянник, — задумчиво сказал Шонри, — мне сразу не понравилось все это, не было у нее прикрытия. Но что сделано, то сделано. Убивать будешь сам. И еще, — вспомнил он, — почему не послал за...

— Зачем? — усмехнулся Квентин. — Где живет Зудин, мы знаем.

— Извини, — усмехнулся Шонри и вышел.

— Что вы хотите? — уже плача, спросила женщина. — Я...

— Убей ее, Стрелок, — коротко бросил Квентин и вышел. Стоявший у окна парень, вытащив пистолет с глушителем, вскинул руку с оружием и выстрелил. Пуля попала женщине в лоб.

— Вместе с покрывалом в ванну и разделать на части, — дунув в глушитель, усмехнулся Стрелок.

— Кто-то звонил с ее телефона, — быстро говорил плотный молодой мужчина в очках. — Люда сказала, что будет ждать у бара. Я подъехал через десять минут. Ее не было и на звонки не отвечала. С ее телефона позвонил какой-то мужчина и поинтересовался, кто я. И все. Я ничего не понимаю. — Он растерянно развел руками.

— Ну что? — спросил майор милиции подоспевшего опера.

— Сидела она в баре, — кивнул тот. — Ее опознали. Была спокойна, одна, с ней хотели какие-то ду́хи познакомиться, но она их отшила. Те ушли после нее минут через десять. Сняли баб и ушли.

— Ду́хи, это кто? — усмехнулся майор. — Кавказцы?

— Говорят, азики, — ответил опер.

— Никто ее не помнит. — К ним подошел старший лейтенант милиции и отдал фотографию Люды.

— А вы фотографии всегда с собой возите? — спросил мужчину майор.

— Просто я забрал снимки, — вздохнул тот.

— Оставьте свои координаты и желательно пару дней никуда не выезжать. Если что-то выясним, свяжемся, — пообещал он.

— Я не понимаю, что случилось, — твердил мужчина. — И этот странный звонок с телефона Люды.

— Возьми его и отвези в отделение, — кивнул старлею майор. — Пусть заявление напишет. Темная история, — добавил он.

— Полковник Асин снова наедет, — усмехнулся опер. — Зачем приняли заявление. Может, она сбежала.

— Вези и пусть подает заявление, — отрезал майор.

— А кто у тебя там? — спросил Антон у отца. — Любопытно.

— Знакомый, — отрезал тоном, ясно дававшим понять, что больше таких вопросов не задавать, отец. — Ты надолго?

— Не знаю пока. Посмотрю. А как Ромова-то расцвела, — подмигнул он отцу.

— Ты ее не тронь, — строго предупредил Вадим Константинович. — А то я знаю твои способности. Понял?

— А если во мне вдруг неожиданно вспыхнуло ранее неведомое мне чувство любви? — засмеялся Антон.

— Как вспыхнуло, так и погаснет, — усмехнулся Вадим Константинович.

— Ну, это не тебе и не мне решать, — возразил Антон.

— Повторяю для особо тупых, — раздельно проговорил Зудин-старший. — Ренату не тронь.

— Погоди, батя, — хохотнул Антон. — Ты на нее глаз положил. Но ты вроде как женат и тем более возраст у тебя почтенный, да и сомневаюсь, чтоб она ответила тебе взаимностью. Или ты просто в отместку своей женушке-дочери решил... — Сильная оплеуха качнула его вправо. — А силенку еще имеешь, — потирая побагровевшую щеку, усмехнулся Антон. — Но зря ты так. Я и ответить могу. Потому что ты спутался с этой шлюшкой, а мама подыхала в это время.

— У Лиды был рак, и ничего поделать было нельзя, — сухо проговорил Зудин-старший. — Я просто встречался с Зосей.

— Ее Зойка зовут, — криво улыбнулся Антон. — И неужели ты не знаешь, что у нее есть...

— Тебя это не касается, — отрезал отец.

— Меня все касается в этой семье, — раздраженно проговорил Антон. — Надеюсь, ты помнишь, что я твой сын.

— А я думал, ты забыл об этом, — сухо заметил Вадим Константинович. — Для тебя чужие дороже.

— Для меня дорогая была мама, — напомнил сын. — Приехал я, собственно, затем, чтобы навестить ее могилу, — вздохнув, опустил голову, — увидеть тебя и встретиться с друзьями. И кроме того, мне никогда не нравилось торговать. Я выбрал в жизни то, что мне нравится. Знаешь, я доволен жизнью, зарабатываю очень хорошо.

По крайней мере мне хватает, и я уже завел банковский счет. Еще пара лет и я остановлюсь. Но в Россию не вернусь. Есть шанс остаться во Франции, и я воспользуюсь этим. И знаешь, — усмехнулся Антон, — я доволен, что у Зойки есть хахаль. Неужели ты думал, что могло быть иначе?

— Хватит, — гаркнул отец. — Надеюсь, будешь уезжать, увидимся.

— Разумеется, — усмехнулся сын. — Я же должен сказать тебе кое-что.

— Я догадываюсь, что ты скажешь, — вздохнул Вадим Константинович.

— Погоди, — покачала головой Рената. — Сегодня вечером я занята. Да, — весело проговорила она. — Сегодня вечером я занята. Так что никаких посиделок не будет.

— У меня день рождения, — перебил ее женский голос. — И я бы хотела, чтобы ты пришла. Как я поняла, у тебя появился друг. Так приходите вместе с ним.

— Я не могу, — сказала Рената. — Извини, но не могу.

— Может, завтра заглянешь?

— Постараюсь, — усмехнулась Рената.

— Я его лично пристрелю, — зло бормотал вошедший в кабинет Чижиков. — Кастрирую и пристрелю.

— Ну, если ты его кастрируешь, — засмеялся сидевший за столом плотный оперативник, — зачем убивать. Жизнь для него сплошная мука. Разумеется, если этот интеллигент в возрасте. А скорее всего он молод. А он что, снова удивил? — усмехнулся плотный. — Так времени-то всего...

— Взял обменный у Ярославского, — процедил Чижиков. — Охранника сделал инвалидом. У того реакция хорошая, и он ушел от рубящего. Ну и бежал бы придурок, а он на преступника бросился. Ну и получил в печень. Врачи говорят, выживет, но похоже, инвалид. А может, и умрет. Твою мать. — Он сел и вытащил сигарету. — И снова ничего. Видели двое бородача в очках, сутулый такой, вышел и по переходу к вокзалу пошел. Табличка на двери «Закрыто».

— Понятно, — кивнул капитан. — Интеллигент растет. Так и на банк пойдет. Только бы охранник не крякнул. Если жмур будет, прокуратура вмешается и убойный отдел. А хочется самому с этим интеллигентом поздороваться. Как ты думаешь, капитан, — спросил он Чижикова, — ствол настоящий?

— Думаю, что да, — кивнул тот. — Он профи в своем деле и не пойдет на дело с игрушкой, а вдруг возьмут, и, представь, что будет. Он попал за гоп-стоп с пневматикой. Настоящий у него ствол, — уверенно проговорил он.

— А где и кем ты работаешь? — заинтересованно спросила блондинка.

— Свободный художник, — улыбнулся «спортсмен». — А если серьезно, то постарайся не задавать вопросов о моей жизни. Я не люблю этого. Постарайся понять меня правильно, Лида.

— Хорошо, — спокойно согласилась та. — Больше подобных вопросов не будет. Просто, знаешь, — вздохнула она, — мы с тобой совершенно случайно встретились. Я без мужа уже почти три года и не спала ни с кем. А природа требует, как говорил мой дедушка. Ты мне понравился. Ночь была великолепна, — улыбнулась Лида. — И я благодарна тебе за это. Цветы, хорошее вино, отличный любовник и элегантный кавалер. Что еще нужно молодой одинокой женщине, — рассмеялась она. — И когда ты ушел, не пообещав вернуться, я первые два дня была очень довольна. Но потом поняла, что я часто вспоминаю тебя и очень хочу увидеть. Для меня постель никогда не была главным ориентиром в отношениях с мужчиной. Я самодостаточна. И не нуждаюсь в подачках. Я люблю свою работу и не потерплю запрета на нее. Я не буду говорить, что обделена вниманием мужчин.

— Подожди, — подвинув ей бокал и подняв свой, улыбнулся «спортсмен». — Давай не будем, — сказал он. — Я буду с тобой откровенен. Я не хочу серьезных отношений. Не потому, что не готов к этому, а просто не хочу менять свою жизнь. Если ты сейчас скажешь: уходи, я уйду без сцен, — вздохнул он. — И никогда больше не появлюсь в твоей жизни. Знаешь, — он усмехнулся, — наверное, для тебя так будет лучше. Но не выгоняй меня сейчас, давай проведем этот вечер вместе.

— Я и не собираюсь тебя выгонять, — улыбнулась Лида. — Я просто боюсь привыкнуть к тебе. И именно поэтому я и начала спрашивать о твоей жизни. Можно только один вопрос? — проговорила она.

— Хорошо, — улыбнулся он.

— Тебя связывают серьезные отношения с какой-нибудь женщиной? — тихо спросила Лида.

— Единственная женщина в мире, — усмехнулся он, — кому я говорил «люблю» вполне осознанно и серьезно, это была моя мама. — Поморщившись, он сделал два глотка. — Ее нет уже пять лет, и в этом есть и моя вина. Я так считаю, — добавил он. — Насчет наших встреч с тобой могу сказать точно только одно. Пока ты со мной, других не будет. Давай выпьем, — сказал он.

— Давай помянем твою маму, — поднялась Лида. — И пусть земля будет ей пухом, — тихо проговорила она. Он тоже поднялся.

— Спасибо, — скорее поняла по губам, чем услышала Лида. Оба выпили и сели.

— А имя Сергей настоящее? — спросила она.

— Именно так назвала меня мама, — ответил он. — Я не помню отца. Мама говорила, что он был военным и погиб. Я верил в это до второго класса, — кивнул он. — Потом учительница мне сказала, что мой батяня алкаш и утонул в бензовозе, удирая от милиции, когда возвращался из колхоза, куда отвез солярку. Я ничего не стал говорить маме, но мне было очень обидно. И только после выпускного я узнал, что отец мой действительно был военным, старшим лейтенантом, и погиб на Кавказе. А учительница наговорила со злости, она ненавидела маму, считая, что та увела у нее жениха.

— Знаешь, Сережа, — Лида вздохнула и отпила из бокала, — извини, но мне почему-то кажется, что ты военный или был им.

— Давай за тебя, Лидия, — улыбаясь, он встал. — И я очень хочу, чтобы ты была счастлива. Чтобы сбылись все твои мечты и пожелания. Я понял, что в этой жизни почему-то не везет красивой женщине, если она хороший человек. Очень сложно быть красивой и остаться при этом хорошим человеком. Во времена СССР это было возможно, но сейчас, увы. За твою красоту, внутреннюю и внешнюю!

— Спасибо, — засмеялась Лида. — Но ты меня очень мало, а значит, плохо знаешь. Я просто ужасный человек!

— За тебя, Лидия, — повторил Сергей, поднимая бокал.

— Что же делать? — расхаживая по комнате, бормотал Стасин. — Он меня убьет. Что же делать? — подойдя к окну, остановился. — И решеток нет, — вздохнул он, — а все равно не выберешься и на помощь не позовешь. Предположим, сейчас появится милиция, что я ей скажу? Если правду, то меня самого упекут, а Берта найдет способ прихлопнуть меня и в тюрьме. Черт, — чертыхнулся Аркадий Семенович. — Зачем мне все это понадобилось? Идиот, — плюнул он на стекло и рукавом пижамы стер плевок. — Сам напросился и вот теперь, кажется, все. Что же делать?

За метаниями Стасина наблюдали двое.

— Похоже, он ничего конкретного не знает и говорит вам правду, — сказал, глядя в экран, рослый мужчина в спортивном костюме. — У него привычка говорить с собой. Но это нам ничего не дает.

— Ты можешь установить место, откуда будут звонить? — спросил Зудин.

— В пределах до трех километров, да, — кивнул тот. — Более приблизительно в радиусе...

— А если из-за границы?

— Можно, но аппаратура не та, и времени надо гораздо больше, чем пятиминутный разговор. Спецслужбы и то...

— А если телефон он включит на громкую связь, с той стороны абонент услышит или поймет это?

— В комнате, да, — кивнул рослый. — На улице слышны посторонние шумы. В машине, скорее всего, нет.

— Понял, — прервал его Зудин.

— А Антон надолго? — поинтересовался рослый.

— Не знаю, — ответил Вадим Константинович. — Он уже большой мальчик, — усмехнулся он.

— Дура, — гневно бросил коренастый китаец. — Неужели нельзя было сделать это самой? — злобно спросил он.

— Но вы велели, — смущенно, испуганно глядя на него, пролепетала полная женщина лет сорока, — чтобы она просто попыталась понять, о чем они говорят.

— Твое счастье, — процедил китаец, — что они не догадались пытать ее. Иначе нам пришлось бы убить тебя. Дура, — кивнул он и вышел.

— Сам дурак, — усмехнулась она. — Главное, я деньги получила. А Людка дура. И не знала ничего. Просто я попросила, чтобы она ждала там, она и уселась. А когда те уходить начали, позвонила и сказала ей, что не приду. Вот так-то, придурок.

— Зря ты так, — услышала она мужской голос. Резко вскочив, она бросилась к окну. Ее затылок догнала пятка прыгнувшего человека. Женщина рухнула лицом вниз.

70

— Сейчас мы все узнаем, — поклонился ударивший коренастому китайцу.

— А уже все ясно, — процедил тот. — Убейте ее, — кивнул он. — Ограбление наркоманами, — уточнил он. — Такое в России бывает.

— Я вынуждена сообщить собранию, — спокойно проговорила, входя в комнату, стройная, с узкими глазами, молодая женщина в мини. — И твою судьбу, Учитель, будут решать члены собрания.

— Я бы не торопился, Кобра, — усмехнулся он. — Я сумел выйти на русского и уверен, что выясню о его причастности к...

— Время уходит, — напомнила Кобра. — Поэтому я вынуждена...

— Делай, как считаешь нужным, — спокойно проговорил Учитель. Она усмехнулась, надев темные очки, пошла к двери.

— Змею нельзя греть на своей груди, — прошептал он. — Она может укусить в любой момент. Но тебе не хватит ума, Янь, — хмыкнул он. — Хочешь добиться успеха, сначала делай, потом говори, — кивнул коренастый.

Бонн. ФРГ

— Я ни в чем не уверена! — зло говорила Берта. — Просто я не люблю оставаться ни с чем. Надо было делать все самим, и не было бы провала операции. Да-да, — повторила она. — Именно провала операции. И я уверена, что Койот убит.

— Вот что, Берта, — холодно проговорил тучный мужчина в темном костюме. — Нашли забросанных песком убитых людей Койота. Это без сомнения они, — заявил он. — У меня есть люди в монгольской милиции, и я верю им. Сам Койот пропал. Его, видимо, увезли с собой, чтобы выяснить, на кого он работает.

— Койота можно купить, — перебила его Берта, — но нельзя заставить говорить. Он доказал это в Афганистане, когда попал к пуштунам.

— А ты не думаешь, что его как раз и купили? — перебил ее тучный.

— Тогда бы там нашли еще трупы, — усмехнулась она. — Он всегда начинает стрелять первым.

— Но если перед ним был человек, — заговорил худой мужчина в белом костюме и белой рубашке с повязанным под ее воротник белым платком, — который ему доверял, то Койот имеет плохую привычку говорить, особенно если чувствует превосходство. А его могли просто опередить. Люди Койота убиты, когда в их руках уже не было оружия, — вспомнил он. — Так сообщил один из моих людей. А ему я верю. Он спец в таких вопросах. Кстати, место, где их поубивали, недалеко и в стороне метрах в трех еще кровь. Скорее всего это и есть кровь Койота. Его тащили до высохшего ручья и...

— А если он сам полз? — прервала его Берта.

— Но тогда где он? — уже раздраженно спросил тучный. — А нам бы он, надеюсь, сумел объяснить, почему провалилась операция. Кстати, его пытаются найти в Монголии люди Муллы.

— Мулла у себя в комнате не может найти сигареты, — насмешливо напомнила Берта. — А там...

— А там он найдет все, что захочет, — усмехнулся тучный.

— Ты, дядя Гейдрих, слишком доверяешь Мулле, — покачала головой она. — А не стоит забывать, что он был...

— Я все помню и знаю, как с ним себя вести, — перебил ее Гейдрих. — Что ты намерена делать?

— А что я могу? — усмехнулась Берта. — Как я поняла, ты все решил делать сам. Может, мне вообще забыть про это дело?

— Вся в своего отца, — заметил тучный. — Тоже был нетерпелив и обидчив. И плохо кончил.

— Собственно я, как ты заметил, живу одним днем, — проговорила Берта. — И мне плевать, что будет завтра. Детей у меня нет и не будет, так что я получаю удовольствие от того, что делаю. В данном случае мне интересно, правда эти камни способны исцелять или это сказка, рассказанная кем-то всему миру. Жаль, неизвестно имя автора, а то бы его родственники вполне могли обогатиться.

— Оставь свой цинизм при себе, — сухо заметил Гейдрих. — И пока никуда не высовывайся. До тех пор, пока не будет известно, что с Койотом. Чертовы журналисты, — не сдержался он. — По крайней мере уже в пяти популярных изданиях они сообщили о том, что легенда о камнях вечной жизни имеет под собой почву. Черт бы съел их пальцы и языки, — процедил он. — Кто-то пронюхал о рукописи. Но как и с чего все началось?

— А попытка захватить камень в Берне у дочери профессора Корцаха? И нападение на частный музей мадам Леберти в Лионе? У дочери профессора не тот камень, а она кому-то сказала после газетных заметок, что отец привез из Греции один из семи камней. И этого вполне хватило, чтобы на ее музей было совершено нападение, — напомнила Берта. — С чего бы это вдруг? Ведь только после этого вспомнили о легенде. Кстати, ее почему-то нашли в Непале. А ты, дядя, веришь, что эти камни даруют бессмертие?

— Не знаю, — вздохнул Гейдрих. — Кстати, почему ты не зовешь меня, как принято между родственниками, по имени: дядя Вилли? Ответить на твой вопрос я пока не могу. Просто сделай так, как я говорю. А Ганс с радостью согласился на домашний арест, — усмехнулся он.

— Я Берта Хольц, — вскинув голову, гордо проговорила его племянница. — Дочь полковника Хольца и внучка…

— Сейчас ты моя племянница, — перебил ее дядя. — Дочь моей сестры, и я буду делать все, чтобы ты…

— Что я? — вызывающе спросила она. — Может, ты сделаешь мне операцию, и я смогу родить ребенка? Или, может, мне взять какого-нибудь ублюдка из сиротского дома? — усмехнулась она. — А может, мне помогут эти чудо-камушки? — засмеялась она.

— Извините, фрейлейн, — негромко заговорил сидевший в углу на обитом бархатом стуле невысокий седобородый мужчина в очках, — но вполне, по крайней мере я так думаю, могут помочь собранные в правильную фигуру камни Ахас ба Ванунга. Насчет вечной жизни ничего не могу сказать, ибо не стану лгать, не верю в это ни как человек, ни как имеющий профессорскую степень ученый. А вот излечение многих болезней вполне возможно. Ибо, как мы поняли, камни созданы по семи категориям жизни, сейчас мы пытаемся понять, что такое эти категории жизни, но увы, — смущенно проговорил он. — Нам сие не удается. Так вот, — продолжил он, — уже известны случаи излечения болезней светотерапией. Единичные случаи, но они есть, и это признает наука. Поэтому сочетание света семи природных камней образует мощный направленный биопоток на живой организм. Так что, вполне возможно, это...

— Что ты ерунду говоришь, Фишке, — усмехнулась Берта. — Какие потоки, какое ле...

— Но тем не менее, — посмотрел тот на Гейдриха. — Как вы узнали о том, что покойный профессор, да обретет душа Товасона покой, — сложив ладони перед собой, он посмотрел вверх, — нашел один из семи камней Ахас ба Ванунга, а не какой-то другой?

— Ты всегда был болваном, Фишке, — язвительно заметил Гейдрих. — Из газет, и ты сам это знаешь.

— А там, если вы помните, мой Адмирал, — спокойно заговорил доктор, — было написано, что лаборантка благодаря этому камушку излечилась от простудного заболевания. Надеюсь, вам не изменяет память?

74

— Черт, — буркнул Гейдрих. — А ведь действительно. — Он посмотрел на переставшую улыбаться племянницу. — А сообщил об этом своей родственнице один из рабочих, которые участвовали в раскопках. Та и вынесла эту потрясающую новость в прессу. Разумеется, в лагерь профессора...

— Значит, действительно лечат камушки? — удивленно отметила пораженная Берта.

— По крайней мере один из камушков излечил женщину от простуды, — спокойно отозвался Фишке.

— Итак, камней семь, — сказала Берта. — Нашли один, другой в музее мадам Леберти. А почему ее камень никак себя не проявил?

— Никто его не исследовал. Но я не сомневаюсь, что теперь мадам Леберти обязательно этим займется.

— Уверена, что нет, — усмехнулась Берта. — Она теперь будет пытаться найти остальные. Ну почему так не везет? — с досадой спросила она. — Камушек был уже, можно сказать, у нас в руках, и случилось что-то необъяснимое, — зло продолжила она.

— Мои люди обыскали там все вокруг, но никаких следов Койота не нашли. Опрашивали местных жителей, предлагали деньги за помощь в поисках — безрезультатно. Куда он подевался? — вздохнул Гейдрих. — Остается только одно. Его захватили. Но тогда почему никто не вышел на нашего человека у профессора Товасона? — спросил он. — Я специально не тревожу его. За ним, разумеется, наблюдают, и если бы Койота взяли, он бы уже выдал его. Ты говоришь, что Койота...

— Но у пуштунов в Афганистане он молчал, — напомнила Берта.

— Его просто ни о чем не спрашивали, — заметил Гейдрих. — Выбить то, что нужно, тем более у наемника, — он махнул рукой, — не составляет особого труда. В конце концов, Койота просто бы перекупили. Но получается, что его не убили, не захватили, и его нигде нет. Конечно, можно предположить, что Койота захватили и увезли с собой

75

а там убили. Но я в это не верю. И остается только гадать. А я никогда не любил делать подобного. Поэтому будем искать. Надеюсь, Мулла сможет выяснить хоть что-то.

— А где ты собираешься искать остальные пять камней? — спросила Берта.

— Я уверен, что по крайней мере еще два, а то, может, и больше, находятся в чьих-то руках. Скорее всего в коллекциях. Я также допускаю, что в какой-нибудь мусульманской общине. Ахас ба Ванунга был истинным мусульманином, и даже был воином и участвовал в боях против так называемых крестовых походов, коих во все века было премножество. Так что спектр поиска камней бессмертия расширяем. Я подключил своих людей в Пакистане и Афганистане, где особо ярко выражены мусульманские настроения. А ты вот что, — посмотрел он на Фишке. — Полетишь в Штаты и сделаешь все возможное и невозможное, но ознакомишься с документацией профессора Товасона. Да, — кивнул он, увидев удивленный взгляд Берты, — Товасон работал по заказу некоего Джино Баретти из Штатов и ежедневно отправлял туда отчеты о работе. Поэтому, несмотря на его гибель, документация, по крайней мере до того дня, когда его убили, наверняка сохранилась.

— Почему профессора не охраняли? — спросила Берта.

— Потому что он был в Монголии, — сказал Гейдрих. — А туда въезд частным вооруженным лицам запрещен. Да профессор и не собирался брать с собой охрану. Говорил, что его охраняет Господь Бог, — усмехнулся он. — И доверял властям. И ошибся. Цена этой ошибки — смерть четверых людей.

— А кто такой Джино Баретти? — спросила Берта.

— Мафиози, — ответил Гейдрих. — По крайней мере связан с итальянской мафией. Его партнер был убит в прошлом году, влез в эту историю с глобусом. В общем, Баретти темная личность. Но он не посылал профессора

Товасона конкретно за камнями. Профессор в Монголию прибыл как частное лицо. Вроде бы пытался выяснить что-то о Чингисхане. Но понятно, что это был просто предлог. Собственно, профессор Товасон не столько работал для истории и науки, сколько для себя. А ты почему еще тут? — посмотрел он на Фишке.

— Я уже улетел, — поспешно ответил тот и выскочил.

— Ты, Брут, — кивнул рослому загорелому мужчине, — поедешь в Лион к мадам Леберти и выяснишь все про ее камень.

— Дядя, — вмешалась Берта, — а не лучше ли послать к мадам Леберти Фишке, а к мафиози — Брута. Брут сам из...

— Правильно, — не дал договорить ей дядя. — Верни Фишке. — Он кивнул стоявшему у дверей спортивного телосложения блондину. — И отправь к мадам Леберти. А его, — он посмотрел на Брута, — отвезешь в аэропорт. И еще, Карл, — кивнул он, — позвони в Вашингтон, пусть его в аэропорту подстрахуют люди Ледяного. Все-таки надо учесть, что Койот может быть жив.

— Я повторяю, — перебила его Берта, — Отто если и будет говорить, то только о том, на чем его прихватили. И даже пытки не помогут. Насчет его перекупки, то он профи и знает, что рано или поздно его все равно убьют, и он не пойдет на это. Поторговаться может, но не предаст, — заявила она.

— Дай бог, — кивнул Гейдрих.

Горный массив рядом с границей Китая. Монголия

— Сегодня он не будет лечить, — выйдя из пещеры, сказал пожилой монгол. — Он устал. Раны здорово подорвали его здоровье. Уходите.

— Дядя Улун, — поклонившись, начал рослый молодой монгол в волчьем малахае, — целителя разыскивают белые люди. Нашли мертвые тела бандитов. По степи говорят, что целитель был...

— Хватит, Угал, — перебил его пожилой. — Язык дан для разговоров, но многие получили его как собаки, для бреха. — И вздохнув, хитро прищурился. — Собака лает, а караван идет.

— Двадцать три, двадцать четыре, — считал, делая приседания, Отто. Выдохнув, заходил по комнате. — Ай да Иван, — по-русски пробормотал он. — Понял, что я собираюсь забрать у него деньги. Чувствуется школа Зудина. Но вот что странно. — Он хотел взять стоявший на кагане чайник и отдернул руку. — Как они постоянно держат его горячим? — усмехнулся он.

— Женщины доливают, — сказал, войдя в пещеру, старик. — Мужчина должен сразу брать то, чего желает. В чае много полезного и...

— В курсе, — кивнул Отто. — Как мое плечо?

— Тебе очень повезло, чужой, — проговорил монгол. — Пройди пуля чуть левее, и попала бы в печень. А от пули в сердце тебя спасла рукоятка пистолета, который был под мышкой. Пуля попала в рукоятку и изменила направление, скользнув, вошла в правое плечо. Но не осталась там, — довольно вспомнил он. — А где ты научился лечить людей? — поинтересовался он.

— Я не всегда был Койотом, — вздохнул Отто. — Учился в медицинском на врача. Потом, правда, пришлось бросить. Но это прошлое, а я не люблю вспоминать то, что было. Потому что хорошего было намного меньше плохого.

— Тебя разыскивают дурные люди, — сообщил старик. — Предлагают много денег. Но те, кто сделает все, чтобы быть богаче, ушли в город. — Он кивнул на вход.

— Когда я могу уйти? — спросил Койот.

— Ты можешь уйти, когда хочешь, — старик сел на коврик, скрестив ноги, сунул в рот длинную трубку, — но далеко не уйдешь. Ты слаб, и рана не зарубцевалась. Ты сам понимаешь это. Если бы нет, то не спрашивал, — прикурив, глубоко затянулся и закрыл глаза.

— Это часа на полтора, — усмехнулся Отто. — Старик мог бы стать миллионером, — кивнул он. — Столько травки вокруг. Может, это и хорошо, что я тут. — Он сел на коврик. Поерзал. — Никак не привыкну. Впрочем, прошло всего четыре дня. Помогло мне знание восточной медицины, — рассмеялся он. — У дочери старика болели зубы. Массаж и все. Боли нет. Оказалось, здесь многие этим страдают. Пришлось стать знахарем, или как они зовут меня — целителем. Им всем нужно к стоматологу, но, похоже, это для них далеко и дорого. Ладно, — кивнул он, — отдохну. Хорошо, пистолеты взяли. — Он достал из спортивной сумки два пистолета. — Правда, в «зауэре» в обойме всего пять, — пробормотал он. — А в кольте две обоймы. Не люблю пистолеты. Револьверы гораздо удобнее и лучше. И в дальности, и в прицельности. Я узнал, что рядом граница, и обрадовался. Через Россию я мог бы спокойно уйти на Украину, а оттуда в Польшу, но оказалось, что это граница с Китаем. А вот туда совсем нет желания попадать. — Он вытащил из пачки сигарету и прикурил. — Русские совсем не умеют делать сигареты, — затянувшись, поморщился он. — Собственно, кроме оружия, они, похоже, вообще ничего не умеют делать. Носят не свое, машины предпочитают из-за границы, технику и мебель тоже. Даже сбережения хранят в долларах, — вздохнул он. — А я предпочитаю евро. Машину «фольксваген» и...

— Целитель, — услышал он женский голос, — мальчику очень плохо. Щека раздулась и он постоянно плачет.

— Флюс, — важно буркнул Отто. — По вашему не знаю, как сказать, — на монгольском проговорил он женщине. — Надо полоскать рот виски. Ну, то есть чем-нибудь, чтобы обеззаразить. Вашим отваром, — вспомнил он. — При опухоли десны лечить пальцами нельзя, — попытался пояснить он свой отказ.

— Я поняла, — весело улыбнулась скуластая загорелая женщина в меховой безрукавке и, поклонившись, вышла.

«Отсюда надо уходить, — подумал он. — Но сейчас не смогу. Устал чертовски. — Он сел, держа в руках по пистолету. — Может, застрелиться, и все проблемы решены. — Подняв руки, прижал стволы к вискам. — Паф и все», — кивнул он и, услышав звуки шагов, спрятал пистолеты.

— Он спит, — услышал Отто мужской голос, и шаги начали отдаляться.

— Как мне все это надоело, — вздохнул Отто. — В джунглях и то лучше было. И еда не по мне. Хотя я не привередлив и мне плевать, кто, как и что готовит. Наверное, просто засиделся в цивилизации, — с иронией заметил Койот. — Интересно, кто меня ищет? — вспомнил он слова старика. — Ответ очевиден. Люди Адмирала. Разумеется, я сам виноват. Решил получить два раза за одну работу. Адмирал сейчас думает, что я у кого-то и сдаю его и его команду. Хотя Берта, наверное, пытается доказать обратное. А Иван доказал, что русские не зря победили в сорок пятом, — криво улыбнулся он. — Собственно, историю в который раз пытаются переделать. Уже и в России молодое поколение уверено, что если бы не Штаты, то Гитлер бы войну выиграл. А на самом деле, если бы не Союз, то Англии бы досталось и Америке перепало бы, хотя она и далеко. Японцы с помощью Гитлера разделались бы с ней, и не было бы мирового господства доллара. Что-то я в этой дикой стране потихоньку умным становлюсь. Раньше никогда ни о чем подобном не думал, — хмыкнул он.

— Нет нигде этого немца, — сказал приземистый монгол, сидящий на лошади. — Нам бы давно сообщили о чужом, — уверенно проговорил он. — Чужих в этих краях не терпят.

— А где же он? — раздраженно спросил среднего роста восточного вида мужчина. — Трупы засыпали, и он должен быть там. Всех проверяли на дорогах.

— Тут видели вертолет, — прервал его скуластый молодой гладко выбритый монгол. — Его могли захватить.

— Это вертолет русских геологов, — отрезал Мулла. — Они что-то здесь искали. И вертолет, после того как он сел, тоже проверили. После того, как узнали об убийстве.

— Но вертолет улетел раньше, — напомнил монгол.

— Об убийстве узнали еще раньше, и сразу начался поиск преступников, — заявил Мулла. — Мне Адмирал звонил и предупредил, чтобы я был осторожнее. А уже потом просил найти Койота. А где он? — зло процедил Мулла. — Надо прочесать округу.

— Опасно, — подошел полный, с вислыми усами монгол. — Армия проводит операцию.

— Что за операция? — зло спросил Мулла.

— Учения, — успокоил его тот. — Но всех, кто окажется в зоне действия, будут проверять военные.

— Значит, уходим, — решил Мулла. — И пусть Койоту помогает дьявол, иначе, если он жив, ему не выбраться.

Красноярск. Россия

— Подожди, — покачал головой Иволгин. — Я что-то не понял. На кой хрен мне лететь в Пекин? Я не любитель китайской экзотики.

— Так приказал генерал, — перебила его Рената. — Он просил вам позвонить и передать то, что я сказала. Там встретитесь с Муо, и он вам все объяснит.

— Черт бы вас там всех подрал, — процедил, отключив телефон, Иволгин. — Какого хрена я буду делать в Пекине? И что может объяснить Муо? — Он пожал плечами. — А придется лететь. Генерал, похоже, тронулся с этими камушками. Он не верит ни в Бога, ни в черта, а только в пистолет Стечкина. Хотя, может, постарел и сейчас уже генерал в отставке, — усмехнулся Иван. — Бизнесмен. Вот чего я, наверное, никогда не пойму, на кой черт нужно влезать во что-то, когда можно жить спокойно в достатке, ни в чем себе не отказывая. Как говорят в лагерях, жадность фраера погубит. Так что генерал Зудин запросто может не дожить до отведенного ему срока. А мне придется лететь, — недовольно проворчал он. — Монголия, Китай. Потом Япония или Корея. А может, Вьетнам, — хмыкнул он. — А давненько я не видал Муо. Мы с ним в свое время почудили по молодости. Он ментом стал, я тоже. Но быстро и его, и меня вышибли. Ему пришлось три года провести в китайской тюрьме. Меня Бог, точнее, прокурор миловал. Неужели это из-за этого камушка?

— Конечно, — кивнул державший сотовый невысокий лет тридцати пяти мужчина. — Я проконтролирую это.

— Все, — перебил его Зудин. — Мне просто надо знать, улетит он в Пекин или нет. И когда.

— Все понял, — заверил невысокий. — Сейчас обеспечу наружное наблюдение.

— Позвонишь, когда он полетит, — предупредил Зудин. — И поедет.

— Все будет исполнено, — торопливо проговорил невысокий.

— Не оплошай, Лапшин, — предупредил Зудин.

— Есть, мой генерал, — отчеканил Лапшин.

Москва

— Ну наконец-то, — недовольно проговорил, отключив сотовый, Зудин. — Могу я узнать, где тебя носило?

— Извините, Вадим Константинович, — вздохнул Орехов. — Мать приболела. Старушке уже девяносто первый, и прихватило. Я ее в клинику отвез, ну и задержался. Там, сами знаете...

— Понимаю, — кивнул Зудин. — Родители — это святое. Я, собственно, вот почему тебя вызывал, — сказал он. — Камень, который отдал тебе Иволгин, точно был в единственном экземпляре?

— Сто процентов, шеф, — кивнул Орехов.

— Я терпеть не могу, когда ко мне обращаются: шеф, босс и тому подобное.

— Извините, генерал, — смущенно попросил Орехов. — Но я, собственно, не понимаю. Камень этот один был. Ведь...

— Ты веришь Иволгину? — перебил его Зудин.

— Сто пудов, верю, — кивнул Орехов. — Он мужик, понятное дело, выделывается, но цену себе знает и стоит много.

— А что он тебе говорил о том, у кого взял камень? — снова перебил его Зудин.

— Да вроде тот с монголо-татарами хотел его на гоп-стоп взять, — усмехнулся Орехов. — Но Ванюха хоть по имени вроде и дурачок, Иван-дурак, — с ехидцей заметил он, — но хрен его на фуфло подловишь. Короче, его парни там тех на мушку взяли, и все срослось. Тех положили и того фрица, который камень отдавал, тоже вроде замочили.

— Вроде или убили? — с нажимом спросил Зудин.

— Да, Валерка вчера базарил, что ему вроде из Монголии звякнул какой-то Батый. Ну, не тот, который...

— Ну? — подстегнул его криком Зудин.

— Ну, вроде среди трупов нет того черта, — быстро сказал Орехов. — Нашли тех, кого...

— А мне он ничего не сказал, — проворчал Вадим Константинович.

— А он чирикал с бабой, ну с вашей секретаршей, поэтому и позвонил мне и сказал, что вы спросите, а я...

— В таком случае Иволгин молодец, — улыбнулся Зудин. — А я подумал...

— Да все путем, генерал, — усмехнулся Орехов.

— Это тебе на лечение матери, — вынул пятьсот евро, подвинул их по крышке стола Зудин. — А это тебе. — Он положил на стол тысячу евро. — Добавка к жалованью, — великодушно проговорил он.

— Ну, — немного растерянно начал Орехов. — Я даже не знаю, как и благодарить. А на Иву вы зря хреново думаете, — заверил он Зудина. — Ива верный мужик и за вас и на ствол, и на нож пойдет. Он же помнит, как вы его вытащили в Чечне.

— Ну, ладно, — посмотрел на часы Зудин. — Свободен. Ты куда сейчас? — тут же спросил он. — Если куда из Москвы уедешь, сообщи. Матери, понятное дело, помогать надо, но и про работу не забывай.

— Да я просто навещу, узнаю, как там и что, и назад. Собственно, зажилась мамаша на этом свете, — вздохнул он. — И чем как она жить, лучше сразу в гроб. Болеет последние десять лет постоянно, — добавил Валерий.

— Все, можешь идти, — сказал Зудин.

— Есть, — кивнул тот и вышел.

— Значит, мои подозрения неверны, — признал Зудин. — Отто скорее всего жив. Раз его ищут, значит, он не труп. Но кто его разыскивает? — размышлял он. — Надо, собственно, было послать Иволгина в Монголию. Работу нужно доделать. Хотя в Китае только у него есть знакомый, — вспомнил он. — Да и в Монголии тоже. Хотя он может позвонить своим бандитам и пусть те займутся поиском Отто и выяснят, кто ищет Тормана. Он помог мне в Афгане, — усмехнулся Зудин. — Без Койота я бы не нашел ничего. Конечно, и заплатили прилично, но надо отдать ему должное, он специалист высокого класса. Когда мне из Монголии позвонил Иволгин и сказал, что встретил в Улан-Баторе Койота, я не поверил. А он, оказывается, еще предложил Иволгину один из семи камней Ванунга. За пятьсот тысяч евро. Разумеется, я не мог оставить это просто так. И Иволгин с честью выполнил задачу. Правда, если он не убил Койота, тот будет мстить. Торман очень злопамятный и мстительный человек. Хотя с другой стороны, он хотел убить Иволгина и забрать деньги. Койота часто губит его мнимое понимание полного превосходства. Он начинает рассуждать и доказывать, какой он умный, а все остальные кретины. Подобное он проделывал не раз и не два. Только я знаю три подобных случая. Койота уже два года пытаются найти родственники мексиканца, который поехал купить у Койота какую-то картину. Койот, разумеется, ничего не хотел продавать, а просто убил мексиканца и двоих сопровождающих его. Странно, что Торман до сих пор не в розыске. Его должен бы искать Интерпол, а он не разыскивается даже ни одной страной. Хотя крови на его руках... — Он задумался. — Интересно, кто стоит за этим? Я имею в виду убийство профессора с его помощниками. Что не Берта Хольц, я уверен абсолютно, — пробормотал Зудин. — Она работает на кого-то. А вот на кого? Вот что хотелось бы знать. Сейчас, собственно, из-за этой чудодейственно избавившейся от простуды лаборантки охотников появится сверх меры. Кто-то чтобы разбогатеть, другие — чтобы иметь у себя камни вечной жизни, и наверняка кто-то, разумеется, с большим состоянием, наймет авантюристов, для него деньги тьфу, — плюнул Зудин. — А вдруг действительно поможет. Еще китайцы эти. Молодец Глинин, — кивнул он. — Он знал, что мы были в баре и значит, за нами следили. Но кто? Хотя Глинин ответил, китайцы, — вздохнул он. — Бабу эту нашли, и убитую, как мешавшую триаде. Отрублены пальцы и в двух местах переломаны руки. Выколоты глаза. Только этого еще не хватало, — вздохнул он. — Но я не отступлю, — усмехнулся он. — Генерал Зудин не отступал никогда. По крайней мере один камушек у меня. Черт, — недовольно буркнул Вадим Константинович. — Собственно, я ничего не знаю об этих камнях. А где взять полную информацию? — задумчиво пробормотал он.

— Их семь. — Он вздрогнул от неожиданно прозвучавшего голоса сына. — Из семи небольших, обработанных в форме ромба камушков, кажется, алмазов, — кивнул он повернувшемуся к нему отцу, — складывается фигура, и с помощью этих камушков, а может, благодаря фигуре, выложенной из них, человек выздоравливает. И даже может обрести бессмертие, — вполне серьезно проговорил он. — По крайней мере жена этого жреца прожила более ста десяти лет. И это уже не легенда.

— Подожди, Антон, — удивленно начал отец. — Но ты откуда знаешь про это?

— Я знаю даже больше, — спокойно заговорил сын. — Что у тебя есть один из этих камней. Откуда я узнал? — опередил он отца. — От человека в комнате для тех, кого пригласили силой, — рассмеялся он. — Мы с ним мило побеседовали. Я угостил его пивом. Он работает на какого-то Адмирала. Как и Берта Хольц, — добавил он. — И вот что еще, — кивнул он. — Я согласен помочь тебе, но сначала хочу увидеть камень. Откуда я вообще знаю обо всем этом? — усмехнулся Антон. — Все очень просто. Мы были в Иране и охотились за одним из семи камней. По крайней мере, так говорил Черный Капитан, — кивнул он. — Он же Джоуш Бернадин. Мы все думали, что нам заплатили за операцию против талибов, но Черный Капитан уже на месте через три дня объяснил, за что именно нам заплатили. И заявил, что в случае результата мы получим в два раза больше. А на привале рядом с Джухаем один бывший студент-историк и рассказал нам эту легенду. Правда, не до конца, — усмехнулся он. — Нас обстреляли американцы, приняв за талибов. И трое, среди них знаток легенд, погибли. Покажи камень, отец, — попросил он. Вадиму Константиновичу согрело сердце обращение «отец». Он давно не слышал подобного от сына.

— Сейчас, сынок, — повернувшись, открыл дверцу сейфа.

«Даже не ставит на код», — отметил Антон.

— Вот он. — Зудин аккуратно поставил на стол бархатную коробочку. Осторожно снял крышку. И лежавший внутри камушек заиграл темными разноцветными сполохами. — Знаешь, — вздохнул Вадим Константинович, — я, наверное, оставлю его себе. Ну, то есть нам, — поспешил поправиться он. — Он же все-таки, наверное, стоит немало.

— То есть ты довольствуешься только одним? — усмехнулся сын. — Я не поверю в это никогда. Кстати, что ты думаешь делать с гостем?

— Наверное, его убьют, — помолчав, ответил отец. — Отпустить я его не могу.

— Тогда скажи, пусть увезут труп, — спокойно проговорил сын.

— Что? — непонимающе спросил отец.

— Я убил его. — Антон вытащил сигарету, щелкнул зажигалкой, прикурил. Выпустил дым на коробочку с камушком. — Ничего необычного, — пожал он плечами. — А я думал...

— Подожди, — спросил потрясенный Зудин. — Как ты убил Стасина?

— Свернул ему шею. — Взяв коробочку, Антон поднес ее к глазам. — Но сначала он мне все рассказал. Старый трюк, — с улыбкой заметил Антон. — И он рассказал все, что знает. А знает немного. Но Адмирал и Берта Хольц, — вздохнул он. — Берту я имел счастье видеть в Сомали и Пакистане. Но мы были одной команде. Зверь, а не баба, — кивнул он. — Зверь в полном смысле этого слова. Нет ничего святого, с мужиками ужасно жестока. Хотя не лесбиянка, нормальная баба со своими потребностями. Но жестока до не могу, — повторил он. — Ненавидит детей. В общем, противник достойный. Умна, хитра. Кстати, если Койот жив, я ему не завидую. Его не просто убьют, а заставят пройти все круги ада. У Амазонки есть партнер, точнее, ее преданный пес, Инквизитор. Худой, бледный как смерть, во всем белом и платочек на шее белый, — усмехнулся Антон. — Для него мучения других — наслаждение, и, по-моему, даже кончает от этого. Да ты успокойся, папаша, — насмешливо посоветовал он побледневшему отцу. — Ты же все равно хотел убить его. Я просто выбил из него информацию и нечаянно свернул ему шею. Перебор, так сказать. У меня никак не получается верхняя обездвиженность. Мастера чуть как-то дернут шею влево, и человек парализован на пару, а то и более минут, а затем около получаса общая слабость. Вот я и пытаюсь добиться этого, но никак не выходит, — усмехнулся он. — А камушек убери. А то увидят твои орелики, и мало ли что кому придет в голову. Тем более сейчас начался газетный бум на эту тему. А труп пусть далеко не отвозят, — посоветовал он. — В сквер и пару пузырей пусть там найдут свежих, и бутылку коньяка, которую я ему дал, в перчатках возьмут и там же оставят. Милиция сделает вывод, с кем-то пил и, как часто бывает, что-то не поделили, тот ему и свернул шею. Вот и все. Документы чтоб на месте были, ну а денег, разумеется, нет, — засмеялся Антон.

— Ты так спокойно говоришь об этом, — пробормотал отец. — Раньше ты таким не был.

— А ты разве не был спокоен, когда мама умирала в больнице? — усмехнулся Антон. — А сколько людей ты уже отправил в небытие? Ну, конечно, не своими руками. Кстати, Рената в постели такое вытворяет, — засмеялся он и вышел. Вадим Константинович не мигая смотрел на оставленную открытой дверь. И неожиданно понял, что боится Антона.

— Он может убить не раздумывая, — прошептал Вадим Константинович. — Он предложил заняться поиском камней. И он много знает о них. Господи, я чувствую страх, глядя на родного сына. И не знаю, что делать и как вести себя с ним. У него не получается крутить головы. Бред какой-то! Такое и в страшном сне не увидишь.

— Звали? — появился в проеме двери рослый бритоголовый молодой мужчина в темном костюме.

— Ага, — растерянно ответил Зудин. — Ты, Макс, возьми своих и труп Стасина. — Он вздохнул. — Ну, ты понимаешь.

— Уже занимаются этим, — ответил Макс.

— Как занимаются? — удивился Вадим Константинович.

— Антон приказал, — пояснил тот. — Он сказал, вы чувствуете себя неважно и он временно взял бразды правления в свои руки.

— Да-да, — прервал его Зудин. — У меня что-то голова разболелась.

— Спасибо за гостеприимство и за мужчину, — улыбаясь, говорила Таисия. — Было просто чудесно. Я чуть было и на постель согласия не дала, — рассмеялась она. — А твой кавалер, я так поняла, сын Зудина. Очень интересный мужчина. Может, ты и сделаешь себе жизнь за его счет.

— Не верю я в это, — сказала Рената. — Но все-таки приятно быть с ним. Я давно не чувствовала себя так хорошо. А ты в Москву приезжала по делам? — поинтересовалась она.

— Навещала одну знакомую, — отмахнулась Тая.

— А не к любовнику, Вирова? — съязвила Рената.

— Ты не пошути так при Андрюше, — улыбнулась Тая. — Он человек без юмора.

— А кто он по жизни? — спросила Рената.

— Лучше тебе пока этого не знать, — усмехнулась Таисия. — Но если кто обидит, обращайся. Он может абсолютно все и всюду.

— Даже так? — улыбнулась Рената.

— Именно так, — подчеркнула Таисия. — А чем Зудин-старший занимается? — причесываясь, поинтересовалась она.

— Ну, у него бизнес, — ответила Рената. — Лес, мебель. Есть несколько заправок. Также несколько...

— А правда, что он имеет свою бригаду? — перебила ее Тая. — Я говорю...

— Поняла я, — усмехнулась Рената. — Почему ты спросила?

— Мне Андрей говорил, — призналась Тая. — У его парней были стычки с людьми Генерала. Ведь так его зовут.

— Генерал это не кличка, — сказала Ромова. — Это его воинское звание. Он был генерал-майором в армии. Его разжаловали до полковника и выгнали. Превышение полномочий и еще что-то. Подозревали в торговле оружием.

— Но если его разжаловали и даже понизили в звании...

— Может, я что-то не так поняла, — прервала ее Рената. — Но генералом он был. Воевал в Афганистане, в Чечне. Но генерала ему только дали, а после Чечни отправили в отставку. Суда не было, но вот так.

— Понятно, — кивнула Тая. — А ты не слышала ничего о камне бессмертия? — повернувшись, она посмотрела на подругу. — Вчера, помнишь, что-то приятель твой Антону говорил?

— Костя болтун, — отмахнулась та. — И фантазер.

— Да не в полном смысле этого слова, — усмехнулась Тая. — А просто существуют несколько своеобразно отделанных алмазов, которые вместе производят действие на больного человека. Камушки переливаются разноцветьем. Они стоят очень больших денег, — закончила она. — Я слышала разговор Андрея с каким-то узкоглазым. Кстати, там вспоминали и твоего хозяина. Я про Зудина-старшего. А где был Антон?

— Я знаю, что за границей, — ответила Рената. — А что он делал и где был, не интересовалась. — По лицу ее прошла тень.

— Что с тобой? — спросила Таисия.

— Мне неприятны твои вопросы, — честно ответила Ромова. — У меня появилось такое чувство, что ты приехала именно для того, чтобы что-то выяснить о Зудине. Ты и вчера вскользь несколько раз спрашивала про него. И когда пришли Костя и...

— Просто я много слышала про Зудина от Андрея, — призналась Тая. — О нем говорили, как о мафиози, что он якобы и золотом занимается, и оружие продает. И не только в России, — кивнула она. — Вот я и пыталась что-то узнать для себя. Ты же помнишь, — засмеялась Вирова, — меня постоянно в институте за язык ругали и терпеть многие не могли. А я просто любопытна, — весело закончила она. Рената тоже засмеялась.

— Это точно, — весело подметила она.

— А ты хорошо знаешь подругу свой новой пассии? — спросил крепкий молодой мужчина с длинными волнистыми рыжими волосами.

— Да, собственно, как и ты, — усмехнулся тот. — Я Ренату голой только вчера увидел. И не пожалел. Я обязательно продолжу наши отношения.

— Эта Тая, — сказал рыжий, — много раз спрашивала о Вадиме Константиновиче. О тебе тоже пару раз.

— Даже так? — удивленно произнес Антон.

— Да, — кивнул рыжий.

— А что, Костя, она о себе рассказывала? — спросил он.

— О себе она вообще ничего не говорила, — усмехнувшись, подмигнул тот Антону. — Да мне, собственно, и неинтересно было. Я больше на ее фигуру смотрел. Она в постели чудесная партнерша.

— Понял, — кивнул Антон. — Значит, спрашивала про отца. Я знаю, что она училась в финансовом вместе с Ренаткой. Сейчас живет в Туле. Тула, — опомнился он. — Надо будет поговорить с Ренаткой.

* * *

— Ты надолго уезжаешь? — спросила Лида.

— Может, еще и не уеду, — улыбнулся Сергей. — Сначала разузнаю, что и как. И потом решу. Ты, разумеется, узнаешь об этом.

— Знаешь, Сережа, — вздохнула Лида, — не уезжай, — опустив голову, попросила она. — Ну, хотя бы неделю побудь. Я не хочу, чтобы мы сейчас расстались, — тихо добавила она.

— Я не могу тебе ничего обещать, — начал было Сергей. — Я уже объяснял, что...

— Молчи. — Она коснулась его губ указательным пальцем. — Мне никогда не везло на настоящих мужчин. Не было их у меня, — подняв голову, она посмотрела в глаза Сергею. — А ты настоящий. Наверное, это не совсем удачное объяснение в любви, — грустно улыбнулась она. — Иди. И прости, пожалуйста, за попытку задержать. Я просто не имею на это права. Но ты мне нужен, — негромко проговорила она. — Помни об этом. И если тебе вдруг станет плохо, возвращайся. Я тебя приму любого, — прошептала Лидия.

Он коснулся ее губ своими и вышел из комнаты. По щекам женщины катились слезы.

«Кажется, я попал, — спускаясь по лестнице, думал Сергей. — Хорошая она женщина. И красивая, и умная. Ей бы мужика нормального, детишек. Ей нужно, чтобы рядом был человек, которому она была бы нужна, и она выдержит все и не оставит его ни при каких делах. И если сядет, тьфу-тьфу-тьфу, — плюнул он через левое плечо и рассмеялся. — В приметы начал верить, Белый, — вздохнул он. — А уезжать надо. И так я подзадержался. Хорошее дело бы и все. Ушел бы на дно и затих. За мной пока ничего для прокуратуры нет. — Он вышел из подъезда. Подняв голову, посмотрел вверх. — Наверняка смотрит в окно. Но я тебе не пара, Лидка, — пробормотал он. Уви-

92

дел медленно ехавшую машину ДПС. Посмотрел на часы и повернул вправо. — Чего это они по дворам ездить начали? — подумал он. — Понятное дело, не за мной, но все равно неприятно. — Сделав вид, что запнулся, оглянулся. Машина ДПС выезжала к проспекту. — Так. — Он остановился. — Сейчас надо навестить Рябого. Пора собирать камни, — усмехнулся он. — Надеюсь, он не думает, что я забыл».

— Погоди, — сказал полный пожилой мужчина. — И что же ты думаешь делать? Если рассчитываешь, что мы с Ирой тебе поможем, то ошибаешься. Ты уже не ребенок, и все решать должен сам. Мы тоже в затруднительном положении. Ира еще лечится, у меня давление скачет. Деньги нам самим нужны.

— Да не за деньгами я приехал, — отрезал Бурин. — Просто проведать. — Он взял чашку с чаем. «На кой хрен я заикнулся о том, что без работы сейчас? — недовольно подумал он, глядя на пьющего чай отчима. — Только бы Ирке не ляпнул». — Вы это, Николай Владимирович, — вздохнул он, — Ирке ничего не говорите. А то...

— Разумеется, не скажу, — проворчал тот. — Ты сам виноват в том, что у тебя ничего в жизни не получилось. Ушел в армию, видите ли, настоящий мужчина должен служить. Ну, это еще ладно. Зачем остался на сверхсрочную? Я тебя запросто мог сунуть в институт.

— Давайте не будем, — попросил Александр. — Я живу так, как живу. И сейчас выкручусь, — уверенно проговорил он. — Все будет хорошо. В конце концов, я не нищий, сбережения кое-какие есть. Хотел машину купить, но не получается. С женой развожусь, — неожиданно проболтался он.

— Как разводишься? — опешил отчим. — Ведь Алена прекрасный человек!

— Да пошутил я, — перебил его Александр.

— Так не шутят, — возразил отчим. — Но на ее шее сидеть тоже негоже, — проворчал он.

— Да хорош тебе, — не сумел сдержаться Бурин. — Знаешь, я вот что скажу. Ты всю жизнь мне испортил. Именно ты всегда давал мне понять, что я тебе чужой и ничего хорошего из меня не получится. Ты даже запретил называть тебя папой. Мне нужен был отец, а ты все время держал меня на расстоянии и всем, всем, — зло повторил он, — говорил, что я тебе никто. И меня называли ублюдком. И ты так говорил, — усмехнулся он, — когда мама не слышала. Знаешь, почему я не поступил в институт? Да потому что ты бы счел это своей заслугой. И я ушел в армию и остался там еще на полтора года. И вот что я тебе скажу, Николай Владимирович, — процедил он, — если я узнаю, что ты чем-то обидел Иру, я тебе расшибу башку. Понял?

— Да я никогда не обижал ее, — испуганно залепетал тот. — А то, что не давал тебе называть себя папой, извини. Просто ты был чужим. Но я тебе всегда что-нибудь покупал.

— Заткнись, — бросил Бурин. — В общем, Ире скажешь, что я ухожу в армию по контракту. Я заеду, когда все с этим вопросом решу. Понял?

— Конечно, — торопливо проговорил отчим. — Все понял, и все, как ты велишь, скажу.

— И что? — спросил севшую на заднее сиденье Таисию смуглый черноволосый парень с серьгой в правом ухе. — Что-нибудь узнала?

— Закрой свой рот, Цыган, — остановила его Тая. — А то будешь сам отвечать Андрею. Поехали.

— Здравствуй, — смущенно и в то же время весело улыбнулась Рената.

— Привет, — кивнул вошедший в приемную Антон. — Отец там? — Он посмотрел на дверь кабинета.

— Нет, — ответила Рената. — Он приболел вроде.

— Так. — Антон закрыл дверь. — Мне нужно с тобой поговорить.

— О чем? — улыбаясь, опустив голову, спросила Ромова.

— Кто такая твоя подруга? — услышала она. — Я про Тайку.

— Ты только об этом хочешь поговорить? — подняв голову, тихо спросила она.

— Об остальном мы поговорим вечером, — улыбнулся Антон. — Надеюсь, ты не против, если я приду вечером?

— Конечно, нет, — повеселела она. — А насчет Тайки ты зачем спросил? Уж не решил ли ты приударить за ней?

— Просто Костик интересуется, — усмехнулся Антон. — Запал, видно, на нее. Она замужем?

— Нет, — ответила Рената. — Она подруга одного типа. Ну, в общем, уголовника.

— Всего-то, — засмеялся Антон. — А я думал...

— Что ты думал? — тут же спросила Рената.

— Да, собственно, это уже не важно, — сказал он. — Ты выглядишь просто восхитительно. — Он подошел к Ренате и обнял. — Сегодня мы проведем чудесную ночь. Надеюсь, подруга не придет.

— Мы будем только вдвоем, — тихо проговорила она. — Ты и я.

— Подождите, Вадим Константинович, — сказал бритоголовый верзила по кличке Фантом. — Значит, вы опасаетесь, что Антон вышел из-под контроля?

— Именно этого я и опасаюсь, — процедил Зудин. — Он уже начал отдавать приказы. Убил Стасина, получив от него информацию.

— И что с ним делать? — перебил его верзила. — Убрать?

— Наверное, — опустив голову, забормотал Зудин. — Хотя нет, — вскинув голову, выкрикнул он. — В общем, вот что, Фантом. Ты, ну вроде как в разговоре, попытайся узнать настроение в команде. И как они относятся к Антону. И не готовится ли он, ну, мягко говоря, заменить меня.

— Хорошо, — кивнул Фантом. — Но не думаю, что его кто-нибудь поддержит. Ведь мы всем вам обязаны.

— И тем не менее сделай как я прошу, — сказал Зудин. — Особенно молодых проверь. Понятно?

— Так точно, — кивнул Фантом.

— Если б ты не был мародером, — усмехнулся Зудин, — то старший лейтенант Фантин стал бы прекрасным...

— А я не жалею. А вы?

— Тоже нет, — ответил Зудин. — Сейчас я живу по своим законам и по своим правилам, чего не мог делать в армии, даже получив генеральские погоны. Правда, они помогли заработать мне приличные деньги. Хватит воспоминаний, — опомнился он. — Сейчас надо все выяснить о камнях. И узнать, кто такой Адмирал. Собственно, Антон знает многое и будет полезным. Меня напугало его спокойствие, с каким он сообщил о том, как скрутил шею Стасину. Он мой сын, и именно эти камни и сгладят наши разногласия. Но ты все-таки не забудь, о чем я тебя просил.

— Вот ее данные. — Антон отдал лист с записями Константину. — И ты узнаешь, кто ее приятель. Мне кажется, она не просто так приезжала к Ренате.

— Вообще-то она не производит впечатления хищницы. Слишком глупа.

— Делай то, что я сказал, — прервал его Антон.

Тула

— Значит, голяк, — недовольно проговорил Удав в трубку. — А я рассчитывал на тебя.

— Приехал сын Зудина, — оправдывалась Тая. — И он был там с каким-то другом. Я пыталась...

— Ты спала с другом сына Зудина, — прервал ее он.

— Да ты что?! — возмутилась она.

— Дура, — усмехнулся он. — Постель развязывает язык любому мужику. Я бы не стал тебя упрекать, — заверил он. — Ведь это было бы для дела.

— Ты шутишь? — изумленно спросила Тая. — Ты всерьез этого хочешь?

— Приедешь — поговорим, — отрезал он и выключил телефон. Тут же найдя номер, нажал вызов.

— И что? — сразу же спросил мужской голос.

— Она ни хрена не узнала, — ответил Удав. — Только что приехал сын генерала. Он был где-то в загранке и вернулся недавно.

— Черт, — бросил абонент. — Ты же говорил, что...

— Я тебе еще раз говорю, — недовольно прервал Удав, — я с ней поговорю, и тогда уже буду знать, что удалось выяснить. Кстати, Игорь Васильевич, — усмехнулся он. — Может быть, введете меня в курс дела? А то ходишь вокруг да около. Ты что-то насчет камушков выяснить хотел, а что за камушки-то?

— Тебя это не касается, — отрезал его собеседник. — И не суй нос туда, куда не надо, а то можешь нос вместе с головой потерять.

— Твою мать, ментяра ты гребаный, — процедил Андрей. — Да ты меня пугать вздумал. Да если я захочу, ты, падло, сядешь на столько, что уже и выйти не сможешь. Короче, легавый, — довольно зло продолжил он, — или ты, сука, вводишь меня в курс дела, или я еду к этому Зуду и все ему жую о твоем интересе. Въехал, козлиная морда?

— А вот грубить не надо, Андрей. А тем более пугать. Не забывай, во скольких делах я тебя прикрыл, и не думаю, что когда на зоне тебя встретят те, кто за тебя срок мотает за убийство гаишника в две тысячи пятом, ему двадцатку влупили, или кто за пацаненка, тобой похищенного и убитого...

— Короче, мент, — качнул головой Удав, — я тоже о тебе кое-что знаю. Не забыл девчонку, которую ты?..

— Давай дружить, Удав, — усмехнулся Игорь Васильевич. — В общем, если хочешь все узнать, приезжай. Я, наверное, зря на тебя так. Тем более еще не знаешь, удалось ей что-то узнать или нет.

— Что-то она узнала, — кивнул Удав. — Ты тоже, Васильевич, извини, сорвался, блин, — вздохнул он. — Просто устал.

— Завтра увидимся, — примирительно проговорил голос. — Просто я думал, на серьезное дело ты не пойдешь. А так, я даже очень «за». Мужик ты толковый, вес имеешь, и люди есть. В общем, завтра и потолкуем, — повторил он.

— Ништяк, — кивнул Андрей. — До завтра.

— Да уехал в Москву, — тихо говорила мать Бурина. — Хочет в армию по контракту уйти. У него в Москве друг живет, точнее, жил, сейчас тоже где-то по контракту, вот он и хочет узнать, где тот. Решил в армию идти, — уже всхлипнула она.

— Может, передумает? — попыталась успокоить ее сидевшая на стуле Анна.

— Да нет, — покачала головой Бурина. — Он хочет Иру проведать, та с отчимом живет. Это я виновата, что Саша такой и образования не получил. Я родила его от летчика одного, а тот даже сына не увидел, погиб. Ну а я поддалась одному, — опустила она голову. — Думала, он Сашке отцом станет. Не так вышло. А когда Ира родилась, вообще на Сашку внимание перестал обращать.

— Да знаю я все, — кивнула Анна. — А он, значит, в армию решил вернуться. А с Аленой он действительно хочет расстаться?

— Да, — вздохнула мать. — Уже и заявление отнес. А вот как теперь мне с внуком быть? — Она заплакала. —

Ведь родители Алены не дадут мне с ним видеться. Как же я без внука буду! — зарыдала женщина.

— Сейчас есть положение, что отец имеет право тоже принимать участие в воспитании ребенка, — сказала Анна. — А вот Саша зря в армию уходит. Хотя, может быть, и правильно, — тут же передумала она. — Иначе бы нажил неприятностей на свою голову.

— Да, — согласилась мать, — наверное.

— Полина Сергеевна, — решительно проговорила Анна, — я буду помогать вам. Всем, чем смогу. Вот, — она открыла сумочку, вытащила пачку пятидесяток, — это вам. Не отказывайтесь и ничего не говорите Саше, — попросила она. — Я давно люблю вашего сына, но увы. — Она грустно улыбнулась. — Почему-то все считают меня шлюхой. Не знаю, откуда такое мнение, что все стриптизерши проститутки. А я просто танцую и зарабатываю неплохие деньги. Извините, но мне пора, — сказала она, взглянув на часы. — Саше о моем приходе не говорите и про деньги тоже. До свидания. Сашу я, наверное, не увижу, но когда он соберется уезжать, позвоните мне. — Она положила на стол визитку. — Хорошо?

— Спасибо, Аннушка, — всхлипнула Полина Сергеевна. — Позвоню обязательно.

— Короче, дело к ночи, — недовольно говорил в сотовый полный, среднего роста мужчина в тренировочном костюме. — Ничего она не узнала. Кроме одного, — вспомнил он. — Приехал сын Генерала. Вот от него можно ожидать неприятностей. Он был за границей, где, никто не знает, и что делал там, тоже. А узнать бы надо было. Мне кажется, есть связь между приездом сына Генерала и похищением камушка в Монголии. Скорее всего именно сын Генерала и...

— Ошибаешься, — усмехнулся его собеседник. — Антон Зудин не может быть причастным к нападению на профессора Товасона. И не мог забрать камень у тех, кто убил Товасона с помощниками. Но я уверен: приехал он из-за камней жизни. И отец скорее всего возьмет его в компаньоны. Но вот у кого камень, — недовольно отметил абонент, — пока неясно. А ты чего звонишь, подполковник, решил кого-то убрать?

— Удав начал позволять много лишнего, — помолчав, проговорил полный. — И...

— Игорек-Игорек, — усмехнулся абонент, — зря ты так плотно связался с такой гнидой, как Удав. Сам решить это сможешь?

— Разумеется, — кивнул Игорь Васильевич. — Но и его девку убирать придется, — добавил он, — потому что, думаю, она знает про меня.

— Это твои проблемы, — дрогнул усмешкой собеседник. — Но сначала желательно узнать, что ей все-таки удалось выведать. Кстати, меня интересует и отношение сына к Генералу. Раньше у них были нелады.

— Понятно, — согласно отозвался Игорь Васильевич.

Ярославль

— Да без базара, — кивнул Никита. — В любое время нарисовывайся. И все путем будет. И с нашим мусорком, ну, участковым, — усмехнулся он, — все можно утрясти. Он у нас из оборотней. Точнее, оборотенков, — засмеялся он. — Нальешь хорошего чего-нибудь и закус приличный, и все. Разговор будет. Если обещал чего, сделает.

— Ты с кем, Никита? — спросила вошедшая в комнату Татьяна.

— Да приятель один, — ответил Никита. — В Чечне вместе были в девяносто первом. Потом и пошли по тюрьмам. И повезло обоим, — усмехнулся он, — под амнистию для вояк попали. Мужик нормальный, — заверил он жену. — Проблем не будет. Да ты помнишь, я тебе рассказывал про старлея, — кивнул он. — Он меня собой прикрыл, когда наш БТР...

— Так это он, — ахнула Таня. — Конечно, пусть приезжает! А он за что сидел?

— Да не сидел он, — покачал головой Никита. — Под следствие попал. Одного козла с большими звездочками...

— Вспомнила, — перебила его жена. — Когда он приедет?

— Завтра-послезавтра, — ответил Никита.

— Кого-то ждем? — стряхивая снег с куртки, вошел Вениамин.

— Однополчанин, — ответил Никита.

— Понял, — кивнул тот.

— Есть идите, — позвала их Татьяна.

— Нас пригласили на завтра Казаковы, — сообщил Вениамин. — Приятные люди, особенно хозяйка. Зинаида Ва...

— Она учителем была, — сообщил Никита. — Потом заболела, полтора года лежала. Илья и к ней в больницу, и с сыном возился. Правда, теща ему помогала, Нина Петровна. Вроде и стервозная баба, но, с другой стороны, очень даже нормальный человек. Поможет всегда. Правда вот, как будет себя вести, когда узнает, что Илью бомбанули за бабки, — с сомнением проговорил он. — И...

— Снова начал, — недовольно прервала его Татьяна. — Алик и так уже довольно часто начинает: «не гони фуфло», «не вешай лапшу на уши», «фраера жадность губит». И это в шесть лет, — сердито добавила она. — Так что, ты уж попридержи язык.

— Стараюсь, хозяюшка, — смущенно проговорил Никита. — Но как начнут соседи, псы гребаные...

— Хватит, Никита Савельевич, — засмеялся Вениамин, — а то...

— А ты тоже брось меня обзывать, — усмехнувшись, посмотрел на него Никита.

101

— Я? — удивленно спросил Веня. — Но я...

— По имени отчеству, как начальника медчасти в зоне, — хохотнул Никита.

— Придут Богатыревы, — сообщила Зина мужу.

— Ты мне вот что скажи, — попросил Илья. — Ты их то Орловы, то Богатыревы. Уж как-то определись, — усмехнулся он.

— Так у Никиты фамилия Орлов-Богатырев, — засмеялась Зина. — Вот и зову то так, то так. А паспорт выдан на Богатырева. Но по привычке их Орловыми называют.

— Понял, — кивнул Илья. — Значит, записаны, как Богатыревы?

— Ага, — кивнула Зина.

— Мать не звонила? — спросил Илья.

— Звонила, — отозвалась Зина. — Расстроена, конечно. Но не ругается, — вздохнула она. — Хорошо, говорит, не убили. А деньги дело наживное. Дядя Миша сказал: как будут, вернете. Мама тоже подождет. Жаль, понятное дело, — проговорила она. — Мы ведь думали...

— Менты взяли, — уверенно и зло проговорил Илья. — Но доказательств нет. Собственно, капитан молодец, я узнавал, действительно получать будем хоть понемногу. Они, когда сроки получат, в зону отправятся. И если работа в колонии есть, то тех, у кого иски, в первую очередь заставляют. Ну и нам будут отчислять каждый месяц. Немного, правда, но хоть что-то. Пятьдесят процентов там уходит сразу государству, ну, и сколько-то нам на погашение иска. Завтра поеду к следователю. Опознание было, всех, кто был, узнал. Двое так еще в больнице и лежат. Ловко тот мужик их отработал. Но, видно, что-то не так у него. Милиция приехала, он сразу и смылся.

— А не он это? — спросила Зина. — Ведь...

— Не он точно, — заявил Илья. — Он просто присел рядом, мол, как ты, земляк. А как увидел машину ментовскую, сразу свалил. Менты, сто процентов, взяли, — повторил он. — Когда обыскивали ну, и документы брали. А деньги в боковом кармане дубленки были. Я запомнил сержанта, который обыскивал. Если встречу где-нибудь, мимо не пройду.

— Ну и дурак, — всплеснула руками жена. — Ничего не добьешься, а в тюрьму точно попадешь.

— Да знаешь, как обидно! — выдохнул Илья. — Они же, псы поганые, должны защищать, а они воспользовались, получается, и...

— А что остальные промолчали, — покачала головой Зина. — Ну, один сволочь, а другие-то че?..

— Раздербанят между собой и все дела, — сумрачно проговорил Илья. — Так что, как только получу деньги от этих гадов, — процедил он, — поеду, бутылку капитану отвезу. Ему, собственно, были по хрену все мои дела, а он объяснил все и спасибо ему.

— А больше, наверное, никого звать и не будем, — нарезая мясо ломтиками, решила Зина.

— Мужика бы того найти, — сказал Илья. — Я ж ему жизнью обязан. У этих сук ножи нашли и прут железный. Он мне жизнь спас, — повторил Илья. — Видели многие, но никто даже не подошел. Одна бабка из окна что-то кричала, но когда предложили дать показания, сразу заткнулась.

— Да где ж ты его найдешь-то, — вздохнула Зина.

— Да оно и понятно, — согласился муж. — Я его, наверное, и не признаю.

Ярославль

— И куда ты собираешься? — спросила крепкая симпатичная женщина.

— К жене, — взглянул на нее застегивавший рюкзак Алексей. — Так что...

— Но ты говорил, — вспомнила она, — что...

— А кто из командированных скажет, что женат, — усмехнулся он. — Уже десять лет. Мальчик и девочка у нас. И люблю жену. Она, между прочим, готовит классно, пальчики оближешь. — Он посмотрел в сторону кухни. — А ты все на полуфабрикатах да лапша эта в пакетах. Я в тюрьме лучше ел, — пробормотал он.

— Ну и убирайся, — поняв, что он уходит, решила оставить последнее слово за собой женщина. — И больше не...

— И вообще, зря я с тобой сошелся, — вздохнул Леха. — Сколько денег истратил. А мне еще и алименты первой платить. А у тебя и ноги немного кривые, да и чудаковата малость, — добавил он. — Будь здорова и запомни, мужики любят в постели погорячее. А ты как повинность отбы... — И поймал брошенный в него графин. — Давай без хулиганства. — Он поставил графин на тумбочку и, подхватив рюкзак, вышел. — Если бы кормила домашним... — выходя из квартиры, повернувшись, толкнул дверь. Услышав, как защелкнулся замок, быстро пошел вниз по лестнице. — Так она, конечно, очень даже ничего. Но эти полуфабрикаты достали уже, и бабки летят, как воробьи на семечки. — Выходя из подъезда, остановился. Посмотрел по сторонам и неторопливо пошел к такси. — Извини, шеф, — подойдя, он открыл заднюю дверцу. — Я...

— Ты заказывал? — спросил плотный водитель.

— Я, — кивнул он и, поставив рюкзак, сел сам.

— Куда едем? — спросил, повернувшись, водитель.

— Осмотр города, — улыбнулся Алексей. — Ты хорошо Ярославль знаешь?

— Родился тут, — кивнул таксист.

— Вот и покажи мне все самое интересное, — сказал Леша. — Об оплате не беспокойся. Будешь доволен. Гарантирую, — улыбнулся он.

— Отлично, — кивнул таксист.

— Да гад он! — зло говорила в сотовый женщина. — Наговорил такого, что я не знаю, как выдержала. Оказывается, разведен и женат второй раз. Детей куча, и алименты платит. И упрекал тем, что сама ничего не готовлю. Короче, гад он.

— А я так не думаю, — усмехнулась в ответ собеседница. — Мне он показался очень милым. Но я с ним долго бы не смогла быть. В таких надо влюбляться или расставаться сразу. Но три ночи с ним просто незабываемы. А я знала, что ты с ним расстанешься.

— А ты гадина, Наташа, — сердито перебила ее бывшая подруга Евгения и отключила телефон.

— Погоди, — качнул головой таксист, — но мы же не договаривались...

— Это тебе за экскурсию, — Евгений протянул ему двести долларов, — и за...

— Поехали, — весело перебил его таксист.

Санкт-Петербург

— Значит, пропал твой знакомый, — усмехнулся Доринов. — И что ты думаешь?

— А мне и думать нечего, — заявил Кадич. — Мне, собственно, все равно, где он и что с ним. Плохо то, что ничего не удалось выяснить о камушке. Я сразу говорил, что Зудин здесь ни при чем. Да, — кивнул он, — он занимается кое-чем, но как он мог выйти на Койота? Как мог узнать про...

— А ты недооцениваешь Генерала, — заметил Павел Игоревич. — Зудин не так прост, как может показаться. Он хищник и готов на все, чтобы получить большие деньги. В бессмертие, понятное дело, он не поверит, но будет искать камни. Я уверен в этом. И у меня проснулся интерес к этим камушкам, — кивнул он. — Но как и с чего начать, я просто не представляю. Вообще-то, есть идейка, — тут же продолжил он. — Но это следует обдумать.

— Что за идейка? — подождав несколько секунд и поняв, что продолжения не будет, спросил Артур.

— Когда пойму, что это получится, узнаешь, — ответил Доринов.

— Странно все это, — подумала Римма. — Какие-то камушки бессмертия. Детский сад, — с иронией заметила она. — Хотя, тут можно кое-что сделать. И заработать, и поставить Доринова на место, — усмехнулась она. — Это будет сладкая месть. Правда...

— У себя? — вошел Алик.

— Да, — ответила она.

— Это вам очарование зимы. — Он протянул ей небольшой букет белых роз.

— Спасибо, — растерянно поблагодарила она.

— Женщины не говорят спасибо за цветы, — важно вспомнил слышанное где-то Алик. — Ибо цветы растут для того, чтобы ими согревали настроение и сердца красивых женщин. — И улыбнувшись, вошел в кабинет.

— Розы зимой, — улыбнулась Римма. — Мне ни разу не дарили.

— ...много-много ресторанов, но самый лучший в порту Одессы-мамы есть кабак, — хрипло, подыгрывая на шестиструнной гитаре, пел плечистый полуголый мужчина с татуировкой волчьей морды на груди.

— Хорош выть, Волчара. — В комнату вошел коротко остриженный блондин. Сел в кресло.

— И что у нас? — спросил полуголый.

— Да вот, — вошедший вытащил из кармана белой зимней куртки конверт, — отстегнули за работу. Правда, маловато, — недовольно добавил он. — Видно, решили, что имеют дело с чертями. Но зря они так решили. Придется делать это бесплатно, но уже с ними.

— А может, отвалим, на хрен, — пересчитав рубли, посмотрел на него Волчара. — А то что-то надоел мне этот город революционеров и революций. Да и дела вроде сделали, а с ними потом потолкуем. Сейчас отваливать надо.

— Вот что, — остановил его блондин, — хорош рот открывать. Лучше вой, — усмехнулся он. Потянулся. — Ништяк было инкассатора хапнуть. Правда, сейчас их везде бомбят и поэтому наверняка меры предосторожности...

— У тебя, Белый, крышу снесло, — усмехнулся Волчара. — На броневик двое с пушками. По мелочовке, конечно, можно, но где солидные бабки таскают, положат сразу. Ну, может, и мы пальнуть успеем. Минимум четверых надо. Тем более мы с тобой город не знаем. Да и отсидеться где? Мне, собственно, по хрену, можно рискнуть, но...

— А ты ссышь, Волчара, — усмехнулся Белый.

— Дело не в этом. Просто надоело по мелочовке работать. Ну, поломали мы этого парнишку, бросили нам кусок в виде двадцати пяти тысяч деревянных. И что дальше, — спросил он, — по новой работу искать? На эти бабки и в кабаке как следует не оттянуться. Дело надо делать, потом затихнуть, выждать и в коммерцию подаваться. Сейчас и тузы в Кремле малому бизнесу на раскрутку бабки отстегивают. Короче, чувствую, дело к ночи, — засмеялся он. — Увольняют многих работяг. А трудового люда в России и так хрен да немножко. Молодых на завод или на фабрику не затащишь, — продолжал он. — Если все в бизнес уйдут, кто же пахать будет да хлебушко печь? — покачал он головой. — Или думают за границей покупать? Так баксы по отношению к рублю растут, будто тесто в кастрюле. Конечно, не коммерсант я, а ты уж тем более, — хохотнул он. — Но и так гулять вольными стрелками не дело. Скоро сорок стукнет, а там и до полтинника десять раз шагнуть. Да если честно, — вздохнул Волчара, — поднадоело все порядком. И шкуры, и гулянки эти. Старею, наверное. Но куда-то идти пахать желания никакого. Утром идешь от бабы, видишь, мужик топает. Видно, с перепоя, а пахать надо. А с этим кризисом, похоже, только больше гоп-стопников будет. Гастарбайтеры эти, как шакалы, стаями кружат. Надо что-то сделать крупное и на дно падать. А вот что? Банк или инкассаторов брать надо. Не с кем, — недовольно процедил он. — Надо искать парней. Раз сыграть ва-банк, и все. Как говорится, или пан, или пропал.

— Понятно, — кивнул Доринов. — Значит, говоришь, началась охота за камушками. Собственно, я так и думал. А что в Монголии? — спросил он.

— Ну, власти так и не нашли никого из живых, — ответил Алик. — Сейчас там какие-то люди тоже кого-то ищут. У меня есть там знакомый, вот он, собственно, и сообщил обо всем, что там происходит. Сейчас внимание всех обращено к музею мадам Леберти в Лионе. Точнее, к ней самой, — усмехнулся он. — Она после известных событий в Монголии закрыла музей. Ну, вроде как на ремонт. Но есть кое-что, что говорит о том, что она просто опасается за находившийся у нее камушек. Усилена охрана, и она себе наняла трех телохранителей, хотя ранее ничего подобного не было. Уверен, к ней уже обращались с просьбой продать камушек, и абсолютно уверен в том, что она отказала. О ней, к сожалению, узнать не удалось ничего. А выйти на контакт с этой мадам было бы очень и очень неплохо. В конце концов, она одна знает, откуда камушек. И вполне может быть, это и есть ответ, где могут быть остальные. Кроме того, — продолжил Алик, — эта мадам...

— Вот что, — не дал закончить ему Павел Игоревич, — ты летишь во Францию. И поедешь в Лион. С тобой полетят Француз и Татарин. Они...

— Француза вполне хватит, — несмело прервал его Алик. — Он говорит по-французски и отлично подготовлен физически. А Татарин, извините меня, конечно...

— Ладно, — кивнул Доринов, — ты и Француз. Римма, — включил он связь с секретарем. — Полина Павла ко мне.

— Сейчас, Павел Игоревич, — отозвалась Римма. — Извините, — тут же виновато проговорила она, — звонил консул. Финны приедут через два часа.

— Через два приму, — кивнул он.

Бонн. ФРГ

— Черт возьми этого Койота, — процедил Гейдрих. — Нет его нигде. Кстати, есть хорошая новость. Власти Монголии прекратили поиск. Считают, что все бандиты убиты. Правда, вот что интересно, — усмехнулся он. — Камушка, из-за которого убит профессор с помощниками, не нашли. Кто-то убил бандитов, а они прекратили розыск. Одним словом, Монголия. Чингисхан ведь был монголом. — Он посмотрел на племянницу.

— Татаро-монголом, — с усмешкой поправила та. — Он объединил...

— Черт с ним, — отмахнулся Гейдрих. — Почему молчит Фишке? — недовольно спросил он. — Он уже...

— Фишке наверняка наблюдает за мадам, — ответила Берта. — И правильно делает. Скорее всего фотографирует тех, кто появляется у мадам и...

— Он просто никак не решится навестить ее, — спокойно проговорил худой бледный мужчина в белом костюме, под воротником белой рубашки был повязан белый платок. — И если его не поторопить, он там просидит...

— А может, тебя к нему отправить, Капут? — с улыбкой предложил Гейдрих. — Ты наверняка...

— По крайней мере я узнаю больше, чем он, — тихо проговорил худой.

— Вообще-то он прав, — поддержала Капута Берта. — Но, разумеется, одного я его не отпущу, — тут же добавила она. — Фишке нашел музей, он сказал, что музей закрыт на ремонт. К мадам Леберти Фишке, конечно, не пойдет. Я даже уверена, он не видел ее. Фишке неплохо умеет договариваться, но он трус, — усмехнулась она. — Пусть едет Капут, он, в конце концов, заставит Фишке выйти на контакт с мадам. И подстрахует. И кроме того, он оценит обстановку и, если возможно, захватит камень, — закончила она.

— Господи, — поднял глаза вверх Гейдрих, — в кого ты такая?

— Я уже говорила, — отозвалась Берта. — Я в папу.

— Да, отец был думающим человеком, а не авантюристом, — сказал Гейдрих.

— Я позволю себе заметить, — начал Ганс, — что сам поиск этих камушков уже авантюра. А если вспоминать Монголию, кстати, решение принимали вы, Адмирал, — напомнил он, — то я солидарен с фрейлейн Бертой.

— Спасибо, Макс, — подмигнула Берта.

— Ну что ж, — помолчав, начал Гейдрих, — решение вы приняли. Я соглашусь с вами. Инициатор, кстати, вы, Ганс Ульдрих.

— Я просто так сказал, — испуганно отреагировал тот.

— Инициатива моя, — спокойно напомнил Капут.

— А вы, Питер Грофман, смелый человек, — улыбнулся Гейдрих.

— Просто я привык отвечать за свои слова, — ровным тоном ответил Капут.

— Когда отправляетесь во Францию? — спросил Гейдрих.

— Вечером, — решила за своих людей Берта.

— Да я уже тысячу раз говорил! — нервно восклицал плотный среднего роста темнокожий мужчина в камуфляже песочного цвета, — нет камушков. Легенда это и не более. Вы нам говорили про Иран. Мол, в...

— А ты уверен, капитан, что все обыскал? — тихо спросил лежавший на широкой с белоснежным бельем кровати худой желтолицый мужчина неопределенного возраста. — В Монголии убит профессор с помощниками, и убит именно из-за камней. Точнее, из-за одного. Второй, и это точно, находится во Франции в музее...

— Точнее, находился, — вошел в комнату длинноволосый здоровяк. — Музей закрыт, а мадам Леберти никто не видел после того, как в прессе появились сообщения из Монголии. Точнее, ее видела Маргарет, — усмехнулся он. — В бронированной машине и с вооруженной охраной. Я говорил, папа, — посмотрел он на лежавшего, — надо было забирать камень, пока не поднялся шум. И мы дождались...

— Знаешь, почему не трогают мадам Леберти? — прервал его тихий голос больного. — Да потому, что все знают, где ее камень находится. И надо собрать остальные шесть, и все. Седьмой в Лионе, во Франции. Конечно, сейчас после поднятой в Монголии шумихи на мадам Леберти могут напасть. Все понимают, что камушек стоит очень дорого. И вот именно это меня и беспокоит. Маргарет никак не приблизилась в мадам Леберти? — спросил он.

— В некотором смысле, да, — усмехнулся вошедший полный негр. — Она познакомилась с секретарем Леберти, Пьером Рушанье. И как я понял, это шанс. Пьер очень не доволен своей госпожой. Так что...

— А что она узнала о камнях? — сухо спросил сын больного.

— Мы об этом не говорили. — Негр посмотрел на него. — Но как я понял, ничего конкретного пока нет.

— Если секретарь не доволен госпожой, — заметил сын больного, — то она вообще не доверяет ему. Зря ты послал...

— Хватит, Ричард, — выдохнул тот. — Маргарет умная женщина и умеет добиваться цели. Она не зря вышла на секретаря. А то, что ты говоришь об отношении госпожи, то есть мадам Леберти, то только то, что он работает на нее, говорит об обратном. А ты, Джуга, — он перевел взгляд на негра, — полетишь в США. Там тебя встретят.

— Сэр Уильямс, — в комнату вошла молодая женщина в белом халате, — пора делать укол и принимать лекарство. Через сорок минут, — она посмотрела на часы, — капельница.

Вашингтон. США

— Да, у него была охрана, — раздраженно говорил мускулистый бритоголовый темнокожий мужчина в шортах. — Но профессор не хотел, чтобы его охраняли, и мы наняли человека, у которого в Монголии были люди и профессора охраняли незаметно для него.

— Оуш, — резко перебил его загорелый мужчина лет сорока пяти, в белом костюме, — а где же была твоя охрана, когда профессору с его помощниками отрубили головы?

— Извините, босс, — проговорил тот. — Но нанимал Лео. Он нашел человека, а я сообщил об этом вам, и вы дали согласие. Моей вины в этом нет вообще.

— Лео, — вздохнул загорелый. — Но у него не было осечек. Где он сейчас?

— В Колумбии, босс, — ответил стоявший справа от него красномордый здоровяк. — Он...

— Понятно, — кивнул загорелый. — Но что там за камушек такой? — непонимающе спросил он. — Я не думал, что...

— Один из семи камней бессмертия. — В комнату вошла стройная загорелая блондинка в шортах. — Об этом говорят уже неделю. Впрочем, тема эта и раньше обсуждалась, особенно после попытки ограбить музей мадам Леберти где-то во Франции, — вспомнила она. — Там находится один из камушков. Легенда обнаружена в Непале, один спекулянт, который продавал старинные манускрипты коллекционерам, кому-то продал эту легенду и ее сумели прочитать. И кто-то, видно, чтобы заработать денег, напечатал в каком-то журнале.

— Но как профессор Товасон нашел этот камень? — непонимающе спросил загорелый. — Он поехал в экспедицию за доспехами монголо-татарских воинов. Его помощник нашел какое-то древнее захоронение...

— Не было ничего среди оставленного профессором, даже отдаленно напоминающее доспехи, — насмешливо проговорила женщина. — Он, кажется, просто использовал наши деньги, чтобы найти этот чертов камушек. Надо проверить его бумаги, — кивнула она. — Там наверняка есть что-то о камушках. Я уверена в этом.

— Верно, Джина, — одобрительно сказал загорелый.

— Мне вот что еще интересно, Джино, — вздохнула она. — Где охрана, которую нанимал Лео? Он же говорил, что профессора будут охранять незаметно для него. И где же они были? — усмехнулась она. — Все-таки за безопасность профессора они получили хороший задаток. Двадцать пять тысяч долларов. Получается, что...

— Вернется Лео, — процедил Джино, — я с ним обговорю этот вопрос.

— Я не думаю, что Лео мог обмануть тебя, — с сомнением покачала она головой. — Собственно, посоветовал ему человека Пунцель, — вспомнила Джина. — И...

— Пунцель погиб в автокатастрофе, — сказал Оуш.

— Погиб или убрали? — процедил Джино. — Звони Лео, пусть немедленно возвращается.

— Но там товар, — начал тот, — на двенадцать...

— Звони, идиот, — заорал Джино. — Разве непонятно, что нас сделали? Значит, там очень большие деньги.

— Он здесь живет, — кивнул на трехэтажный особняк сидевший за рулем белого джипа смуглый накачанный мужчина среднего роста. — Охрана у него неплохая. Его в том году дважды пытались убрать. Какая-то история с колумбийцами. Но сейчас, кажется, все нормально. По крайней мере покушений больше не было. И он снова занялся делом. Его жена та еще сучка, — добавил он. — Говорят, что ей очень нравится пытать, мучить людей.

— А как твое имя? — спросил сидевший рядом Брут.

— Ледяной, — усмехнулся тот.

— Меня тоже называют Бешеный Вепрь, — усмехнулся и Брут. — А имя...

— Мое имя Ледяной Ветер, — ответил смуглый. — Я индеец племени экусун. Это около Аляски, — вздохнув, он улыбнулся. — А по паспорту я Леден, — усмехнулся он.

— И как мне встретиться с Баретти? — спросил Брут.

— Не знаю, — помолчав, ответил Ледяной. — Я постараюсь поговорить с одним человеком, он знаком с Баретти и если захочет, сведет вас. Правда, я бы не стал рисковать, — тут же добавил он. — Как я понял, Баретти сам не знал, зачем профессор едет в Монголию. Он нанимал людей через одного подонка. Тот поставляет людей для разного рода незаконных операций по всему миру. Точнее, для работы в Азии и Африке. Пунцель. Он и нанял для профессора охрану. Просил его об этом Леонардо Дутчи. Это я знаю точно.

— Секунду, — возразил Брут. — Но у профессора не было никакой охраны. Его убили вместе с тремя помощниками. Лаборантка, еще одна женщина и какой-то мужчина. Не знаю, что он делал и кем работал у профессора, но охраны не было, это точно.

— Я знаю на сто процентов, что охрану профессору наняли и заплатили задаток, — проговорил Ледяной и тронул машину. — Пора убираться отсюда, не стоит привлекать к себе внимание.

— Мне надо позвонить Адмиралу, — сказал Брут, — и объяснить...

— Позвонишь, — кивнул Ледяной Ветер.

— Надеюсь, ты все понял, Лонг, — кивнул крепыш с короткими седыми волосами молодому, с немного раскосыми глазами, мускулистому мужчине.

— Да, полковник, — ответил тот. — Я все сделаю.

— Удачи, — хлопнул его по плечу полковник. — И будь поосторожнее, — усмехнулся он. — Не хватайся за пистолет и не торопись размягчать кадык человеку, если он тебе не понравился.

— Я буду хладнокровен, как змей во время спячки, — спокойно проговорил Лонг.

Полковник весело рассмеялся.

— В этом состоянии ты еще опаснее, — отметил он.

Барранкилья. Колумбия

— Ну что, — подмигнул сидевшему в плетеном кресле крепышу в темных очках смуглый мужчина среднего роста, — нам нравится, как идут дела у Баретти. А ты почему решил уле...

— Баретти вызывает. — Поднявшись, тот сунул окурок сигары в пепельницу. — Пойду оденусь и вещи возьму. Что передать Баретти?

— Все остается в силе, — проговорил смуглый. Вошедшая в комнату длинноногая, с хорошей фигурой женщина тонко улыбнулась. — Ну, до встречи, — проговорил смуглый. Мужчины, обнявшись, похлопали друг друга по плечам. Коренастый вышел.

— Неужели ты, Мигель, не понял, почему его вызывает Баретти? — насмешливо спросила женщина.

— Ты любишь загадывать загадки, Эдельмира, — усмехнулся и он. — И почему же?

— Ты глупее, чем я думала, — рассмеялась Эдельмира.

— Женщина, — покачал головой Мигель, — твой язык тебя до добра не доведет. Смотри, как бы не пришлось одаривать ласками моряков в дешевых борделях Гондураса или Коста-Рики.

— Ты как всегда груб, милый, — с насмешкой проговорила она. — И судя по всему, все так же невежествен. Надо хотя бы раз в месяц читать газеты.

— Я вполне обхожусь без прессы, — отмахнулся Мигель.

— В Монголии убит профессор Товасон, — сообщила она, — вместе с тремя своими помощниками. Им отрубили головы.

— Дикари, — равнодушно отозвался Мигель. — Хотя у нас в джунглях тоже еще иногда снимают скальпы. И почему тебя вдруг заинтересовало убийство какого-то профессора? Он был твоим первым мужчиной?

— Сделай исключение из своих правил грубого, невоспитанного бандита и почитай. — Она бросила на стол газету.

— Сейчас я уже не тот, что был прежде, — вздохнул Мигель. — И знаешь, тогда было гораздо веселее. Ты хочешь, чтобы я прочел историю о семи камушках, которые по легенде излечивают от болезней и дают человеку бессмертие? Пойми, что это полная чушь, дорогая, — улыбнулся он. — И единственный вопрос, который невольно возникает у грубого, невоспитанного бандита, сколько же примерно это стоит. — Она удивленно смотрела на него. — Я уже послал Фаленго в Лион, надеюсь, ты знаешь, что это во Франции, — засмеялся он. — И тот сумеет поговорить с мадам Леберти, у которой, если верить прессе, хранится один из семи камней жизни. Из них выкладывается какая-то фигура, и они как-то исцеляют больного и заряжают энергией вечной жизни здорового. Но, как говорит Карлос, лечение от некоторых болезней может быть возможно, тогда как бессмертие — это полная чушь. Но стоят эти камушки, понятное дело, ой как много, — весело засмеялся он.

— А почему ты молчал? — тихо спросила явно пораженная Эдельмира.

— Я просто начал поиск камней, — усмехнулся Мигель. — Во-первых, чтобы удивить свою жену, и, во-вторых, чтобы наш сын мог отойти от моих дел. Ты же знаешь, — вздохнул он, — Сантас заявил, что не прикоснется к нажитым на несчастье других деньгам. А он в меня, и слово сдержит. И я поручу ему разыскать камни, — усмехнулся Мигель. — И они будут принадлежать ему.

— А ты представляешь, как это опасно? — перебила его жена. — Он не будет принимать в этом никакого участия, — заявила она. — Ты понял меня, Мигель Фаренда? Никакого участия.

— А я буду участвовать, — входя в комнату, заявил худощавый, смуглый, коротко стриженный парень. — Что-то я должен сделать сам. Людей я найду и буду действовать самостоятельно. Я уже собрал кое-какую информацию, — добавил Сантас. — И решил заняться этим.

— Слова мужчины, — гордо заявил отец.

— Сантас, — вздохнула мать, — иди к себе и подожди там.

— Не надо, мама, — возразил он. — Мне уже двадцать три, и я буду делать то, что хочу. Ясно? — Он развернулся и вышел.

— Его же убьют, — испуганно пробормотала мать. — Ты должен остановить его, Мигель, — быстро добавила она.

— Попробуй это сделать сама, — усмехнулся тот. — Кстати, ты же хотела, чтобы...

— Я этого не хотела, — закончила Эдельмира. — Его убьют. Ты же понимаешь...

— Да ничего с ним не случится, — понизив голос, заговорил Мигель. — Он ничего не будет делать. Ну, допустим, съездит во Францию, кстати, он слышал, как я разговаривал об этом с Фаленго, — усмехнулся он, — и поймет, что все это не для него...

— Запрети ему заниматься этим делом, — попросила она.

— Если мы это попробуем сделать, милая, — он подошел к ней, — мы потеряем сына, но не остановим его. Надо просто постараться убедить его не отказываться от помощи. Вот и все. Ну а если он не согласится и на это, я приставлю к нему людей Муранто, и тот сумеет с помощью своих невидимок держать его в поле зрения и в критический момент оградить от опасности. Пусть занимается, — кивнул Мигель. — Вполне может случиться так, что наши дороги пересекутся. В конце концов, через какое-то время я попрошу его помочь с информацией и думаю, это сблизит нас.

— Дай-то бог, — поцеловала крестик Эдельмира.

— Приезжай, Мигерио, — говорил в сотовый Сантас. — Есть одно дело, которое нужно обсудить.

— О'кей, — отозвался голос. — Через полчаса буду.

— Ты все понял, Муранто? — спросил Мигель.

— Да, босс, — кивнул невысокий, лысый, с усиками мужчина. — Не беспокойтесь, босс, — улыбнулся он. — За ним будут наблюдать каждую секунду.

— Но ты представляешь, что будет, если Сантас заметит? — вздохнул Мигель.

— Он ничего не заметит, босс, — заверил Муранто.

— Надеюсь на тебя, — проговорил Мигель.

— Очень интересно, — щелкнув фотоаппаратом, кивнул Фишке, — это знакомые мадам или покупатели? — Положив фотоаппарат на сиденье рядом, потянулся. Прозвучал вызов телефона. — Я весь внимание, Адмирал.

— Сегодня в восемь вечера, — услышал он голос Гейдриха, — около вокзала тебя будет ждать Капут. Все ему...

— Извините, Адмирал, — перебил Фишке, — но он неуправляем и умеет только...

— Мартин, — усмехнулся Адмирал, — я слышу возражения? Или мне...

— Да, Адмирал, — перебил его Фишке. — Я просто не хочу, чтобы этот убийца все испортил. Я...

— В восемь на привокзальной площади, — холодно повторил Гейдрих.

— Видишь «рено»? — закурив, сказал крепкий черноволосый мужчина в темных очках.

— И что? — проследив его взгляд, спросила сидевшая рядом симпатичная молодая женщина.

— Я вижу эту тачку уже не в первый раз, — пояснил он. — Мне кажется, он следит за...

— Перестань, Крис, — остановила его женщина. — Ты постоянно говоришь...

— Я должен заботиться о твоей безопасности и вижу то, чего не замечают другие. Этот парень следит за домом мадам, и я уверен, фотографирует всех, кто у нее бывает. Маргарет, если ты мне не веришь, это легко проверить. И мы узнаем, кто из нас прав. Надо...

— Ничего не надо, — недовольно остановила его она. — Ну, допустим, этот парень тоже хочет выйти на мадам. И что? В конце концов, это его дело. Мешать ему не надо. А вот записать номер машины нужно обязательно. И мы узнаем, кто это такой. И тогда, — усмехнулась она, — можно будет побеседовать с ним и узнать, на кого он работает.

— Верно, — кивнул Крис. — Работает у тебя голова, Пантера.

— Она выезжает, — заметив, как открываются ворота, кивнула Маргарет. — И не забудь записать номер.

— Я его уже запомнил, — спокойно отозвался Крис.

— Эта парочка не влюбленные, — глядя на темный «феррари», отметил Фишке. — Наблюдают. Точно, — прошептал он, увидев, как «феррари» тронулся за выехавшим из ворот особняка «мерседесом». — Значит, они засекли и меня. Надо будет сдать машину. И разумеется, оплатить молчание хозяина, — усмехнулся он. Открыв небольшой термос, налил в чашку кофе. «Нельзя столько кофе пить, — подумал он. — Но в такой ситуации и за виски примешься. Собственно, этот бешеный зверь приезжает вовремя, — сделав глоток, вспомнил он о Капуте. — Надеюсь, глупостей он не наделает, а охрану мне обеспечит».

Баян-Обо. Китай

— На той стороне, — по-русски говорил среднего роста китаец. — Недалеко от границы. Монголы, кстати, наше правительство просили, чтобы тщательнее проверяли переходивших границу по визам и разовым пропускам. Торговцы в основном идут за товаром. Но...

— А ты как сам думаешь, Муо, — перебил его Лапшин, — это действительно кто-то со стороны или сами монголы?

— Ну, положим, в Монголии мафия не набрала ощутимого веса. Ее как таковой нет, — возразил он. — Конечно, там пытается пустить корни триада, афганские наркодельцы присматриваются. Наркотики в Монголии, разумеется, есть, но потребителей мало, поэтому и не раз-

120

вивается эта «индустрия», — засмеялся Муо. — Ты мне лучше, как говорят в России, не пудри мозги и поясни цель своего визита. Ведь не станешь ты заверять меня, что приехал проведать старого знакомого.

— Я считаю тебя другом, — улыбнулся Лапшин. — Ведь мы немало перенесли вместе. И судьбы наши схожи. И ты, и я были...

— Собственно, в народную милицию я пошел с определенной целью, — не дал говорить ему китаец. — Во-первых, чтобы содержать близких. Мама больна, отец тоже, а кроме меня, как ты знаешь, в семье еще пятеро. Три сестры и двое братьев. Конечно, нищими нас не назовешь, но тем не менее тяжело приходится. А в милиции все-таки заработки стабильные и в отличие от вашей страны неплохие, и помощь правительство родственникам сотрудников оказывает. Не всем, разумеется, а особо нуждающимся. Оборотней, как у вас говорят про взяточников, у нас, поверь, тоже хватает. И я один из немногих, кто был осужден за это. И поверь, три года в тюрьме мне показались страшной вечностью. А если бы все двенадцать отбыл, я бы скорее всего...

— Погоди, — остановил его Лапшин, — но тебе...

— Я был осужден на двенадцать лет, — вздохнул Муо. — Но я же не один был замешан в том, за что получил срок. И меня через три года вытащили. И я получил даже немного денег за то, что сидел и гораздо больше за то, что промолчал. Но я молчал не потому, что рассчитывал на деньги, а боялся за своих родных. Но со мной еще поступили честно. Вытащили из тюрьмы и дали денег. Сейчас я имею две точки в Пекине и две в Даляне. Дела идут неплохо. Трудно начать, а потом, если удастся раскрутиться, жить можно. Собственно, у нас в основном расцветает рынок подделок, — усмехнулся он. — И ваши из России охотно берут и игрушки, и аппаратуру, и телефоны. И поверь, зря, — добавил он. — Игрушки таят в себе опасность заражения. Почти все, — добавил он. — Разумеется, есть те, кто работает честно, в основном в кооперативах, которые появились относительно недавно. При этом строе Китай никогда не будет...

— А что ты от своих слышал о семи камнях бессмертия? — спросил Лапшин.

— Вот что тебя привело сюда, — улыбнулся китаец. — Да разное говорят. Одни верят, что можно стать бессмертным (большинство, разумеется, понимает, что это просто сказка). Другие считают, что камни — это шанс разбогатеть. Третьи — это обладатели больших, толстых кошелей, — с иронией проговорил он. — И как правило, люди триады или ее помощников. Сейчас, по сути, идет незаметная для многих война. Триаду пытаются отовсюду потеснить. Появилось Общество «Белый Дракон», и оно в некоторых районах вполне успешно соперничает и воюет с триадой. У меня имеется повод думать, что именно это общество и интересуется камушками. У меня есть знакомый ювелир, — пояснил Муо. — Он член этого общества. Что-то вроде благотворительного фонда, — усмехнулся он. — Но, разумеется, это просто ширма. Власти пока не особо обращают на это общество внимание, но триада среагировала моментально. В порту Вайхай была бойня. Затем «Белый Дракон», в свою очередь, устроил выволочку триаде в Чендэ. Так вот, этот ювелир при мне говорил с кем-то из «Белого Дракона» и они как раз вспоминали камушек, который был найден в Монголии. Это я слышал, — кивнул Муо.

— А в Монголии у тебя есть надежные люди? — спросил Лапшин. — Мне хотелось бы побывать на том месте, где был убит профессор. Ну и разумеется, пообщаться с местными жителями, узнать, что они говорят и что думают об этом.

— Я позвоню Магану, — подумав, кивнул Муо, — и поговорю с ним. Он родом из тех мест и, думаю, поможет.

Пекин

— Значит, Янь осталась одна, — с расстановкой проговорил бритоголовый в белом балахоне, на спине было серебром вышито изображение Дракона. — И она просит помощи. Тю Сянь нас предал, и его уничтожили.

— А мы не поспешили? — перебил его мужчина в очках, в таком же балахоне. — Идешь быстро, чаще спотыкаешься. И не всегда доверяй ведущему тебя, делай шаг осторожно, не наступая, а сначала касаясь поверхности твоей дороги.

— Совет решил единогласно, что Тю Сянь должен умереть. Его помощники искали выход на членов триады в России. И он обратился в наш ресторан...

— Все это совет знает, — остановил его первый.

— Я предложил послать людей в Лион, — заговорил полный мужчина, член совета, — к женщине, у которой...

— Нам не надо давать понять, что общество интересуют камни бессмертия. Я понимаю, что в это никто не верит, я говорю о бессмертии, ибо только душа великого человека и его дела могут быть бессмертны, — проговорил он. — Но буду говорить так, как говорят все. И не стоит...

— То есть остаться в стороне, — усмехнулся первый.

— Ну почему в стороне, — посмотрел на него первый. — Мы будем искать камни в тех районах, которые мы контролируем. Правда, — тут же с сожалением добавил он, — таких районов немного, и скорее всего там мы ничего не найдем.

— Почему один из семи камней не может находиться в Китае? — спросил худощавый пожилой китаец. — Сказано, чтобы не дать возможности жадным и жестоким людям обрести бессмертие, жрец развозил семь камней по семи частям света. В то время это запросто могли быть близлежащие районы. В Монголии найден камень, значит, еще один может быть на территории Поднебесной, — закончил он.

— И все-таки надо кого-то отправлять во Францию, — повторил свое предложение полный. — В Лион, к владелице музея. Наверняка остались дневники или иные записи ее родственника, который привез этот камень. Это наш шанс. — И, помолчав, добавил: — Если не получается разговора, заставит говорить любого каленое докрасна железо. К тому же Молчаливый Ме...

— Пока говорить про это рано, — остановил его кто-то.

— Потом будет поздно, — парировал полный. — Мы ничего не знаем...

— Не больше и не меньше, чем другие, — заметил пожилой.

Хатанбулаг. Монголия

— Да, — кивнул державший телефон Койот, — я в Хатанбулаге. Что?

— Значит, жив? — донеслось из трубки.

— Нет, — усмехнулся он. — Просто Вельзевул за совершенное на земле дал мне позвонить вне очереди. Меня ищет Адмирал?

— В Монголии были его люди, — услышал он. — И там есть купленные из полиции. А как ты сумел...

— Помогли, — усмехнулся Отто. — Правда, расстались не совсем хорошо. Но история об этом умалчивает. Ты можешь вытащить меня отсюда?

— Конечно, — сразу отозвался его собеседник. — Сообщи точные координаты, и я пришлю человека. Придется уходить через Непал. А оттуда уже...

— А не легче через Россию? — перебил его Отто. — Я хорошо говорю по-русски и...

— Граница с Россией, конечно, ближе, но это опасно. В Китай вы перейдете легко. А из Китая самолетом в Непал. Это проверенный путь.

— Хорошо, — согласился Койот. — Надеюсь, ты не...

— Перестань, Отто, — попросил абонент. — Я же помню, дружище, как ты меня в Ливане вытаскивал. В общем, давай адрес и завтра я пришлю проводника Суюнь. В десять утра будет у тебя.

— Мужчина или сучка?

— Придет она, поведет он, — услышал Койот.

— Целитель убил троих и исчез, — потрясая руками, орал невысокий монгол в полушубке.

— Смерть ему! — раздался крик.

— Бросить его под копыта табуна! — орал другой.

— Приковать на расстоянии зубов привязанных голодных собак, — выдвинул предложение женский голос.

— По следу догоним, — передернув затвор пятизарядного карабина, заверил толпу возбужденных ненавистью людей коренастый, средних лет монгол. К нему подходили вооруженные, умеющие читать следы люди.

— Хитрый гад, — оценил худой старик. — По скалам ушел, чтоб в снегу следов не осталось. Свяжись с Угошем, — кивнул он подошедшему мужчине в лисьей шапке. — Пусть посмотрят на гряде Огня. Он туда пойдет.

— Ну, вот и все, — кивнул Койот худому монголу. — Завтра я покину вашу страну. Как вы тут живете? — передернул он плечами. — Например, я...

— Не хули страну, в которой находишься, — с неодобрением перебил его монгол. — Иначе боги отомстят, и не сможешь ее покинуть. У каждого своя родина и свое отношение к чужой стране. Для меня Монголия место, где я живу и где умру. Здесь мои предки и мои дети. Тебя правильно Койотом назвали. Это же волк, — кивнул он. — У тебя волчье сердце и...

— Извини, — засмеялся Отто. — Просто высказал свое мнение.

— А те, кто тебя спас, живы? — неожиданно спросил он.

— Если я скажу, что убил их, — уставился на него Отто, — что делать будешь?

— Я знаю, что ты убил троих, — спокойно начал монгол. — Забрал оружие и ушел. Если бы ты обобрал мертвых, я бы зарезал тебя ночью, как больную собаку. Грех воровать у мертвых.

— Но в Шри-Ланка ты так не думал, — усмехнулся Отто.

— Там мы брали у только что убитых, — спокойно ответил монгол, — которые убили некоторых из нас. Это были трофеи.

— Понятно, — кивнул Отто. — А я свою жизнь спасал... Продали бы меня они. Я там вывихи и переломы лечил и боль зубную снимал. А какому-то старику не смог. И услышал, как говорили, что за меня деньги хорошие дают. И понял, что уходить надо. Вот и вызвал тебя.

— Если узнают, что помог, убьют, — спокойно проговорил монгол.

— А как узнают? — усмехнулся Отто.

— Степь и народ дружат, — ответил монгол. — Скалы скажут и степь. Но не видели, а это главнее.

— Завтра уйду, — подмигнул ему Отто. — Денег еще дам.

Пекин. Китай

— Вообще рассчитывать на тебя можно? — спросил Лапшин. — Разумеется, не за просто так.

— Конечно, — ответил по-русски Муо. — Тем более, если не за спасибо.

126

Москва. Россия

— Все понял, — кивнул державший телефон Зудин. — Значит, ты не зря съездил. Кстати, в Монголии объявлена широкомасштабная операция по розыску убийцы семьи какого-то пастуха. Целитель убил их. Какой-то мужик лечил зубную боль массажем и вправлял вывихи, и накладывал довольно грамотно шины при переломах. Кстати, он был ранен, — отметил Зудин. — В плечо и бок, кажется. Собственно, те, кто нашел его и помог ему, говорят об этом очень неохотно. Надеюсь, твой друг узнает больше. Хотя вряд ли, — с сомнением проговорил он. — Но насчет этого общества он нас будет информировать, и это уже хорошо. Приезжай ко мне, — улыбнулся он. — Получишь деньги и расскажешь о своих впечатлениях. Кстати, — кивнул он, — что говорят о камнях бессмертия в Поднебесной? У них ведь...

— Разное, — услышал он голос Лапшина. — Но в то, что камни излечивают, верят все. Потому что лаборантка убитого профессора действительно была сильно простужена...

— Когда будешь в Москве? — перебил его Зудин.

— Понятно, — кивнул державший сотовый сын Зудина. — Хорошо, — усмехнулся он. — Я сделаю все, что можно. Кстати, есть кое-что еще. Приезжала в Москву одна фифочка, подруга секретаря отца по институту и очень любопытная. Как я понял, целью ее появления был отец. И камушек, который у него мог быть. И... — Замолчал, слушая абонента с улыбкой. — Но если бы был я, разумеется, знал бы. И...

— Слышь, приятель, — в комнату ворвался Константин, — ты говорил...

— Извините, — недовольно просмотрев на него, буркнул в телефон Антон, — позвоню позже. — Отключил телефон. — Какого хрена ты...

127

— Подруга твоей Ренаты крутится с Удавом. Да, — кивнул он. — Именно с Удиным Андрюхой. Так что ты попал в десятку, — заметил он. — И я, кажется, тоже, — вздохнул он. — Но на сковородку. Если Удав узнает, что я оттрахал его телку...

— Антон Вадимович, — вбежала в комнату Рената, — можно я уеду? Помните Таю? — спросила она. — Она попала в аварию и сейчас в больнице. Состояние очень тяжелое. А у нее никого нет. Можно...

— А ее сожитель? — спокойно перебил ее Антон. — Он...

— Его убили, — быстро проговорила она. — Мне звонила знакомая Таи и сказала, что Андрея застрелили в каком-то баре.

— Опачки! — воскликнул Костя. — Похоже, за Удавом стоял кто-то.

— Ладно, — кивнул Антон. — Тебя отвезут. Сколько ты там пробудешь?

— Не больше часа, — ответила Рената. — Поговорю с врачом, куплю, что нужно, если Тайка жива и меня к ней пустят, поговорю с ней и назад.

— Лука! — позвал Антон. — Отвезешь Ромову в Тулу. И дождешься ее.

— Понял, — кивнул накачанный бритоголовый парень.

— И не гони, — предупредил Антон. — Если тормознут за превышение или попадешь в аварию, прикончу лично. Все, — кивнул он. — Ты готова ехать?

— Да, — ответила Рената.

— Мебель доставят завтра, — говорил в телефон Вадим Константинович. — Не забудь отправить партию в Липецк, — требовательно добавил он. — И то, что просили из Рязани. — Отключив телефон, положил его на стол. — Рената! — после безуспешных попыток вызвать секретаря, — Где она? — прошипел он и, поднявшись, вышел из кабинета. — Ромова! — крикнул он.

— Она уехала в Тулу, — спустившись по лестнице со второго этажа, сообщил Антон. — Я ее отпустил.

— Она нужна тут, — заорал отец. — И какое ты имел право...

— Заткнись, — подошел к нему сын. — Сейчас нужно думать, как найти хотя бы еще один камень. Тогда их будет уже три. Два у нас, один в Лионе. Но можно считать, что уже у нас, — улыбнулся он.

— Как это? — удивленно спросил отец.

— Что в Китае? — не отвечая, задал вопрос сын.

— В Монголии какой-то раненый убил троих монголов, — посчитав, что это важнее, проговорил отец, — и...

— Койот, — перебил его Антон. — Где Иволгин? — спросил он.

— В Турции, — ответил отец. — Там нашли какой-то камень, и он, кажется...

— Ты доверяешь Ивану? — не дал договорить ему сын.

— Не во всем, — уклончиво начал отец. — Он, кажется, ведет свою игру. Например, о том, что он едет в Турцию, я узнал от других. Он позвонил уже из Анкары. И пояснил причину. Но почему ничего...

— Правильно сделал, — усмехнулся Антон. — Кто тебе сказал, что Иволгин уехал в Турцию?

— Игорев, — ответил отец. — А почему...

— Да потому, что об этом уже узнали бы, — криво улыбаясь, проговорил Антон. — Я пока не могу сказать больше, но попрошу вот о чем. Ни с кем не говори о камушках. Ни с кем, — подчеркнул он. — Кстати, — оживился Антон, — Зойка знает о камне?

— Ну, — смешался отец. — Наверное, да. Я как-то проболтался нечаянно.

— Ну и дурак же ты, папуля, — насмешливо проговорил сын. — А ты знаешь о ее любовнике? — задал он вопрос.

— О чем ты говоришь? — опустил голову Вадим Константинович. — Это просто...

— А ты ради этого «просто» обратился в детективное агентство Артемова, — заметил сын. — И что тебе там сказали? — Зудин сумел понять, что раз сын знает об агентстве, то знает и результат. Тяжело вздохнул.

— У нее был какой-то мужчина, — прошептал он. — Григорий. Но... — Он, вздохнув, поднял голову. — Ну, в общем, не было у них...

— Что? — Антон рассмеялся. — А ты дешевле, чем я думал, — проговорил он. — Неужели ради того, чтоб рядом была молодая баба, ты готов закрыть глаза на то, что ее трахал другой?! Ты старый пердун и уже ни на что не способен. Повезло мне с отцом, — покачал головой Антон. — Он бросает маму умирающей и заводит шашни с этой шлюхой. А сейчас узнает, что она трахается с другим, и говорит, что ничего не было. То есть она не залетела и тебе не придется воспитывать чужого ребенка. То есть у меня по отцовской линии не будет сестренки или братика. Тебе самому не тошно от своих слов? Ты мужик или тряпка, о которую могут вытирать ноги? — довольно зло спросил он. — У тебя есть доказательства, и ты обязан, слышь, папуля, просто обязан наладить эту сучку...

— И он потеряет половину всего, — насмешливо перебила его вошедшая Зоя. — У нас контракт, не так ли, милый, — посмотрела она на Вадима Константиновича. Тот, опустив голову, молчал.

— Ах, вот в чем дело, — усмехнулся Антон. — Значит, ты решила открыть карты, когда появился я. Уж лучше получить половину, чем ничего. Потому что в случае смерти отца ты не получишь ни гроша, — заверил он Зою. — Кстати, папуля, ты знаешь, кто ее хахаль? — Он посмотрел на отца. Тот отрицательно покачал головой. — Григорий Григорьев, — усмехнулся Антон. — Разыскивается за двойное убийство в Волгограде. Убил женщину-кассира и охранника во время нападения на обменный пункт.

И как давно ты его знаешь? — спросил он побледневшую Зою.

— Недавно, — прошептала та. — Он говорил, что...

— Тебе в детстве не говорили, что врать старшим нехорошо? — засмеялся Антон. Посмотрел на часы. — Сейчас подслушивающие устройства доступны всем. Ты во сколько его ждешь на съемной квартире на улице Березовая аллея? — спросил он. Зоя округлила глаза. — Я рассчитался с детективами, — улыбнулся Антон. — А нас скоро ждет очень интересная встреча, — подмигнул он Зое.

Крепко сложенный, высокий мужчина, открыв кодовый замок, потянул дверь и шагнул в подъезд. Оглянулся. Осторожно, чтобы не закрылся замок, притворил дверь и медленно, держа в правой руке ТТ, начал подниматься по лестнице. Услышал, как внизу остановился лифт. Замер.

— Ну, что такое? — раздался сердитый женский голос. — Снова дверь открыта? И зачем тогда замки кодовые ставят?

Он качнул головой. И начал быстрее подниматься вверх. На втором этаже остановился. Левой рукой толкнул дверь. Убедившись, что она заперта, вытащил ключи. Сунул один в замочную скважину и замер. Через несколько секунд дважды повернул ключ. Несильно толкнув дверь, держа в правой руке ТТ, подождал несколько секунд. Вошел и закрыл дверь. Запер замок. Вздохнул.

— Слушай, Григорьев, — раздался сзади голос. Развернувшись, Григорий, прищурившись, пытался уловить движение или услышать звук, чтобы стрелять наверняка. — Ты слушай, что у подъезда, — насмешливо посоветовал голос. Теперь вошедший услышал переливчатые звуки милицейской сирены. — Брось ствол, и все с тобой будет нормально, иначе начнем стрелять мы и тогда тут очень скоро будут менты. Не уйти тебе, Григорьев.

— Кто ты, чего хочешь? — хрипловато спросил Григорий.

— Поедешь с нами и там все поймешь, — ответил появившийся из кухни молодой мужчина. Григорий опустил руку с пистолетом. Кивнул и бросил ТТ.

— Зойка подставила? — спросил он. В дверь позвонили. К Григорию подошли еще двое. Один открыл дверь.

— Менты сейчас уедут, — усмехнувшись, сказал плотный парень, войдя в комнату. — Хулиганов забрали. Это он? — посмотрел он на Григория.

— Он, — кивнул первый и подмигнул Григорьеву. — Дай ручки. Извини, брат, но наслышаны о тебе, так что для твоей же безопасности сцепим тебе ручки.

— Кто? — спросила по-русски Янь.

— Свои. — Ответ прозвучал на китайском. Она открыла дверь. В прихожую, оттеснив ее, вошли трое. Последним — среднего роста худощавый мужчина в темных очках. Закрыл дверь.

— Как соседи? — по-русски спросил он.

— Нормально, — по-китайски ответила она. — Для них я...

— Мы в России и говорим по-русски, — прервал ее он. — Здравствуй, Янь, — улыбнулся он.

— Здравствуй, Чон, — шагнула она к нему.

— Куда вы меня везете? — увидев, что выехали на МКАД, нервно спросил Григорий.

— Увидишь, — ответил сидевший справа от него парень. Слева сидел другой.

— К Зудину, — усмехнулся Григорий. — Собственно, это ништяк, — тут же добавил он. — У меня есть что сказать ему.

— Помолчи, — чувствительно ткнул его локтем сидевший слева.

— Она действительно подъехала к больнице, — говорил в сотовый Константин. — И...

— Ты, похоже, идиот, Аверичев, — усмехнулся в ответ Антон. — Ее повез мой человек, куда она еще могла поехать? И я не понимаю, на кой хрен ты поперся за Ренатой?

— Просто решил проверить, — виновато ответил Аверичев. — Ну, мало ли, что там она...

— Хотя, с другой стороны, если что, прикроешь, — услышал он.

— Все будет нормально, — повеселел Константин. — Понадобится — закрою своей грудью. Кстати, у меня ствол с собой. Я хотел...

— А вот этого не надо, — услышал он. — Мало ли, авария или...

— Да по разрешению у меня ПМ, — ответил Константин. — Полгода добивался. Меня учили стрелять, — усмехнулся он. — Меня, бывшего...

— Все, — остановил его Антон. — Извини, но у меня гости.

— Понял, — отключил сотовый Аверичев. Вылез из машины, захлопнув дверцу, пультом включил сигнализацию и направился к трехэтажному зданию.

— Как ты? — Рената наклонилась над лежавшей с перебинтованной головой, со ссадинами и синяками на лице Таисией.

— Плохо, — чуть слышно простонала та. — Ренатка, — торопливо проговорила она, — забери меня отсюда. Меня убьют. Я к тебе приезжала не как подруга. — Она, вздрогнув, закрыла глаза. — Меня Удав послал, чтобы я узнала про какой-то камень. Есть он у Зудина или нет. Андрея из-за этого убили, и в мою машину грузовик врезался не случайно. Шофер Цыган где?

— Подожди, — остановила ее Рената. — О чем ты говоришь?

— Подполковник Дятин, — зашептала Тая. — Он стоит за Удавом. Он его отмазал от суда. Андрей что-то о нем знал. Дятин, узнав, что мы с тобой знакомы, велел Андрею отправить меня к тебе. Это он хотел на дороге убить меня. Он послал грузовик. Цыган знает шофера. Он крикнул что-то. Я слышала. Нас бы добили, но остановился рейсовый автобус. Забери меня, Рената.

— Нормально, — сказал стоявший у двери Константин. — Извините, — остановил он проходившую мимо медсестру, — а где я могу увидеть водителя, который ехал вместе с Таей?

— Он в пятом боксе, — ответила та. — Вы халат наденьте, а не держите его в руке.

— Извините, — смущенно улыбнулся и он.

— Вы не сделали работу! — орал плешивый плотный мужчина. — Она жива...

— Там автобус «Москва — Тула» остановился, — перебил его крепкий парень. — Мы и слиняли, пока менты не появились. Но те, похоже, не выживут, — добавил он. — В лобешник мы...

— И водитель, и Тайка живы! — брызнув слюной в лицо парня, заорал плешивый. — Вот что, — уже спокойнее сказал он, — поезжайте и доделайте работу. Если их перевезут в областную или городскую, там их уже не достать. Понятно?

— Все сделаем, — кивнул парень. — Они в общей пала...

— В боксах, — качнул головой плешивый. — По моей просьбе положили и водилу, и ее.

— Надо было добивать, — выпустив дым, кивнул длинноволосый парень. — Цыган тебя узнал. Помнишь, орал...

— Да помню, — поморщился невысокий парень. — Надеюсь, сдохнет или...

— Менты могут подъехать, — перебил его длинноволосый. — И тогда...

— ДТП, не поедут, — с сомнением проговорил коренастый. — Тем более «зилок» угнан. Не поедут, и так все понятно. Угнал, не справился с управлением. Но Цыгана надо мочить.

— Поехали, — вышел из двухэтажного коттеджа крепкий. — Доделывать потерпевших будем.

— Да Белка был, — промычал лежавший на кровати под капельницей Цыган. — Узнал я его, суку позорную. Он тачки угоняет, таранит машину терпил. Ну, тех, кто не угодил Дятину. Есть такой мусор, — кивнул он и застонал.

— Как он, доктор? — спросил Константин.

— Я медсестра, — улыбнулась та. — Цыганков в рубашке родился и подруга его тоже. Переломов нет. У него сотрясение, легкое, — добавила она. — А у его подруги синяки и тоже...

— Я могу забрать их? — перебил ее Аверичев.

— Вы? — удивленно взглянула на него медсестра. — Сначала надо с врачом говорить.

— Где он? — спросил Константин.

— Он в пятом, — прошептала полная санитарка. — Она в восьмом. Вон в ту дверь зайдете, там и боксы будут. Халаты накиньте, — остановила она троих парней.

— Значит, он в пятом, она в восьмом, — натягивая белый халат, уточнил крепкий. Санитарка кивнула. — Так, — подождав, пока та не отошла, начал крепкий. — Ты — восьмая, ты — пятая. Я у двери в это отделение. Работаем. — Сняв с предохранителей ПМ с глушителями, все трое пошли к ведущей в отделение палат-боксов двери.

«Кажется, добивать пришли», — выйдя из кабинета врача, подумал Аверичев. Рванулся вперед. Дежурная медсестра даже привстала от удивления, но ничего не сказала.

135

— Видно, девке стало хуже, — заметила рывок Константина пожилая санитарка.

— Он ее забрать хочет, — отозвалась другая медсестра.

Константин ударом по шее сложенными в замок ладонями вырубил остановившегося у двери и неосмотрительно смотревшего вслед подельникам крепкого и в прыжке достал ногой развернувшегося бритоголового. Третий вскинул руку с пистолетом. Костя упал на пол. Пуля прошла над ним. Второй раз выстрелить парень не успел. Удар судном по руке выбил оружие. А пальцы Ренаты, ударившей его, попали в глаза взвывшему от боли бандиту. Костя, вскочив, рванулся вперед. И усмехнувшись, остановился. Коленом Рената заехала парню в причинное место. Промычав что-то злобное, парень осел. Рената ударила его судном по макушке.

— Бери ее и уходим, — заскочив в палату к Цыгану, крикнул Константин. В отделение ворвался водитель Ренаты.

— Блин, — остановился он. — А чего тут...

— Помоги ей и уходим, — вытаскивая из бокса Цыгана, требовательно заорал Аверичев.

— Ааа! — пронзительно закричала заглянувшая в отделение медсестра.

— Милицию вызывайте, — посоветовал, тяжело дыша, несущий на своих плечах Цыгана Аверичев. Водитель и Рената, поддерживая, вели Таю.

— А куда больных уводят? — спросила дежурная.

— Родственники забирают, — ответил пожилой мужчина-врач. Посмотрел вслед тащившим Таю Ренате и мужчине, усмехнулся. — Тысячу баксов на дороге не найдешь, — прошептал он.

— Твою мать, — орал плешивый. — Ничего они не могут. И Тайку, и Цыгана забрали какие-то люди! Наверное, родственники цыгана. Узнай, где...

136

— Цыган — это кличка, — остановил его плотный мужчина лет сорока пяти. — Цыганков Яков Павлович. Ранее судим за разбой. По малолетке. Отсидел пять. Из них два на взросляке. Ему исполнилось восемнадцать и...

— А ты думаешь, я не знаю, как на взрослый осужденные по малолетке попадают? — усмехнулся плешивый...

— Что делать, Игорь Васильевич? — спросил невысокий молодой мужчина.

— Ничего, — отозвался тот. — Отмажь этих придурков в больнице. Просто, мол, по...

— Не выйдет, — возразил невысокий. — У них пистолеты с глушителями.

— Твою мать! — заорал плешивый. — В общем, чтоб о нас молчали, — требовательно проговорил он.

— Я свяжусь с капитаном Рудиным, — сказал невысокий. — Он все сделает.

— Черт возьми, — процедил Игорь Васильевич. — Ничего не могут. Сейчас шум поднимется. Почему хотели убить...

— Шума можно избежать, — перебил его невысокий. — Просто парни скажут, что хотели попугать больных, а потерпевших после ДТП забрали родственники. Вот и все.

— Но у Вировой нет родственников, — напомнил Игорь Васильевич.

— Тем лучше, — усмехнулся невысокий. — Значит, ее забрал друг Цыганкова. И врач так будет говорить. Мол, ему было достаточно, что потерпевшие узнали человека. А мы возьмем у него адрес этого благодетеля и разберемся и с ним, и с Тайкой, и с Цыганом.

— Молодец, Павлов, — кивнул Игорь Васильевич. — Действуй. — Потер лоб. — Как я вовремя приболел, — пробормотал он.

— Я везу их, — говорил в сотовый Константин. — От них мы все подробно узнаем. Им просто немного помочь надо. Удивительно, но они почти не пострадали.

По крайней мере врач спокойно отпустил их без расписки.

— Адрес свой оставил? — спросил Антон.

— Разумеется, нет, — даже обиделся Аверичев.

Москва

— Тогда ладно, — усмехнулся Антон. — А вы...

— Ты вот что, — перебил его Константин. — Вышли машину понеприметнее. А еще лучше микроавтобус с людьми. Но чтоб пять мест были свободны. Могли номера наших машин...

— Вас останавливали тульские гаишники? — спросил Антон.

— Нет, — услышал он.

— Тогда все нормально. Ждите, вас встретят. — Отключив сотовый, Антон посмотрел на стоявшего у стены справа от двери Григория. — Значит, говоришь, давно ее знаешь?

— Она мне женой была полтора года, — вздохнул тот, посмотрев на бледную Зою.

— Даже так? — удивленно проговорил Антон. — Но у нее не было...

— Она подала на развод сразу, как я под трибунал попал, — процедил Григорий. — Мы в Урус-Мартане...

— Что же ты молчала, Заинька? — насмешливо спросил Зою Антон.

— Да иди ты, — огрызнулась та.

— Она просила его убрать, — кивнул на Вадима Константиновича Григорий. — Но тут ты приехал. Отложили и...

— Врет он! — взвизгнула Зоя. — Он просто говорил, что если я с ним не буду...

— Вы три дня назад куда собирались? — спросил Вадима Константиновича Григорий. — На пруды в...

138

— Тварь, — шагнув вперед, Зудин размашисто ударил Зою по щеке и вышел.

— Ну а с тобой все проще, — кивнул Григорию Антон. — Убей ее, и будешь выполнять наши заказы. Ты ведь уже трижды работал по заказам, — усмехнулся он.

— А ты откуда знаешь? — удивленно спросил Григорьев.

— Да просто почерк у тебя своеобразный, — рассмеялся Антон. — А если серьезно, — кивнул он, — я знаю человека, на которого ты работал. И был крайне удивлен, когда увидел тебя на фотографиях детективов. Твое счастье, что они никак не связаны с ментами и даже, наоборот, стараются держаться от них подальше. Помнишь Хударина?

— Помню, — вздохнул Григорьев. Посмотрел на сжавшуюся у стены бывшую супругу. Вздохнул.

— Не надо, Гришка! — испуганно закричала та. Он, крутнувшись, достал ее голову носком ботинка на левой ноге. Женщина рухнула. Около головы растекалась кровь.

— Нормально, — отметил Антон. Присев, приложил пальцы к сонной артерии. — Труп, — кивнул он. — Да ты ходячее оружие, — пробормотал он. — Короче, вот что, Григорьев, сначала посмотри это. — К Григорию подошел парень и показал снятое на сотовый убийство им бывшей жены. — Это на тот случай, если ты решишь нас сдать ментам, — улыбнулся Антон. — И Хударин даст показания. Будешь работать на нас, сделаем пластическую операцию, поменяем тебе морду, будешь неплохо получать. Когда дело закончится, уедешь за границу. Устраивает?

— Вообще-то, конечно, — кивнул Григорьев. — Но что делать надо? Если покушение на президента, то кончайте сразу, — усмехнулся он. — Там в любом случае не выжить. Скорее всего охрана убьет, а если вдруг получится, то вы...

— Не сходи с ума, — рассмеялся Антон. — Мы не противники нынешней власти и очень далеки от политики. Просто есть дело, в котором нужна помощь сильных, отчаянных людей. Ты нам подходишь. Условия ты знаешь. Кроме того, если все выйдет как надо, получишь два миллиона долларов и чистые документы. Страну, куда поедешь, выберешь сам.

— Слишком все хорошо, чтобы в это поверить, — усмехнулся Григорьев. — Но выбора у меня нет. Годится, — сказал он. — А жить я буду...

— Здесь, — кивнул Антон. — Все, что нужно, будет. Бабы на твой вкус, — улыбнулся он.

Грызлово. Московская область

— Спасибо тебе, — вздохнула Рената. — Если бы не ты...

— Не ожидал от тебя таких решительных действий. Лихо ты его уткой...

— Судном, — улыбнулась она. — Утка меньше.

— Все равно ловко, — усмехнулся Аверичев. — И по глазам, а уж коленом по яйцам вообще класс. Где училась?

— Просто ходила в секцию самообороны, — вздохнула Рената. — И не раз уже пригодилось. Но если бы не ты, нас бы убили.

— Выбрались и хорошо, — проговорил Аверичев. — Ты поговори с подругой по душам. Пусть расскажет все, что знает.

— Какая она подруга, — сердито сказала Рената. — Приезжала, чтобы...

— Тем более, — перебил ее Костя. — Кстати, что за камень она имела в виду?

— Не знаю, — вздохнула Рената.

«А ты не откровенна», — подумал он.

— Да говорят, есть камни, которые человека делают бессмертным, — заговорил лежавший на кровати Цыган. — Фуфло полное, но Удав поверил. Да, собственно, не поверил он ни хрена, просто решил бабки на этом срубить. У него дела с Дятиным. Подполковника недавно козлу дали. Он в отделе работает, ну раньше ОБХСС назывался. Мне батя говорил. Он на чем-то Удава подловил, а тот на него что-то имеет. И видать, по пьяни и зашел базарок про эти камушки бессмертия, — усмехнулся он. — За Дятиным, видно, тоже кто-то стоит, потому что ментяра через три дня прикатил. О чем базарили, не знаю, но Удав после этого и сказал Тайке, чтоб она в Москву к подруге ехала. Ну, к ней, — кивнул он на Ренату.

— А сам-то Удав этот, что, о камнях знал? — спросил Аверичев. — Он же раньше, чем...

— Да, — кивнул Цыган. — К нему какой-то Турок приезжал. Не по нации, а кликуха такая, Турок. Они о чем-то чирикали, а потом Удав про эти камни базар повел. В общем, его ментяра убрал и нас хотел. Помнишь того, которого ты у моей палаты уложил? — воздохнул он. — Его я и узнал, когда нас...

— Мы поедем к Антону? — спросила Рената.

— Не знаю, — ответил Аверичев. — Боюсь, убьют их там. Ты иди, поговори с Таисией.

— Она спит, — проговорила Рената. — Я ей укол сделала, едва мы от больницы отъехали.

— Молодец, — улыбнулся Константин. — Думаю, нам лучше тут отсидеться, а потом ко мне переехать. У Зудиных их убить могут. А нам они пригодятся. Через нее, — он кивнул на дверь, — мы этого Дятина прижмем, и он нам кое-что расскажет. Только надо по-хорошему с ними поговорить, а не наезжать, как обычно Антон поступает. Но...

— Он звонил, — перебила его Рената. — Ты же микроавтобус просил, так едет он, и нас никак не...

— И что ты ему сказала? — перебил ее Константин.

— Что мы в одной деревушке у знакомых парня, — кивнула она на Цыгана.

«Значит, у них не все ладушки, — подумал тот. — Собственно, какая мне разница, — тряхнув головой, вздохнул. — Меня теперь псы этого мусора будут шарить. Мать твари прессанут. Хотя, может, и нет. Она в ментовку дернуться может, а менту это на хрен не надо. Вот блин, съездил, — снова вздохнул он. — Хотя благодаря этому и живой пока. Парней, кто с Удавом постоянно, тоже положили. Собственно, если мать тронут, я этого мусора с потрохами сдам. Ментов не за падло под монастырь подводить. — Он пошевелился. — Вроде полегче стало. Видно, я просто черепушкой здорово треснулся. — Он попробовал согнуть левую ногу в колене и сморщился. — Болит немного. Видно, отшиб. Переломов нет. Ладно, — решил он. — Отлежусь, а там видно будет. Жаль, пушки нет, — подумал Цыган. — С ней бы надежнее было».

— Слышь, земляк, — обратился он к Аверичеву, — у тебя ствола нет? А то вдруг эти шакалы появятся. Одному-то я пасть порву, а вот...

— Только двустволка деда, — ответил Константин.

— Так это дом твоего дедушки? — спросила Рената.

— Ага, — кивнул Константин. — Про него никто не знает. Так, — кивнул он, — надо пожрать чего-нибудь. Сейчас какие-нибудь консервы найду.

— Давай я приготовлю, — предложила Рената. — Капуста есть и морковь, лук. Тушенка тоже, макароны...

— Это вообще классно будет, — улыбнулся он.

— А бухнуть нету? — спросил Цыган.

— Тебе после капельницы как раз это не помешает, — посмотрела на него Рената. — К тому же сотрясение у тебя. Правда, вы с Тайкой на удивление легко отделались, — вздохнула она. — А я думала...

— Я тоже думал, хана пришла, — заговорил Цыган. — Но ни хрена, жить буду. Правда, если б не вы, можно было бы заказывать траурный марш, — усмехнулся он. — Но, бог не выдаст, Дятин не съест. А хотел, сука, — процедил. — Да подавился мент.

— Я пойду что-нибудь сварю. Покажи мне, где и что, — попросила она Аверичева.

— Слышь, мужик, — напомнил Косте Цыган, — ты хоть эту двуствольную бухалку давай. Патроны есть?

— Есть, — кивнул Константин и, открыв шкаф, достал двустволку шестнадцатого калибра. Положил ее на пол возле кровати Цыгана и, вынув полностью забитый патронами патронташ, тоже положил рядом.

— Ну и то хлеб, — взяв ружье, переломив стволы, Цыган положил патронташ перед собой. Начал, вытаскивая, смотреть патроны.

— Слева, если на поясе, — улыбнулся Константин, — дробь на уток, ну, в общем, на птицу. Посередине картечь и справа пять жаканов.

— Ништяк, — вытащил патроны с картечью и, вставив в стволы, кивнул Яков. — Картечью хрен промахнешься, а ужалит прилично. А пушки, случаем, лишней нет? — снова спросил он. — Все-таки...

— Пошли, — потянула за руку Аверичева Рената. — Покажешь, где что.

— И все-таки мне подфартило, — сделал вывод Цыган. Тая крепко спала на пуховике под толстым одеялом.

Москва

— Мне кажется, Антон Вадимович, — говорил мускулистый молодой мужчина, — Аверичев что-то не то делает. Микроавтобус ездит уже...

— Пусть возвращаются, — решил Антон Зудин. — Думаю, Хан, Аверичев знает, что делает. Все-таки в больнице под Тулой была бойня. И наверняка те, кто убрал Удава и пытался убить Тайку, имеют своего человека в этой больнице и знают номера машин. Так что Костя правильно сделал, что спрятался. А ты молодец, — кивнул он. — Умеешь высказывать свое мнение.

— Но почему он не встретился с нашими? — непонимающе спросил Хан. — Ведь сам просил микроавтобус...

— Да потому, что машины бы пришлось бросить, — неожиданно вмешался Григорьев. — И по номерам потом милиция и бандиты установили бы владельца. Номеров пока тульских не знает, — уверенно проговорил он. — Иначе бы Аверичева и ту барышню не выпустили из Тульской области. Аверичев умеет думать и принимать правильные решения, — усмехнулся он. — Он понимает, что в случае провала вы и его спутницу просто уберете.

— Заткнись, — посоветовал Антон.

— Значит, я прав, — засмеялся Григорьев. — Очевидно, я тоже нужен тебе на время, как и остальные твои люди. Дело крупное и, судя по всему, принесет огромные бабки, ты не из тех, кто умеет делиться. Ты мог бы прикончить меня сейчас, — сказал он, увидев, что Антон сунул руку в карман. — Но ты не сделаешь этого. Тебе нужен человек, которому нечего терять. Знаешь, почему я убил Зойку? — вздохнул он. — Потому что давно хотел это сделать. Зойка сделала аборт, когда меня посадили. Она убила моего еще не родившегося ребенка. Вот так, — кивнул Григорьев. — Но я ждал. Она говорила, что когда мы покончим с ее мужем, у нас будет много денег. Я убил бы твоего папашу, забрал деньги и убил Зойку. Но вышло так, как вышло. А ты, Хан, не доверяй свою жизнь Антону Зудину. Не поворачивайся к нему спиной. — Антон сильно ударил Григория кулаком в подбородок. Тот, чуть дернув головой, ушел от удара. — Не по-мужски бить того, кто не может ответить, — с укором проговорил Григорий. — И ты подтвердил правоту моих слов. Бьют всегда, когда не могут возразить.

— А ты не только хороший вояка, но и хитрый тип, — усмехнулся Антон. — Ударил я тебя, чтобы проверить, насколько ты хорош. И я доволен твоей реакцией. Но не стоит провоцировать моих людей, — предупредил он. — Они могут обидеться и убить. В общем, отдыхай и если чего-то захочешь, скажи. — Хан вышел за хозяином.

Зудин встретил сына у лифта.

— Я что-то не пойму, где Рената? Сегодня переговоры со шведами и она очень нужна. Когда она приедет?

— Обойдешься без нее сегодня, — спокойно проговорил Антон. — И ты, отец, кстати, вдовцом стал, — подмигнул он ему. — Зойку нашли в сквере, кто-то ее убил. Видно, наркоман. Сорвали сережки, кольцо...

— Хватит, — резко бросил отец. — Не делай из меня дурака. А ты опасный человек, Антон, — добавил он. — Ты недавно появился в доме и уже два трупа. Далеко пойдешь, Антон, если милиция не остановит, — вспомнил он ходившую в народе присказку.

— Не остановит, — засмеялся Антон. — Потому что я поставил перед собой цель и достигну ее, чего бы мне это ни стоило.

— Это я понял, — вздохнул отец. — Ты всегда был целеустремленным. Я вот о чем хотел спросить, — усмехнулся он. — Ты уже всех на свою сторону переманил или еще нет?

— Подчиненные всегда выбирают сильного и умного руководителя, — посмеиваясь, ответил сын. — И не скупого. А почему ты спросил? — тут же задал он вопрос. — Кто-то не выполнил...

— Да пока, слава богу, все вроде по-прежнему, — вздохнул Вадим Константинович.

— Ну, если ты к Богу обратился, — снова засмеялся сын, — значит, чувствуешь себя очень неуверенно.

— Вот, что бы взять, — чиркнув зажигалкой, посмотрел на отъезжавшую от гастронома инкассаторскую машину Сергей. — И все. На дно. Отсидеться немного и уехать куда-нибудь в провинцию. Открыть свое дело и жить не тужить и ментов не бояться. — Он жадно затянулся. — А кого найдешь на такое дело? Да и готовиться надо. На ура не пойдешь. Может, попробовать банк какой-нибудь взять. В пригороде где-нибудь. — И усмехнулся. — Хотя сейчас кризис, и большие банки...

— Белый, — услышал он голос. — Белов Серега! Ни хрена себе, вот это встреча. — Повернувшись, увидел подходившего Бурина.

— Сашка, Буря? — удивленно расширил он глаза. — А я слышал, ты вроде в Чечне...

— Да выжил я, старлей, — засмеялся Александр. — Царапнуло немного, но жив остался. А ты-то как?

— На нарах полежал два года, — с иронией ответил Сергей. — Точнее, год и восемь месяцев. Пока разобрались, что все-таки шахидка та шкура была, в тюрьме держали. Потом я плюнул на все и всех и поломал троих выходцев с Кавказа и попал на срок. Треху дали. А тут амнистия. В общем, отметил я выход на волю и задумался. И стал вольным стрелком. А ты как...

— Хреново, старлей, — сдержанно ответил Александр. — Из армии после госпиталя пришел и начал мотаться туда-сюда. Даже два раза в боях без правил участвовал, — усмехнулся он. — Потом один мужик к себе взял, машины ремонтировать. Я немного понимаю в этом деле. А тут кризис этот. Ну и все. В общем, в конце января уволили в запас без...

— И что решил? — спросил Белый.

— В армию пойду, — вздохнул Александр. — Вот хотел Леньку Петухова...

— Сидит Петухов, — перебил его Белов. — За гоп-стоп попал.

— За что? — не понял Александр. — Ты...

— Накануне Нового года, чтобы отпраздновать получше, одного коммерсанта на нож поставил. Его и взяли тридцатого. Вот так, — кивнул он.

— Скверно, — процедил Бурин. — И что...

— Слышь, прапор, — усмехнулся Белов. — Можно рискнуть. Например, банк взять или...

146

— Да я на что хочешь сейчас пойду, — перебил его Александр. — Только, конечно, не детишек воровать или баб насиловать. И на заказное убийство...

— На банк на ура пойдешь? — перебил его Белов.

— Как это на ура? — не понял Александр. — А, — кивнул он. — Это с оружием и руки вверх, мы уходим и считать...

— Почти, — засмеялся Сергей.

— Согласен я, Белый, — помолчав, уже уверенно проговорил Бурин. — Пожалуй, рискнуть стоит.

— Надо еще по крайней мере двоих, — перебил его Белов. — Да и объект найти, ну и все остальное. У тебя нет знакомых, которые?..

— Нет, — с улыбкой ответил Бурин. — Знаешь, старлей, а я ведь уже думал про это. Ну, понятное дело, не банк на ура взять, а кого-нибудь из новых русских прижать. Они же сейчас, считай, все не меньше миллиона имеют. Меня, например, просто в бешенство приводит, когда показывают по телевизору морду, хрен на машине объедешь, и он так спокойно говорит: мол, чтоб более-менее посидеть, около пяти тысяч баксов надо. Прикидываешь? — зло спросил он. — Это где же он их набрал, су...

— А меня не это бесит, — возразил Сергей. — Ну, там разные нефтяные короли и остальные, кто бабки делает по работе. А вот покажут кавказца какого-нибудь или чурку. Сидит этот вор в законе, — он криво улыбнулся, — и пальцы веером. А ведь сейчас воров в законе, которые...

— Когда на банк пойдем? — перебил его Александр.

— Как только, так сразу, — с легкой издевкой ответил Белый. — Тебя где найти?

— Да дома я, — ответил Александр. — Ты же...

— Вот что, — перебил его Сергей. — Ты серьезно?..

— Да, — кивнул Бурин. — Надоело экономить на сигаретах и вообще. Я на деньги мамы живу. На ее пенсию. С женой развожусь. Не будет у меня жены, сына не увижу. Поэтому вот что я тебе скажу, старлей: если дело делать, то в течение двух недель. Больше я не могу ждать.

— В общем, вот что, прапор, — усмехнулся Белов, — сегодня проверка на поприще налетчика, так сказать, приемный экзамен.

— Согласен, — не раздумывая ответил Бурин.

— Да, — услышала Лида женский голос в трубке, — я это. Неужели не узнала?

— Ну почему не узнала, — вздохнула Лидия. — Просто настроение очень плохое. А ты почему звонишь? — без интереса спросила она. — Деньги нужны?

— Угадала.

— Вот что, Вера, — твердо сказала Лида, — больше я тебе ни рубля не дам. И не звони мне больше. — Она отключила телефон. — Сережа, — прошептала Лида, — как мне тебя не хватает. Господи, я не знаю, кто ты, но знаю, что ты мне нужен. Кем бы ты ни был. Я поняла, что ты не обычный командированный. Скорее всего ты из тех, кого зовут бандитами. — Лида снова вздохнула. — Но если это и так, ты нужен мне, Белов. Очень нужен. Но ты должен понять это сам. Выпить, что ли? — горько улыбнулась она.

— Да ничего мы не знаем про эти камни, — недовольно говорил мужской голос на китайском в сотовом. — Так что не стоит нам заниматься этим. Легенд и у нас в Китае хватает. Возвращайтесь, — требовательно закончил голос.

— Но мы знаем, — напомнила Янь, — что...

— Ты слышала, что я сказал? — резко прервал ее собеседник. — Завтра едете в Хабаровск. Там вас будет ждать наш человек. Это не просьба, — предупредил он. — Так решил совет. Завтра вы должны выехать в Хабаровск. Поняла?

— Нет на него выхода, — недовольно говорил по-немецки плотный мужчина лет сорока. — Тем более сейчас у него сын там за все отвечает. Кстати, вы говорили...

148

— Надо выяснить, он ли забрал из Монголии камень, найденный профессором Товасоном, — перебил его голос. — Вот что надо выяснять. И еще, — тут же вспомнил он. — Пропал наш человек. Стасин. На звонки не отвечает. Надо выяснить, не задержан ли он. Если да, то он должен умереть.

— Стасин исчез, — ответил плотный. — Уехал на встречу с кем-то и не вернулся. Я пытался найти его, но безуспешно.

— Ты понял, что ты должен сделать? — прервал его абонент. — Нам нужно знать про камень. Есть он у...

— И как я могу узнать, — усмехнулся мужчина. — Если только не...

— А ты догадлив, — оборвал его абонент. — Объясни...

— Понял, — хмыкнул тот. — Собственно, я так и хотел, но...

— Действуй, Шмидт.

— Тебе все ясно? — спросил Сергей.

— Ясно-то ясно, — вздохнул Александр. — Но как-то не по себе. А если она визжать начнет? Или...

— Там охранник, — перебил его Белов. — Он твой. А дамы мои. Держи. — Он вытащил из кармана ПМ, сунул пистолет ему в карман. — Надеюсь...

— Это, — замялся Бурин. — Я, ну, в общем...

— Ствол оставь себе, может, и пригодится, — засмеялся Сергей. — Иди. А я на работу.

— Я с тобой, — сказал Александр. — Только ведь маски вроде нужны. По крайней мере...

— Не обязательно, — усмехнулся Сергей. Бурин качнул головой.

— Но ведь фотороботы составляют, — повернул он голову к сидевшему за рулем Белову и от изумления открыл рот, увидев седобородого мужчину в очках.

— Старлей? — сумел выдавить из себя Александр.

— Сейчас из тебя сделаем примерно такого же, — заверил его бородач.

— А где вы? — спросил Антон.

— Послушай, Антон, — тихо отозвалась Рената, — я не знаю почему, но Костя не хочет ехать к тебе. Он привез нас в дом своего деда, по крайней мере, он так говорит. Это в Грызлово. По...

— Знаю, — не дал говорить ей Зудин. — Кто с вами?

— Он, я и Тая, — услышал он. — И еще один парень, Цыган. Он охранник-водитель Тайки. Она почти в норме, говорит, немного кружится голова. Цыган чувствует себя нормально, просто у него нога...

— Все, — остановил ее Зудин. — Я пришлю людей. Попробуй разговорить Костю, почему он так поступает? И сразу сообщи мне. Ясно?

— Да, — услышал он.

Грызлово

— Слушай, — спросил Константин, — из-за чего все это началось? Чем так заинтересовал Зудин-старший этого Дятина?

— Я точно не знаю, — ответил Цыган. — Дело в каком-то камушке. Я, собственно, был телохранителем Удава и оказался рядом, когда он базарил по телефону с ментом. И про камушек раза два говорил. Вот ради этого он и послал Тайку выведывать. Ты с ней этот вопрос перетри. Она точно что-то знает.

— Спрошу, — кивнул Аверичев. — А она давно с Удавом?

— Да нет, — покачал головой тот. — У того сначала шкура была из Москвы. Ее потом зарезал какой-то наркоман. И он с Тайкой сошелся. Тайка та еще сучка, —

усмехнулся он. — Была паинькой, а рядом с Удавом королевой себя почувствовала. Я не знаю, земеля, чего ты мутишь, но не особо доверяй своей бабе. Она по Антону сохнет. Короче, по дороге, до того, как в нас...

— А это тебя уже не касается, — отрезал Константин.

— Еще как касается, — возразил Цыган. — Ведь за мной охотятся. А ты мне жизнь спас. Как я понял, не хотел ты этого, но...

— Заткнись, — посоветовал Константин.

— Да это, пожалуйста, — усмехнулся Яков. — Но все-таки поясни, что делать собираешься? И на кой хрен тебе это надо? Чувствуется, что ты по жизни боец, а не пахан. Если ты насчет этого осколочка...

— Какого осколочка? — непонимающе перебил его Аверичев.

— Камушка, — поправил себя Цыган.

— Слушай, — вмешался Аверичев, — помолчи. Я просто пытаюсь понять, правильно сделал, что влез в это дело, или нет. И есть два выхода, — усмехнулся Константин. — Идти дальше или быть шестеркой. Шестерить мне не хочется, собственно, на это я пошел, поверив Антону. Но, похоже, он сказал мне далеко не все, — с сомнением проговорил Аверичев. — Можно было допустить, что он сам не все знает, но Антон заверил: все именно так, как он говорит. И как же быть? — задумчиво пробормотал Аверичев.

— Попробовать подоить мента, — посоветовал Цыган. — Только вот что, земеля, — вздохнул он, — если поймешь, что я тебе не понадоблюсь, отпусти.

— Не торопись получить свободу, — улыбнулся Аверичев, — если это может стоить тебе жизни. Мертвому она ни к чему. А я не держу тебя. Мне просто надо узнать побольше про мента этого. Дятина. Хотя отпустить тебя означает дать этому самому менту выйти на меня, — усмехнулся он.

— Да хорош тебе лапшу на уши вешать, — заторопился Цыган. — На кой мне тебя сдавать? Да меня и спрашивать не будут. Просто замочат, и пиши письма на тот свет.

— Захочет узнать, кто и зачем помог вам, — с улыбкой пояснил Константин.

— Да не гони лошадей на водопой, земеля, — усмехнулся Яков. — Неужели ты думаешь, я отдамся его опричникам? У него парни в основном из бывших ментов или вояк, которые...

— Пока давай оставим все так, как есть, — перебил его Константин. — Вот тебе оружие. — Он вытащил из кармана револьвер. — Семь патронов. Надеюсь, пользоваться умеешь? Самовзвод, — добавил он.

— Как это? — не понял Яков.

— Раз взвел курок и семь раз стреляешь, не взводя, — улыбнулся Константин. — А есть...

— Понял. — Цыган взял револьвер. — Благодарю. А то без пушки как-то не в жилу.

— Почему ты приехала? — спросила Таисия.

— А ты не рада? — усмехнулась Рената.

— Дело не в этом, — возразила Тая. — Просто я не думала...

— А теперь ответь мне, только честно, — перебила ее Рената. — Зачем ты приезжала в Москву? Ведь не просто...

— Конечно, не просто, — со значением проговорила Тая. — Но ведь я все тебе рассказала еще в больнице.

— Я поняла только, что твоего Удава интересовал какой-то камушек, — с улыбкой заметила Ромова.

— Да, — всхлипнула Тая. — И меня теперь убьют из-за этого. Поверь, подруга, я не думала, что так выйдет.

— Какая ты подруга, — зло сказала Рената. — Ты и меня подставила. Что ты успела передать Удаву?

— Только то, что сын Вадима Константиновича приехал, — снова всхлипнула Таисия.

— Какая же ты гадина, — покачала головой Рената. — А я, дура, поехала к тебе в больницу. И чуть не погибла там.

— Прости, — заплакала Вирова. — А Цыган где?

— Рядом, — отозвалась Рената. — И что же теперь делать?

— Я бы на твоем месте, — вытирая слезы, заговорила Тая, — окрутила Костю и украла этот камушек. Как я поняла, он очень дорого стоит. А так, что тебя ждет? — спросила она и, достав зеркальце, начала внимательно разглядывать свое лицо.

— Какая же ты гадина, Тайка, — повторила Рената.

— А ты вся такая правильная, — усмехнулась та. — А что имеешь? Зудины дела делают и миллионы нажили, а ты сидишь целыми днями в приемной и что? — поддела она Ренату. — Я, например, сошлась с Андреем, зная, чего хочу. Я знала, что он преступник и что его могут убить или арестовать. Но я получала от него деньги. И я теперь могу жить вполне прилично. Даже, возможно, открою свое дело. Поставлю ларек или магазин небольшой. А ты? — насмешливо, уже без слез спросила она. — Что тебя ждет? Вот представь, что Зудины погорели на чем-то. Ну, хотя бы из-за этого камня их арестуют. И тебя наверняка таскать будут. А на работу ты потом уже никуда не устроишься, — злорадствовала она. — Кому нужна секретарь мафиози? Зудиных сейчас уважают и с ними считаются, потому что у них есть деньги и свои люди. Только не говори...

— Да, — кивнула Рената. — Свои люди у них есть. Зудин имеет определенный вес. И среди...

— До тех пор, — перебила ее Тая, — пока им всерьез не займутся органы. И тогда вокруг не останется никого, — жестко проговорила она. — А шакалы растащат накопленное. Или государство конфискует. Сейчас это снова вводится в судебную практику, — добавила она. — Мне про это Андрей говорил. Поэтому он на меня и перевел...

— А что за камень, ты говоришь? — уже с интересом спросила Рената.

— Откуда я знаю, — пожала плечами Тая. — Похоже, алмаз. Огранен необычно, и свет от него идет удивительный.

— А почему Андрей твой решил, что этот камень может быть у Зудиных?

— Не знаю, — качнула головой Таисия. — Насколько я поняла, за всем этим стоял Дятин. Этот мент поганый, — процедила она. — Андрей ежемесячно кому-то деньги давал, — вспомнила она. — Я еще, помню, говорила...

— Как ты? — вошел в комнату Константин.

— Неважно, — жалобно пропищала Вирова. — Голова болит и вообще...

— Хватит притворяться, — недовольно остановила ее Рената. — Нормально она себя чувствует, — заверила она Аверичева.

— А ты сама как? — поинтересовался он.

— Боюсь, — вздохнув, призналась Рената. — Потому что...

— Пойдем поговорим, — кивнул он ей и шагнул к выходу.

— Что ты с нами будешь делать? — испуганно спросила Тая.

— Тебя в Турцию продам, — услышала она.

— Зачем ты так? — прикрыв дверь, спросила Рената. — Хотя я бы сама ее прибила. Что решил?

— Пока ничего, — ответил он. — А ты?

— Мне страшно, — помолчав, сказала Рената. «Камень огранен необычно, — вспомнила она слова Таисии. — Значит, это и был тот самый, который ищет этот оборотень. Он действительно какой-то необычный. И он в сейфе Вадима Константиновича. Хотя, может, его забрал Антон?» — подумала она. — Он, наверное, и приехал из-за этого.

— Что? — услышала она голос Константина и поняла, что задала себе вопрос вслух. — Кто приехал?

— Что? — уставилась она на него.

— Ты, видно, здорово перенервничала, — заметил Константин. — А кстати, ты где научилась...

— Сейчас время такое, — вздохнула Рената. — Каждый сам за себя, и поэтому нужно быть готовой и к защите, и к нападению. А почему ты влез в это? — спросила она. — Поехал за мной...

— Просто мне Тайка понравилась в постели, — усмехнулся Аверичев. — Вот и поехал посмотреть, здорово ли она себе мордашку попортила. А если честно...

— Не надо, — остановила его Рената. — Я, кажется, поняла. Ты решил выяснить, зачем Удаву понадобилось собирать сведения о Зудиных. Или ты просто хотел узнать про камень?

— Про камень я знаю все, что нужно, — спокойно проговорил он. — И кстати, если уж начали про него. Ты знаешь что-нибудь?

— Конечно, нет, — уверенно ответила она.

«Разумеется, если бы ты что-то знала, то давно бы попала под машину или под нож пьяного хулигана», — подумал он.

— Ответь, — вздохнула Рената, — если можно, честно. Что это за камень такой и почему...

— Зачем тебе это надо? — усмехнулся он. — Меньше знаешь, дольше живешь. Так что...

— Меньше знаешь, меньше имеешь, — усмехнулась Рената.

«А ты не так проста, как кажешься», — мысленно отметил Константин.

Москва

Хлопнул выстрел. Две женщины пронзительно закричали. Седобородый мужчина, развернувшись, вскинул пистолет.

— Уходим, — выкрикнул другой бородач с оружием в руке. Рядом с ним лежал охранник магазина. Около его правой руки валялся пистолет.

— Я попозже вас навещу, — сказал белобородый бледной женщине-кассиру. С пакетом в левой руке рванулся к выходу. Подельник, пнув лежащего охранника ногой, бросился следом. Открыв дверь, седобородый выскочил на улицу.

— Что там? — рванулся ему навстречу среднего роста мужчина в кожаной куртке. Сильный удар в подбородок отправил его в нокаут.

— Да, — всхлипнув, кивнула Лида. — Я люблю его. Понимаешь? — Она посмотрела на сидевшую напротив рыжеволосую женщину. — Я никогда ничего подобного не испытывала, а сейчас...

— Перестань, — недовольно начала та. — Что ты о нем знаешь? Может, он...

— Мне все равно, кто он, — перебила ее Лида. — Наверное, это и есть любовь. Когда тебе абсолютно безразлично, кто твой избранник и чем занимается.

— А если он бандит и его посадят? — насмешливо спросила рыжая. — Тогда как?

— Да никак, — усмехнулась Лида. — Я не собираюсь за него замуж. Хотя, знаешь, Ритка, — кивнула она, — если бы он предложил, я бы согласилась.

— Дура ты, — помолчав, высказалась Рита. — Видно, годы свое потихоньку берут. Раньше ты никогда ничего подобного не говорила.

— Люблю я его, — перебила ее Лидия. — Понимаешь? Я была замужем год. И уже через неделю после свадьбы ночами плакала в подушку, жалея себя. Мой супруг только первые три дня был прежним ласковым и нежным Васей. И проплакав год, я ушла от него. Помнишь?

— Зачем ты вспоминаешь это? — нахмурилась Рита.

— А я никогда этого не забывала, — отозвалась Лида. — Ладно, — примирительно проговорила она. — Зачем ты пришла?

— Да просто так, — вздохнула Рита, — проведать, а то мы уже почти месяц не виделись. Вот и решила...

— Сколько надо? — улыбнулась Лида.

— Да. — Рита опустила голову. — Ну, тысячи три. Я через...

— Вот. — Лида принесла деньги. — Хотя, знаешь, спасибо, что зашла. Хоть выговорилась. А теперь, извини, — улыбнулась она. — Чай не предлагаю, а кофе не пью.

— Отдам через неделю, — поднялась Рита.

— Так, — подытожил полный полковник с сединой на висках. — Значит, двое. Как охранник?

— Сотрясение получил, — ответил плотный оперативник. — Ударчик у подельника интеллигента хорошо поставлен. По крайней мере недели две точно в больнице проваляется мужик. Он вспомнил, что у него газовый есть, ну, и решил...

— А тот ему врезал, — усмехнулся полковник. — А где Чижиков?

— На месте, — ответил оперативник. — Ищет свидетелей. Вот что непонятно, — покачал он головой, — куда тот девался сразу после налета. То, как он выходил из магазина, видели после каждого ограбления. Он уходил за угол дома, именно уходил, не спеша, и все, будто в воздухе растворялся. Никто более не видел высокого бородатого мужчину в очках. И тех двоих тоже. На этот раз свидетель один. Это кавалер одной из кассирш. Он зашел, чтобы ее пригласить куда-то, а дверь закрыта, и как всегда табличка «Извините, перерыв». И тут слышит вроде выстрел. Он к двери, а оттуда двое и один ему в челюсть. В нокауте мужик. На свидание тоже не скоро пойдет. Сотрясение плюс руку сломал, когда упал. Помнит, что бородач какой-то, и все.

— Появится Чижиков — ко мне, — приказал полковник.

— А ты в форме, — усмехнулся Сергей.

— Да, собственно, поддерживаю форму, — смущенно признался Бурин. — Мало ли, что в жизни. Вот и...

— Сколько заработали? — взял пакет Сергей. Высыпал на стол содержимое. Глянул на ворох денежных купюр. — Считаем, — половину сдвинул влево Белов.

— Погоди, — растерянно посмотрел на сына Зудин. — Как убили? Ведь...

— Все, отец, — резко проговорил Антон. — Организуй похороны. А что ты так испугался? Ведь уже...

— Ее убил ты, — вздохнул отец. — И не важно, что...

— Ее убили пьяные подонки, — перебил его сын. — А ты знаешь, что алмазом очень интересуется кто-то из Тулы? — спросил он. — Вернее, тот, кто интересовался, убит. Удав, точнее...

— Разумеется, знаю, — перебил его отец. — Именно поэтому он и убит. А ты похитил его любовницу и шестерку?

— Папа, — удивленно расширил глаза сын, — что за выражения? Шестерку, — хмыкнул он. — Выходит, ты все это...

— Разумеется, — кивнул отец. — У меня есть Фантом, а Андрей умеет получать информацию. Где Рената и твой приятель?

— Значит, ты все знаешь, — кивнув, отметил сын. — А если бы Ренату убили и...

— Я просто знаю, кто за этим стоит, — перебил его отец. — Где Рената?

— А почему ты так волнуешься за нее? — вкрадчиво спросил сын. — Уж не думаешь ли ты...

— Антон, — прервал его Зудин-старший, — чего ты хочешь? Я не пойму тебя. Ты неожиданно появляешься и почему-то начинаешь...

— Береги камушек, папа, — предостерег его Антон. — Я не беру его по той простой причине, что просто не выдержу и продам. А ты прекрасно знаешь: я здесь потому, что желаю собрать все семь и обрести бессмертие. Ты веришь в бессмертие тела? — спросил он. — И поверь, папа, — насмешливо продолжил он, — дело гораздо серьезнее, чем ты думаешь. И поэтому я бы хотел узнать все, что знаешь ты. Почему ты занялся поиском этих камней?

— Тебя это не касается, — перебил его отец. — Это мое дело. По крайней мере я собираюсь работать на себя, а не на чужого дядю из-за границы, как ты. Я думал, ты будешь со мной откровенным, а ты...

— И именно поэтому ты сменил шифр сейфа и спрятал ключи, — рассмеялся Антон. — Выходит, ты доверяешь своим...

— Представь себе, да, — прервал его отец. — Во-первых, я думал, ты все забыл и приехал домой, как сын и как...

— Хватит, — усмехнулся Антон. — Ты сразу понял, что я приехал не просто так. И я тебе предложил: давай вместе займемся этим, а ты просто...

— Ты убил Стасина, — напомнил отец. — Убил Зою. Ты готов уже сейчас идти по трупам, а что будет дальше? — спросил он. — Камень я действительно спрятал, и знаешь почему? Да потому что боюсь, что ты убьешь меня из-за него. И очень хорошо, что этот разговор состоялся, — вздохнув, добавил отец. — Не пытайся завладеть камнем и не пытайся ничего узнать. Помешаешь мне, сделаешь хуже себе. Я не так мягок, как можно думать. Теперь вот что, сынок, — спокойно, насмешливо посмотрев на Антона, продолжил Вадим Константинович, — чтобы сегодня Рената была здесь. Поверь мне, тебе лучше сделать это. — И развернувшись, вышел.

— Ого, — удивился Антон. — А папуля не так слаб, как я думал. Какой тон и даже угрозы. Интересно, что его связывает с Ромовой? — пробормотал он. — И знает она о камне или нет? Нет, — тут же решил он. — Иначе во время постельных утех она бы сказала об этом. Я что-то не пойму Костю, — покачал он головой. — И с чего это вдруг Аверичев ушел в партизаны? И Рената ничего конкретного не говорит. Борец! — крикнул он.

— Я здесь, — подошел к нему мускулистый парень.

— Собирай людей, — кивнул Антон. — Поедешь в Грызлово. Мы там были у...

— Помню, — не дал ему говорить Борец. — Гуляли, когда отмечали...

— Поедешь туда со своими, — оборвал его Антон. — Там Аверичев, Рената, Тайка, ну помнишь...

— Да, — кивнул Борец.

— И еще один мужик, — проговорил Антон. — Когда возьмешь всех, позвони. Мне они нужны живыми. Понял?

— Здоровыми тоже? — с усмешкой спросил Борец.

— Желательно, — язвительно проговорил Антон.

— Все сделаю, — заверил Борец и ушел.

— А если они в другом месте? — задумался Антон. — Хотя где они еще могут быть? Что задумал Кость? — непонимающе спросил он самого себя. — Поехал зачем? Как будто знал, что там что-то будет. Борец сделает свое дело, и я все выясню.

— Ну, вот и все, — держа в руке переливающийся камушек, вздохнул Вадим Константинович. — Поговорил я с сыном. Но радости это не принесло. Правда, легче стало. Ситуация окончательно прояснилась, — заметил он и положил камень в коробочку. Сунул в сейф и, набрав код, закрыл дверцу. Запер ключом замок. Положил ключ в карман пиджака. Улыбнулся.

Грызлово

— Ну и что я тебе говорил? — усмехнулся Константин.

— Да, — глядя в бинокль, покачала головой Рената, — они приехали не помогать нам.

160

— Шеф, — говорил в сотовый Борец, — нет здесь никого. Пара алкашей, и все. Они вдупель и ничего не базарят. А Кости и баб тут нет ни хрена.

— А где вы? — довольно зло спросил Антон.

— В Грызлово, — ответил Борец. — В той хибаре около пруда, где тогда отмечали...

— Точно Аверичева нет? — перебил его Антон.

— Сто пудов, — заверил Борец. — Мы все прочистили кругом.

— Сука, — не сумел сдержаться Зудин.

— Не понял, — прищурился Борец. — Ты чего...

— Да я про шкуру эту, — процедил Антон. — Возвращайтесь.

— Понял, — кивнул Борец.

— Слышь, — подошел к нему один из троих парней. — Там ментяра нарисовался.

— Что еще за мент? — Борец сунул телефон в карман и пошел к выходу.

— Участковый, старший лейтенант Загорин, — козырнув, представился милиционер. — Ваши документы...

— Слышь, начальник, — усмехнулся Борец, — давай разбежимся красиво. Мы тут своего кента с подругами искали, вот и занырнули. А ты вон тех для отчета загреби, и все путем. — Он сунул в руку участкового двести долларов. — Отметь свой день рождения, — подмигнул он ему.

— А там кто? — спросил Загорин.

— А вот ты и спроси, — усмехнулся Борец. — Поехали, — крикнул он своим.

— А что там за дом? — спросила Рената.

— Мы там отмечали в том году мое возвращение, — улыбнулся Аверичев. — Я был в Гвинее-Бисау. Кстати, вместе с Антоном, ну, и отметили тут, точнее, в том доме, — усмехнулся он. — Там был дом культуры, а я сказал, что это апартаменты моего деда. В общем...

— А ты не побоялся, что они найдут дом? — сердито спросила Рената.

— Их всего четверо, — спокойно ответил Аверичев. — Я с ними и один бы справился. Я знал, что они появятся, а они не думали, что я их жду. Преимущество на моей стороне. А проверить Антона я должен был, — кивнул он.

— И что теперь будем делать? — спросила она.

— Пока ничего, — отозвался он. — Пару дней подышим свежим воздухом. А дальше видно будет.

— И ты думаешь, я буду сидеть и ждать у моря погоды? — вспыльчиво спросила Рената. — Между прочим, я работаю на...

— Тогда в чем дело? — прервал ее он. — Вперед и с песней. Антон будет очень рад задать тебе несколько вопросов.

— Что ты задумал? — спросила Рената.

— Просто стараюсь выжить, — улыбнулся Аверичев. — Я понял, что все серьезно. Очень серьезно. Теперь нужно выяснить, что это за камушки и с чем их едят. А дальше действовать по обстановке. Ты хочешь вернуться к Зудиным? — усмехнулся он. — Давай. Но тебе ни о чем не сказал визит парнишек в бывший ДК? — спросил он со значением. — Они приехали не с цветами и шампанским, а с пушками. Кстати, ты знаешь, кто такой Борец? И чем он занимается?

— Конечно, — не дала ему говорить Рената. — Он выполняет грязную работу. Выбивает долги и...

— И убивает тех, кто мешает Антону, — перебил ее Константин. — Мы влезли в это дело и утащили двоих, приговоренных ментом-оборотнем. А Зудин-старший скорее всего знает этого оборотня и отдаст тебя...

— Я так не думаю, — возразила Рената. — Он меня...

— Не переоценивай себя, — засмеялся Аверичев. — Я... — В сумочке Ренаты прозвучал вызов сотового. Она вытащила телефон. Звонил Антон.

162

— Да, — посмотрев на Аверичева, она поднесла сотовый к уху.

— Дай Кость, — услышала Рената. Протянула руку с сотовым Аверичеву. Тот взял. — Ты что задумал? — прошипел Антон.

— Ничего особенного, просто хочу остаться живым, — спокойно ответил Костя. — А что? Почему ты спрашиваешь?

— Где вы? — спросил Антон.

— На месте, — усмехнулся Аверичев. — А что ты так беспокоишься? — насмешливо спросил он. — Отсидимся немного и приедем. Или ты хочешь...

— Представь себе, хочу, — раздраженно прервал его Антон. — Хочу узнать, кто там интересовался...

— Ты уже знаешь, — перебил его Константин. — Удав. Удин Андрей...

— Кто хотел убить Тайку и ее водителя? — в свою очередь, прервал его Антон.

— Вот что, Зудин-младший, — вздохнул Аверичев. — Давай не будем выяснять все это по телефону. И мой тебе совет, Антон, не старайся найти нас и захватить. Я умею воевать и прошу, пожалей своих парнишек. Хотя для тебя люди всегда были средством достижения твоих целей, — усмехнулся он. — Я это в Африке понял. Ты меня на кой хрен вызвал? — спросил он. — Говорил, по делу. А ничего не предложил конкретного. И тут я узнаю, что вся эта канитель из-за какого-то камушка. И я решил выяснить все сам. Ты не пожелал сделать меня своим партнером, поэтому получил конкурента. У кого выяснить подробности, я знаю, — кивнул он. — Так что, ты мне без надобности. И мой тебе совет, Робот, не ищи меня. Иначе я буду вынужден принять меры. — И отключил телефон. — А теперь с тобой, — отдал он сотовый Ренате. — Решай сама: или ты со мной, или уезжай. Сейчас же уезжай. Вызову такси, и вперед. Но не думаю, что там тебя ждет что-то хорошее.

— Я уеду, — решила она.

— Хорошо, — улыбнулся он. — Но сначала уедем мы. Ты через двадцать минут вызывай такси. Но не раньше, — уточнил он. — Не делай меня врагом.

— Я сделаю все, как ты скажешь, — заверила его Рената. — Но я не понимаю, что ты хочешь...

— В данное время я просто хочу выжить, — улыбнулся Константин.

— У тебя в натуре на ринге мозги поотшибало! — орал в сотовый Антон. — Он видел вас! Вернись и прижми участкового! Нужен дом Константина Викторовича Аверичева. Врача-психиатра! Понятно?!

— Придется поменять место, — улыбнулся Аверичев. — У вас десять минут, чтобы собраться. А где ружье? — спросил он.

— Пушка, конечно, неплохо, — виновато улыбнувшись, ответил Цыган. — Но я детство вспомнил. На первое дело в тринадцать лет так ходил. И нашел пилку по железу. Вот. — Он вытащил из-под матраса двуствольный обрез. — Стволы и приклад отпилишь и получишь оружие кулаков, — усмехнулся он. — Зато не промахнешься, точно, — кивнул Яков. — Если ружья жалко, я...

— Да мне, собственно, оно не нужно, — с улыбкой заметил Константин. — Вообще, собери все, что есть и выходи. Я тут приберусь немного и картошки с собой возьму.

— А здесь, что, живет кто-то? — непонимающе спросил Цыган.

— Соседи половину урожая с огорода себе забирают, на лето отдыхающих пускают. А я зимой забираю банки с соленьями и картошку, — улыбнулся Аверичев. — Так что...

— А куда мы сейчас? — спросил Яков. — К тебе?

— Ко мне нельзя, — возразил Константин.

— А вообще, на кой хрен мы тебе нужны? — перебил его Цыган. — Не въеду я никак.

— Если не устраивает, можешь быть свободен, — улыбнулся Аверичев.

— Да пока меня все устраивает, — засмеялся Яков. Хотел сказать еще что-то, но оба услышали громкий, пронзительный крик Таи:

— Не надо! Помо... — Крик резко прервался. Константин, вырвав из кармана пистолет, шагнул к двери. Снова раздался женский крик. Хлопнул выстрел.

— Она, сучка, мне глаз чуть не выцарапала! — зло проговорил мужской голос. Константин услышал сзади щелчки взведенных курков. Повернувшись, увидел в левой руке Цыгана обрез. Правой он держался за цевье. За ремнем у него Аверичев увидел рукоятку нагана. Показал ему четыре пальца левой руки. Цыган, пожав плечами, недоуменно покачал головой. Костя, ткнув в его сторону пальцем, показал один. Цыган поспешно несколько раз согласно кивнул. И махнув правой рукой на дверь, показал четыре. Константин кивнул.

— Где мужики, сучка?! — зло прозвучал голос Борца.

— Сейчас придет! — громко ответила Рената. — Он за сигаретами ушел!

— Так, парни, — требовательно заговорил Борец. — Этот шакал сейчас вернется. Он мужик крутой, — напомнил он. — Ствол у него есть. Стреляет классно, так что сразу по рукам бейте. Он, сука, живым нужен. С ним еще Цыган, он стрелок так себе, — насмешливо добавил он. — Он тоже живым нужен.

«Идиот, — мысленно усмехнулся Константин. — Проверь помещение, прежде чем устраивать засаду. Если нашумел, тем более».

— Борец, — проговорил кто-то, — тут пиво и коньяк. Бутылек классный. Может...

— Дело сначала сделай, — отозвался Борец.

— Коньячку оставьте, — раздался просящий голос. Аверичев усмехнулся. За стенкой на кухне слышались насмешливые голоса парней.

— А шкура не свалит? — спросил кто-то.

— Одна, точно, нет, — усмехнулся другой. — А эта в отрубе. — Константин подошел к двери и чуть приоткрыл ее.

«Ушел вовремя», — подумал он. Цыган, сняв кроссовки, на цыпочках приблизился к нему.

— Один на террасе, — прошептал Аверичев. — Трое на кухне. Тихо не получится. Выходим вместе. Когда я начну стрелять, падай на пол и встретишь того от входа. Понял?

— Все путем, — кивнул Яков.

Тряхнув головой, Рената открыла глаза. Медленно выдохнув, начала подниматься. Услышала смех и голоса на кухне. Встала на четвереньки и замерла.

— Пива дайте, — выглянув из входной двери с террасы, крикнул бритоголовый парень в полушубке.

— Оставим! — отозвался Борец. — Ты паси! Прозеваешь, пасть порву! — Выматерившись, парень вернулся на терраску. Рената, замерев при звуке голосов, осторожно двинулась вперед. Увидела свою дубленку. Стараясь не шуметь, сняла с вешалки и надела. Сунув руку в правый карман, вытащила баллончик со слезоточивым газом. Осторожно, постоянно оглядываясь, подошла к двери. Увидела стоявший в углу топор и, мгновенно приняв решение, переложила баллончик в левую руку.

Куривший около приоткрытой двери терраски парень, потушив окурок, натянул перчатки. Услышал скрип двери.

— Нет никого, — недовольно начал он. — Я задубел, на хрен. Ты скажи Борцу... — Он повернул голову и хотел вскинуть руки. Рената нанесла удар, держа топорище обеими руками, лезвие топора пробило ему правую бровь и рассекло глазницу. Коротко вскрикнув, обливаясь кровью, он упал. Рената, бросив топор, присела, вытащила из кармана куртки пистолет. Спустив предохранитель, она открыла дверь, выскочила на крыльцо и, спустившись по ступенькам, сделала три шага к калитке. Увидела черный джип. Вернулась и начала обыскивать парня. Найдя ключ, довольно улыбнулась и побежала к машине.

— Он за рулем, — опрокинув рюмку коньяка, усмехнулся Борец. — А водилам пить нельзя. Он... — Появившийся в проеме двери Аверичев начал стрелять. Цыган, упав на пол, направил ствол обреза на входную дверь. Выстрелив в лоб упавшему на спину третьему, Константин развернулся.

— Никого, — посмотрел на него, повернув голову, Яков.

— Иди на террасу, я посмотрю, что с женщинами, — бросился к дверям спальни Константин. Увидел лежавшую в луже крови с пулевым отверстием во лбу Таю. — Рената, — приглушенно позвал он.

— Эй! — услышал он голос Цыгана. — Тут у двери этот лежит! Его кто-то топором приласкал!

— Уходим, — коротко бросил Константин, заглянув на террасу.

— Тачка их только отъехала, — выбегая за ним на улицу, крикнул Цыган. — Холодно, блин, — заскочил он назад. — В носках-то и без...

— Поехали, — уже от ворот гаража крикнул Аверичев. Выматерившись, Цыган в носках с обрезом в правой руке и пистолетом в левой выбежал на улицу и бросился к гаражу.

— Ворота открой! — Аверичев завел «вольво».

— Да холодно, блин. — Яков побежал по следам машины на снегу. Положив обрез на припорошенную снегом скамейку под яблоней, побежал к воротам. И грохнулся лицом вниз. От гаража ему в затылок выстрелил Константин. Побежал к терраске. Подтащил к двери парня с прорубленной головой и сунул ему в руку пистолет с глушителем. — Ментам так удобнее будет, — усмехнулся он. — Собственно, я и позвоню в милицию. Участковому, разумеется, — добавил он. — Наверняка старлей указал дом и потому будет играть по моим правилам. Я был здесь, уехал за маслом для машины, вернулся, а тут трупы. А Рената, похоже, львица, — покачал он головой. — А вот и участковый, — выдохнул он, заметив бегущего милиционера. Тот, увидев лежащего у ворот Цыгана, остановился.

— Не шевелиться! — требовательно выкрикнул он. — Стрелять буду.

— С пальца пиф-паф, — засмеялся Аверичев. — Кстати, зачем ты сказал им, где я живу? Сколько тебе заплатили?

— Что ты себе позволяешь? — осторожно шагнул вперед участковый.

— А все очень просто, — усмехнулся Константин. — Они приехали в старый ДК. Ты был с ними, они уехали. Поняли, что ошиблись, и вернулись к тебе. Они это подтвердят.

— Они? — кивнул на труп старлей. — Это ты их...

— Боже упаси, — решительно возразил Константин. — Здесь были женщина и мужчина. Я это к тому, что он в носках, а в комнате через окно видел убитую женщину. Пойдем, все осмотрим, — предложил он. — Да не бойся ты, — засмеялся Константин, увидев нерешительность участкового. — Я рядом и у меня есть ствол, — сказал он и показал ТТ. — Взял у убитого на террасе. Пошли.

— Не надо следить, — нерешительно проговорил участковый. — Оперативникам можем помешать.

«Дальше лучше на автобусе, — вытирая руль найденной в бардачке джипа тряпкой, думала Рената. — Надеюсь, он здесь ходит». Вылезла из машины и побежала к стоявшей метрах в пятидесяти остановке.

— Понятно, — процедил Антон. Отключив сотовый, отбросил его. Выматерился. — Фантом! — заорал он.

— Что? — спросил, входя в комнату, Фантин.

— Узнай, что произошло в Грызлове, — требовательно проговорил Антон.

— А чего там произошло? — усмехнулся тот. — Борца и...

— Мне нужны подробности, — заорал Антон.

— А ты не ори, — посоветовал Фантом. — Я вообще-то занят. У тебя есть шестерки, на них и наезжай. — Развернувшись, он вышел.

— Я тебя, пес! — дернулся к двери Антон.

— Ну, — усмехнулся Андрей. — Рискни здоровьем.

— Что тут такое? — вышел из кабинета Вадим Константинович.

— Он отказывается выполнять мои поручения! — заорал Антон.

— Какие? — удивленно посмотрел на сына Зудин.

— Он хочет, чтобы я узнал что-то про Грызлово, — ответил за того Фантом.

— Нас это не касается, — усмехнулся Зудин-старший. — Точнее, меня, а значит, и нас. А где твой Борец? — насмешливо спросил он. — И Аверичев, твой приятель, с которым ты...

— Послушай, отец, — шагнул к нему сын. — Я не позволю...

— Вот что, Антон, — вздохнул Вадим Константинович, — я вынужден попросить тебя покинуть этот дом. Хочешь, займи квартиру мамы. Хотя, впрочем, у тебя же своя есть. А я по-стариковски на природе поживу. Надеюсь, утром тебя уже не увижу, — сказал он, обращаясь к Фантому. — Проследите, чтобы Антон уехал и ничего с собой не взял.

— Вот значит, как, — процедил сын. — Ладно. Я сейчас уеду.

— Так, — вздохнул Вадим Константинович. — Нужно найти Ренату и приятеля Костю Аверичева. И...

— Аверичев в Грызлове, — перебил его Фантом. — Вроде как свидетель. Там несколько трупов. Он...

— Я хочу знать подробности, — процедил Вадим Константинович.

— Понятно, — кивнул Фантом.

— Домой мне нельзя, — вздохнула Рената. — Надо где-то переждать. А чего ждать? — тут же спросила она себя. — Телефон забыла там, — вспомнила Ромова. И тут в кармане дубленки раздался вызов сотового. — Ой, — улыбнулась она. — Здесь он. — Вытащила. — Слушаю, Вадим Константинович.

— Милая Рената, — услышала она голос Зудина. — Я так рад, что ты цела. Где вы?

— А что? — усмехнулась она. — Ваш сынок не добил, решили...

— Рената, — мягко сказал он, — что ты такое говоришь. Я выгнал Антона. Приезжайте. Поверь, у меня вы будете в безопасности. Вас разыскивают люди мафиози из Тулы. Точнее, вот что. Скажи, где вы, и я пришлю людей. Понимаешь, вам угрожает опасность. Спрячьтесь и скажите, где вы. Я пришлю машину. Поверь, Рената, — добавил он. — Я ваш шанс.

— Хорошо, — вздохнула она. — Я скажу, где я. Сейчас узнаю. А...

— Аверичев с милицией, — перебил ее голос. — Про вас он не говорит. Как я понял, он хочет быть просто свидетелем. И это абсолютно верно. В общем, узнавай, где ты и...

— Вы определитесь с обращением, — вздохнула она. — А то, то вы, то...

— Где ты? — требовательно спросил голос.

— Сейчас, — кивнула Рената. — Извините, — остановила она пожилую женщину, — как называется эта улица?

— Сука старая, — зло бормотал сидевший за рулем Антон. — Тварь поганая. Я тебя, папулечка, лично прикончу. Черт. — Он резко вжал тормоз. Джип крутануло и выбросило на встречную полосу. В него врезался груженный кирпичом «КамАЗ».

— Так, — потушив окурок, зевнул Белов. — Надо поспать малость. И решить, что делать. Нас будут разыскивать с особым рвением. Теперь мы уже вооруженная группа, то есть банда. Есть потерпевшие. Хотя, собственно, они и раньше были. Я очень надеюсь на то, что ты никого не убил.

— Узнаем из «Дорожного патруля», — спокойно проговорил Бурин. — Но неприятно это все, — пробормотал он. — Знаешь, я сейчас неожиданно почувствовал страх. Хотя там, в магазине, тоже было нелегко. Боялся, что бабы завизжат. Спасибо охраннику, — сказал он. — Успокоился немного. Но что делать-то теперь?

— Отсидеться надо, — улыбнулся Сергей. — Пару-тройку деньков отсидеться и потом уходить. На автобусах выбираться из города. А дальше уже там думать будем. Хотя ты можешь вернуться домой, — продолжал он. — Отдай матери деньги и уходи в армию. Это, — он кивнул на лежавший на столе пистолет, — затягивает. И постоянно чувствуешь страх, что тебя схватят. Перехватишь чей-то случайный взгляд и уже думаешь, что за тобой мент следит. Поэтому лучше возвращайся и...

— Нет, — возразил Бурин. — Раз я на это решился, пойду до конца. Ты давно этим занимаешься?

— Два года, — с усмешкой ответил Сергей. — Просто повезло. Я работал в театре в Тамбове, и там подружился с гримером. Он и научил искусству грима. Поэтому лица

171

моего товарищи из УВД не знают. Отпечатков моих у них тоже нет. Просто, знаешь, — Белов подошел к окну, — я на это из-за злости пошел. Если уж совсем честно, обида меня заела. Помнишь, как меня взяли? — криво улыбнулся Сергей. — Я тогда убил шахидку. А на меня повесили и изнасилование, и убийство честной гражданки. В прокуратуре, помню, майор наезжал. Ты должен был ее жизнь спасать, а ты, гнида, — он скрипнул зубами, — ее трахнул и убил. И те три месяца, что в камере просидел, я никогда не забуду, — вздохнул он. — Я тогда на весь мир озлился. Любого был готов убить, — нахмурился Белов. — Была мысль и с собой покончить. Пока я под следствием находился, мама умерла. Инфаркт, — катая желваки, процедил он. — Она очень гордилась мной, и вот оказалось, что я преступник, насильник и убийца. А у мамы было больное сердце. Я воевал, и она постоянно дрожала, когда видела почтальона. А тут... — Он, не договорив, выматерился. — Но я не смог убить, — признался Сергей. — Хотя думал, что готов на это. Не смог, — повторил он. — И сейчас просто играю. Вот и все. Конечно, знаю, что заиграюсь, но я выбрал свою дорогу и пойду до конца. И очень боюсь только одного, — процедил Белов. — Встретить того майора из военной прокуратуры. Его я убью на месте. Я знаю это. Когда меня освобождали, один только мужик в штатском попросил прощения и все. Мне просто повезло, что кто-то сдал склад боевиков и там нашли и документы этой шахидки, и указание места, где она должна была взорвать пояс. Я только вот не могу понять, где пояс этот чертов? — непонимающе спросил он. — И ее оружие. У нее пистолет был, она два раза стреляла в меня. Но ни пистолета, ни...

— Да мы об этом сколько раз думали, — кивнул Александр. — И сошлись в одном: кто-то подставил тебя, старлей, — уверенно проговорил он. — А вот кто, без понятия.

— Что было, то прошло, — усмехнулся Белов. — Если быть откровенным, есть у меня мыслишка одна, — кив-

172

нул он. — Провернуть крупное дело хочу. И все, — снова кивнул он. — Нигде мы пока не засветились и можно запросто начать новую жизнь. Свой бизнес основать, — подмигнул он смотревшему на него Буре. — Но одному не потянуть, — тут же добавил Белов. — Да и вдвоем не справиться. Еще бы парочку людей, и тогда можно было бы что-то замутить.

— Молодец, — с расстановкой произнес Александр. — А меня хочешь к маме отправить. А вдвоем не сумеем?

— Да, собственно, и вдвоем можно, — кивнул Сергей. — Но придется убивать. А если вчетвером, то без крови можно обойтись. А не хотелось бы жизни кого-то лишать. В конце концов, парни не виноваты, что большие деньги возят. Этим они себе на жизнь зарабатывают.

— Согласен, — ответил Александр. — Так что ты задумал? Я так понимаю, об инкассаторах речь.

— Точно, — ответил Белов. — Я тут знаю одно местечко, деньги перевозят раз в неделю с одной базы, это частное предприятие. Их трое, — добавил он. — Если работать двоим, придется стрелять.

— Слушай, старлей, — помолчав, начал Александр, — помнишь контрактника из Ярославля? Казака?

— Конечно, помню, — кивнул Сергей. — И даже собирался к нему заглянуть, да закрутился.

— А если к нему и поехать? — перебил его Александр. — Отсидимся. Он же не в самом городе живет, а...

— А что, — не дал договорить ему Белов. — Неплохая идейка. Точно. И доехать можно без проблем. Подожди. — Он вытащил сотовый.

Ярославль

— Так-так, — кивнул Доринов. — Значит, все-таки и в России есть желающие заполучить эти камушки. А ты откуда все это знаешь?

— Знаю, — в трубке раздался смешок. — И даже знаю чуть больше, чем ты думаешь.

— Даже так, — усмехнулся Доринов. — И что же, например...

— Кадич все еще у тебя или уже уехал? — насмешливо спросил абонент.

— А твой адвокатишка, верный пес Алик, много чего узнал о семи камнях бессмертия? — Доринов округлил глаза. — Чего молчишь, Павел Игоревич? Я ведь не зря тебе сообщил о событиях в Туле. Поверь, Зудин гораздо ближе подобрался к сокровищу, чем ты. Есть мнение, что его люди были в Монголии и пытались захватить похищенный там у профессора, у убитого профессора, камень, — уточнил он. — И также вполне возможно, что Зудину удалось получить этот камушек. Я почему звоню, уважаемый, — снова голос дрогнул усмешкой, — твой Алик сумел накопать много интересного. Кстати, — засмеялся абонент, — не пытайся искать среди своих людей засланного казачка. Только потеряешь уважение людей. Не буду врать, я пытался выйти на твоих людей, но не вышло. Просто Алик вышел в Интернет, и я понял многое. А то, что Кадич был у тебя, тоже известно многим. Собственно, Кадич темная лошадка. Я бы на него не поставил. Ну а теперь к делу, — вполне серьезно проговорил он. — Алика не дашь в аренду? За хорошие деньги.

«Значит, он что-то узнал существенное, — понял Доринов. — И понятно, что Игорь сам занимается этим. Черт, — мысленно вспомнил он нечистого. — Как я понял, Тула — это, можно сказать, его вотчина».

— Но что такое накопал Алик? — непонимающе пробормотал он.

— Ничего существенного, — ответил его собеседник. — Парень ушлый, мне такой и нужен. Так что ответишь?

— Нет, — качнул головой Павел Игоревич. — Алик мне нужен, и не только для поиска этих мифических камушков. Он в конце концов...

174

— Перестань играть под дурачка, — недовольно прервал его Игорь. — Ты влез в это дело и, по себе знаю, уже не отступишь. Тот, кто начал проявлять интерес, обязательно начнет поиски и пойдет до конца. И вообще, почему бы не попробовать заработать на глупости других. Насколько мне известно, уже три денежных мешка пытаются найти человека, который продал хотя бы один камушек. И поверь, сумма очень приличная, — усмехнулся он. — Хотя ситуации бывают разные. Предположим, некто богат, но понимает, что скоро умрет. И ему не жаль никаких денег, чтобы спасти себе жизнь. А вдруг действительно эти камни помогут поправить здоровье. Ведь, если верить прессе, в Монголии похищенный камушек избавил от простуды лаборантку? И...

— А ты не подумал о том, — перебил его Доринов, — что это просто чей-то хитрый ход? Именно после этого и появились покупатели. Рассчитано как раз на таких, про которых ты говорил. Много денег, но жизнь медленно угасает. А утопающий хватается за соломинку.

— Я думал об этом, — признался собеседник Доринова. — Но зачем и кому нужно делать рекламу? Собственно, о камушках заговорили после...

— А ты уверен, что в Монголии найден именно один их семи камней? — прервал его Доринов.

— Профессор Товасон позвонил своему приятелю Чейзу, а тот занимается этим делом уже довольно давно. Ему случайно попали в руки бумаги какого-то знахаря, и он начал поиск. А тут нападение на музей мадам Леберти, почему-то все считают, что у нее есть настоящий...

— Пытались ограбить дочь профессора, — уточнил Доринов. — Но у нее не тот камень. А мадам Леберти молчит, и именно поэтому я и считаю, что у нее действительно один из семи камней. А возможно, и не один, — добавил он. — Алик сказал, что муж Энель Леберти был историком. И он занимался легендой о камнях Ахаса ба

Ванунга. И где-то нашел один из камней. И все было бы тихо, если бы не налет на дом...

— А ты неплохо информирован, — услышал Доринов. — Мадам Леберти почему-то никак не реагирует на предложение о продаже камня. Хотя, конечно, она довольно обеспеченная дама. Но я думаю, что она не продает не потому, что есть деньги, а потому, что пытается собрать все камни вместе. Артур что-то говорил...

— Послушай, Игорь, — усмехнулся Доринов. — Ты не заметил, что мы с тобой уже обсуждаем...

— Давай встретимся и заключим союз, — перебил его Игорь. — Я буду откровенен и скажу, что мне известно гораздо больше, чем тебе. И еще вот что, — попросил он. — Я прилечу утром и не отпускай Артура. Почему, поймешь, когда я появлюсь.

— Хорошо, — кивнул Доринов.

— А что вы делаете сегодня вечером? — улыбнулся Артур.

— Смотрю очередной сериал, — немного кокетничая ответила Римма. — А почему вы спросили?

— Давайте сходим куда-нибудь, — предложил он. — Вы мне нравитесь как женщина и как человек. Не поймите меня неправильно, но если женщина мне несимпатична как человек, у меня не возникает желания к сближению. Свои мужские потребности, — с улыбкой произнес он, — я...

— Давайте не будем об этом, — усмехнулась Римма. — Женщине неприятно слышать, что мужчина бывает с проститутками. И что вы предлагаете? Точнее...

— Я заеду за тобой в девять, — прервал ее Артур.

— Вот что, — требовательно говорил в сотовый Доринов, — я освобождаю тебя от всех дел, и теперь ты занимаешься только легендой. Понятно?

— Да, Павел Игоревич, — отозвался Пустов. — И...

— Новенькое что-нибудь есть? — спросил Доринов.

— Особо нового нет, — ответил Алик. — Но кое-какая информация...

— Завтра утром в семь, — кивнул Доринов, — приедешь ко мне.

— Утром? — растерянно уточнил голос Алика.

— Именно утром, — усмехнулся Доринов и отключил телефон. — Ну вот, кажется, дело и сдвинулось с мертвой точки, — пробормотал он. — Значит, Игорь тоже занимается этим. Вот уж не думал, что он будет заниматься таким делом. Выходит, ошибался. Интересно все-таки жизнь устроена, — задумчиво произнес Доринов. — Я с детства интересуюсь подобными легендами. Правда, однажды с кольцом хана у меня получилось, и я неплохо заработал, — хмыкнул он довольно. — А тут, — махнул рукой. — Завтра с утра поговорю с Аликом. Я должен встретить Игоря во всеоружии.

— Погоди-ка, — остановился Илья.

— Ты чего, Казаков? — сердито спросила Зина. — Пошли, пока не опоздали.

— Да знакомый, кажется, — вздохнул Илья. — Ну пошли. Во, блин, время какое. Бензин дешевеет, а мы с соседями в город поехали. Что за жизнь настала, едрена вошь.

— Хватит ныть, — оборвала его жена. — Пошли. Уже и так осталось...

— Так пусть они нас тут и заберут, — вытащил сотовый Илья.

— А вообще-то, да, — опомнилась Зина. — Звони. Автобус тоже тут ходит.

— Собственно, ничего такого, — говорил в сотовый Алексей, — чтобы как-то связать с ним, нет. Он был у некоего Доринова. О чем беседовали и зачем он туда приехал, узнать не удалось. Особняк хорошо охраняется и...

177

— Где он сейчас? — перебил его женский голос.

— В городе, — ответил Алексей. — В особняке Доринова. Доринов занимается бизнесом. В основном рыбным. Имеет свою рыболовецкую бригаду. Точнее, не одну. В Ярославле, точнее...

— Так, Заветов, — перебил его голос, — узнай все об этом Доринове. Я правильно запомнила фамилию?

— Абсолютно, — улыбнулся он. — Но, Полина Андреевна, — вздохнул он, — дело в том, что я не рассчитывал на такое длительное пребывание в этом Ярославле. Я думал...

— Деньги получишь сегодня вечером, — перебила его она. — Но ты должен их отработать. Мне нужно знать про этого Доринова все.

— Вы будете знать абсолютно все, — заверил он. — Но хотелось бы уточнить, сколько я получу за информацию.

— Пять тысяч евро я тебе гарантирую в любом случае, — услышал он. — Ну, и если данные об этом Доринове меня особенно заинтересуют, получишь еще столько же.

— Меня сие устраивает, — с улыбкой согласился Заветов. — И ради бога, извините, Полина Андреевна, — вздохнул он. — Но хотелось уточнить насчет упомянутых вами денег, которые я должен получить вечером... И за что эта сумма? Аванс за...

— Две тысячи долларов, — перебила его она, — на текущие расходы. У тебя трое суток. — И телефон отключился.

— Вот так, Алексей Иванович, — пробормотал он. — Кажется, шикарной жизни пришел конец. Хотя почти сто тысяч, — опомнился он. — А я-то что-то про деревянные подумал. Значит, надо обратиться к Валерику.

Выселки

— Как съездил, сосед? — подмигнул Илье Никита.

— Да неважно, — сокрушенно покачал головой тот. — Теща рвет и мечет. Получается, что я чуть ли не пропил день-

178

ги. Мол, пьяный был, связался с алкашами, они и обобрали. Я уж и в милицию ее отвез. Ну вроде отделался от подозрения, но, один хрен, бесится. Почему поехал один, почему вечером, в общем... — Он махнул рукой и выругался.

— Тещи, они, наверное, просто предназначены для того, — усмехнулся Орлов, — чтобы портить жизнь зятьям. Слава всем святым, что моя далеко, — рассмеялся он. — Правда, меня братан Таньки достал по полной. Сутками за компьютером сидит. Охренел совсем. Но, с другой стороны, если бы не Венька, мне бы хана, — кивнул он. — Срок бы мотал. Но помогать заставляю матом, — добавил Орлов. — Он с этим компьютером...

— Ему не место тут, — покачал головой Илья. — Я сам еле привык. Но сейчас в город уже не тянет. Только вот кризис давит. Безработных полно, бензин дешевеет, а все дорожает. А представь, что будет, когда цены на нефть вверх полезут, значит, и на бензин тоже. Тогда и цены вновь подскочат. И как жить, хрен его знает, — вздохнул он. — Скорее всего лишимся мы всего. Приедут орелики из банка и все, сливай воду. Но я уже решил, что тогда делать буду: своих отправлю к теще, а сам займу круговую оборону. И буду на поражение бить, — кивнул он. — Потому что, если все заберут, жизнь кончится. И лучше сдохнуть, чем видеть, как сын...

— Да не хорони ты себя, Илья Муромец, — шутливо проговорил Никита. — Нам с тобой Добрыню найти, и мы спасем Россию, — подмигнул он Казакову. — А если серьезно, то выпутаемся, не переживай. Зиму, как я понял, вы протянете. А летом что-нибудь придумаем. Я же помню, как вы Танюшке моей помогали, когда она...

— Да хватит тебе, — перебил его Илья. — Просто как вспомню этих шакалов, готов глотки им грызть. Защитники, мать их, — зло добавил он.

— Есть среди них твари, — согласился Никита. — По себе знаю. Но что ни говори, попадаются, в натуре менты. Я таких встречал. Ты же сам про капитана...

179

— Знаешь, — вздохнул Илья, — иногда такое настроение, что и ему бы горло порвал. Как вспомню, так... — Он махнул рукой.

— Да, собственно, сказать, что я тебя понимаю, не могу, — заметил Никита. — Я раньше, до Таньки, все мечтал хапануть куш большой, ну вроде как воровать, так миллион, спать, так с королевой. Королеву я нашел. Танька моя, — улыбнулся Орлов. — И принцесса есть. Ленка, дочь. Я, когда жена забеременела, на зоне был, все хотел, чтобы дочь родилась. Мужики обычно о сыновьях мечтают, а я о дочери. А то думаю, будет как я, по тюрьмам да по ссылкам. Не выжила бы тогда Татьяна одна. Старики ее вроде и любят, но из-за меня на нее тогда озлобились. Разводись и будешь жить по-человечески. А вы помогли Танюшке. Как говорится, долг платежом красен. Да и мужик ты нормальный. Так что, не ссы в компот, пить будем, — подмигнул он Илье.

— Илья, — выглянула из окна Зина, — тебя к телефону. Какой-то старлей звонит.

— Белов, — усмехнулся Илья. — Я же говорил, появится. Видимо, решил все-таки приехать.

— А кто он, этот Белый? — спросил Орлов. — Я сидел с одним...

— Офицер, старший лейтенант Белов, — улыбнулся Казаков. — Хороший мужик. Его подставили в Чечне. Ну, вроде как полковника...

— Иди, — кивнул Никита.

— Я очень скоро все о нем узнаю, — уверенно проговорила крепкая, с короткими рыжеватыми волосами, миловидная женщина.

— А надо ли? — усмехнулся сидевший в кресле подтянутый, загорелый бритоголовый мужчина неопределенного возраста. — Просто...

— Надо, — кивнула она. — Надеюсь, вы правильно поймете меня, профессор. Я пыталась выяснить, к кому поехал...

— Но вы же поняли, Элен, что не к женщине, — усмехнулся бритоголовый. — И я думал...

— Я думаю о работе, профессор, — заявила Элен. — Или вы...

— Милая моя Элен, — откинулся на спинку кресла профессор. — Я все прекрасно понимаю и в то же время начинаю думать, что все это совершенно зря. Вы не находите?

— Я нет, — категорически заявила она. — Ведь камушек в Монголии...

— Да тут можно думать все, что захочется, — улыбнулся он. — Я не исключаю, что это просто провокация, чей-то хитрый ход, чтобы выманить владельцев камней. И еще одно, — продолжил профессор. — Многим известно, что один из так называемых семи камней бессмертия находится у мадам Леберти, но не делается никакой попытки его выкрасть, отнять или выкупить у этой мадам.

— А почему вы так думаете? — перебила его Элен. — Возможно, попытки были, но мадам Леберти умалчивает об этом. Ведь она убрала камень из своей музейной выставки после...

— Милая Элен, — засмеялся профессор, — все это предположения. Лично я думаю, что мы имеем дело с адаптированной к современности восточной сказкой. Но как вы себе представляете бессмертие? — спросил он. — Величайшие мужи науки бьются...

— Допустим, что бессмертие — это миф, — перебила его она. — Но ведь камушек излечил...

— А вы уверены, что это не просто чья-то попытка привлечь внимание к семи камням? — поинтересовался профессор. — Мы уже повторяемся. Разумеется, я продолжу поиск камней, но не потому, что они могут дать мне бессмертие, а потому, что я имею привычку доводить начатое до конца. И к тому же, я буду откровенным, очень хочу иметь эти семь камней. Представьте, уважаемая Элен, — со смехом продолжил он, — профессор Гарвардского университета в изгнании имеет в своей коллекции семь камней бессмертия. Это же весьма чувствительный удар по моим недругам. Представляете, сколько людей впадут в уныние. Как так? Чарли Чейз все-таки собрал коллекцию семи камней бессмертия. И только ради этого я дойду до победного конца. Ибо поражений я не признаю, — улыбнулся он. — А с такой очаровательной помощницей тем более. Просто думаю, что в отношении российского авантюриста вы ошибаетесь. Русские не могут вмешаться в это, потому как...

— Но Кадич говорил, — перебила его Элен, — что в Ярославле есть человек, который интересуется этой легендой. И поехал к нему. Я не случайно наняла через свою знакомую...

— Хорошо, — улыбнулся Чейз, — подождем, что скажет ваша знакомая. Можно кофе, милейшая Элен? — потянулся он. — А то я чувствую усталость. Годы, милая моя Элен, — засмеялся он.

— Вы прекрасно выглядите, уважаемый профессор, — улыбаясь, проговорила та.

— Дартинг вылетел в Европу? — спросил профессор.

— Уже да, — посмотрела на часы Элен.

Вашингтон. США

— Но я нанял этого немца, — клятвенно заверял коренастый мужчина. — Вот он, — показал он фотографию. — И в Монголии у него свои люди. Карл Бругс. Он был с профессором в Непале, и Товасон был доволен. И собственно, именно он и говорил про Карла. Так что, какие ко мне претензии?

— А такие, — процедил Джино, — что профессору и его помощникам отрубили головы. И ученый мир потерял умного человека. Мне, собственно, плевать на то, какой он был, — усмехнулся Джино. — У него забрали...

— Я слышал об этом, — спокойно проговорил коренастый. — Но какие претензии ко мне? — Он непонимающе посмотрел на Джино. — Я... — От сильного удара в подбородок рухнул на пол. Удар ноги пришелся ему в левый бок.

— Вот что, Лео, — присев, Джино приставил к его лбу ствол револьвера и взвел курок. — Мы потратили деньги, а ничего, понимаешь, придурок, ничего не получили. Где твой Карл? — Он, сдвинув ствол вниз, вжал его в левый глаз Лео. — Он куда делся? Где он? Где мои деньги?! — заорал Джино и нажал на курок. Раздался сухой щелчок. — Осечка, — усмехнулся Джино. — Кольт старый и, видно, свое отработал. Найди мне Карла, — сказал он и поднялся на ноги. — И не вздумай исчезнуть. Твоя жена и сын здесь, и представь, что будет с ними.

— Я найду, — промычал еще не пришедший в себя Лео. — Я обязательно найду...

— Может, ты найдешь и похищенный камушек? — язвительно заметила стоявшая у окна с сигаретой Джина. — Убей его, милый, — улыбнулась она. — Хотя не стоит ему дарить смерть сразу. Он должен помучиться и вдруг что-то припомнит.

— Это успеется, — ответил Джино, увидев побледневшее лицо Лео. — Ты успеешь поласкать его, дорогая, если он в течение недели не найдет этого немца. У тебя неделя, ты понял?

— Да, господин. — Лео пополз к двери. — Я найду Карла. Я обязательно найду его.

— Знаешь, Сантас, — усмехнулся длинноволосый, спортивного телосложения смуглый парень в темных очках. — Все это полная чушь. Неужели ты поверил в то, что камень может...

183

— А ты дурак, Мигерио, — проговорил Сантас. — Я думаю, нет таких идиотов, которые верят в бессмертие, ну, разумеется, кроме тех, кто умирает. Но дело не в бессмертии, а в цене. Ты представляешь, сколько стоят эти семь камней, если за один некой мадам Леберти во Франции предложили пять миллионов долларов? Представь, сколько...

— Это очередной современный миф, — перебил его Мигерио. — Где ты услышал эту чушь, Сантас? — качнул он головой. — В Интернете называли цену. От пятисот тысяч до миллиона, — кивнул он. — А откуда ты взял...

— Вот, — подвинул ему газету Сантас. — «Нью Дойчланд». Читай. Там подчеркнуто. — Мигерио взял газету.

— Я по-немецки не понимаю и читать не умею, — проговорил он.

— Это экземпляр для проживающих в Штатах немцев, — с усмешкой пояснил Сантас. — Копия. По-немецки только первая страница. На третьей читай. — Мигерио, перевернув, увидел подчеркнутый абзац. — Да, — прочитав, произнес он. — Действительно, пять миллионов. Но за половину этой суммы можно нанять подразделение наемников, и «дикие гуси» возьмут штурмом музей и жилье этой мадам. И вот что странно, — продолжил он. — Кто дал это объявление, неизвестно. Тебе не кажется, что это просто...

— Какой-то больной миллиардер предупредил через прессу, что хочет купить камень и торговаться не будет, — предположил Сантас.

— Скорее всего, так, — согласился Мигерио. — Но знаешь, Сантас, это не для меня. Я...

— Но ты же постоянно лазаешь по джунглям и ищешь сокровища индейцев, — перебил его Сантас. — А тут, пожалуйста...

— Ладно, — вздохнул Мигерио. — Буду откровенным. В Монголии убит профессор, который нашел один из этих камушков. После твоего звонка я покопался на сайте кладоискателей и нашел информацию об убийстве профессора Товасона и его троих помощников. Им отрубили головы. И я решил, что это не для меня.

— Но ты в Бразилии не раз подвергался нападению, — напомнил Сантас. — Один раз с тебя чуть скальп не сняли. Повезло, что помогли бразильские солдаты, а тут...

— Это моя жизнь, — усмехнулся Мигерио. — А быть мишенью для бандитов и отнимать чужие жизни я не стану.

— Ты просто трус, — заявил Сантас.

— Считай, как хочешь, — спокойно проговорил Мигерио. — Извини, — он поднялся, — но это не для меня.

— Надеюсь, просить тебя о том, — помолчав, начал Сантас, — чтобы никому...

— Это лишнее, — улыбнулся Мигерио.

Посмотрев на стоявшего рядом могучего мулата, Муранто провел ребром ладони по горлу. Мулат, несмотря на внушительную, налитую мощью фигуру, бесшумно отошел вправо.

Лион. Франция

— Надеюсь, ты читала, — усмехнулся бритоголовый крепкий мужчина лет пятидесяти.

— Разумеется, — улыбнулась загорелая, с хорошей фигурой блондинка. — Но если честно, я считаю, что это чья-то шутка и попытка вызвать повышенный интерес к этим амулетам. Знаешь, Эндрю, — вздохнула она. — Я начинаю бояться. Сначала, если говорить откровенно, я была даже довольна повышенным интересом ко мне. Ну, точнее, к амулету, — поправила она себя. — Но сейчас я иногда чувствую страх. Особенно после известия об убийстве профессора...

— Я понимаю тебя, Энель, — кивнул Эндрю. — Твоя ошибка в том, что ты вообще...

— Подожди, — остановила его Энель. — Камень находился в коллекции музея и почему я должна была скрывать то, что у меня есть по закону?

— Оставил тебе Пьер подарочек, — усмехнулся Эндрю. — Продай его и дело с концом. А ты не хочешь этого делать, — усмехнулся он. — И мало того...

— Эндрю, — удивленно перебила его она, — не ты ли советовал мне не трогать амулет ни в коем случае?! И...

— Просто я немного по-другому видел ситуацию, — признался Эндрю. — Я думал, что если буду знать, у кого находится один из камней, точнее, пока единственный, — поправил он себя, — то остальные владельцы дадут о себе знать, и вместе мы придем к единому мнению. Но, к сожалению, все пошло не так, — продолжил он. — За твоим домом и музеем установлено наблюдение. Поверь, я вполне серьезно, — увидел он глаза Энель. — И...

— Я знаю это, — совершенно спокойно проговорила она. — Именно поэтому я и наняла себе штат охраны. Слава господу, пока я могу это сделать. — Она посмотрела вверх. — Кроме того, как ты, наверное, заметил, я усилила охрану музея, вооружила сотрудников охраны. Я много думала, что делать и как быть, и пришла к мнению, что мне следует попробовать найти остальные камни-амулеты. Я просмотрела документы, записи и дневники мужа и почувствовала в них какую-то недосказанность. У тебя нет такого ощущения? — спросила она.

— Энель, — усмехнулся Эндрю. — Я почти не читал бумаги. Я солдат и никогда не любил читать и писать. Слава господу, я был избавлен от подобных вещей. Что же касается твоей безопасности, то я тоже принял кое-какие меры. И у меня есть ощущение, — он едва улыбнулся, — что твоим амулетом, как ты называешь этот алмаз, интересуются, по крайней мере, трое. И что довольно-таки странно, еще кто-то из России. На сайт кладоискателей уже несколько дней подряд из России приходит сигнал о том, что этот человек что-то знает о местонахождении еще одного камня. К сожалению, ничего, что вывело бы на этого человека, у нас нет, — недовольно проговорил он. — Ты, надеюсь, помнишь, что виртуальный мир не моя стихия. Я никогда не имел в своем штате компьютерщиков и прочих специалистов...

— Я тебе и раньше говорила, — усмехнулась она, — что сейчас далеко не всегда все решает выстрел или удар ножа. Я поговорю с Рудольфо и, надеюсь, он что-то сообщит мне об этом русском сигнале. Ты говорил о тех, кто интересуется мной. Хочу уточнить, — лукаво улыбнулась она. — Именно мной...

— Именно тобой, — он не дал ей договорить. — Но не как красивой одинокой женщиной, а как человеком, который обладает одним из семи амулетов бессмертия. Камушком, как говорят в мире. Черт бы подрал эту прессу, — недовольно продолжил он. — Навели на тебя...

— Но почему никто прямо не обратился? — спросила она.

— Хотя бы потому, — усмехнулся он, — что ты убрала камушек из музея. А все эти просьбы неизвестных просто проверка, у тебя камушек или нет. Если бы были уверены, что он у тебя, давно бы взяли тебя штурмом. Пока за тобой наблюдают, и могу сказать, что по крайней мере один из них делает это весьма профессионально, — кивнул Эндрю. — Вот посмотри. — Он вытащил из кармана конверт и отдал ей. Она вытряхнула на крышку столика несколько фотографий. — Это немец, — увидев, что она взяла фотографии Фишке, проговорил он. — Приехал два дня назад, взял напрокат машину. Фишке Мартин. Доктор, — улыбнулся он, — медицины. Но скорее всего просто купил диплом. На кого он работает, не знаю, но узнать это — дело нескольких дней. Один из США, Рокдольт Джим. Это, судя по всему, мафия, — заметил он. — Третий, увы, темная лошадка. Вот он, — взял фотографию Эндрю. — О нем не удалось узнать ничего. Его зафиксировали трижды, — продолжил он. — Два раза у твоего дома

187

и один раз у музея. Но машины он берет напрокат у таксистов-частников. Значит, имеет деньги и опыт. По-французски говорит чисто, но слишком чисто, чтобы быть французом, — усмехнулся Эндрю. — К сожалению, это все, что мы о нем знаем. И вот уже сутки его не удается засечь. И с хвоста сбросил. Тот еще зверь, чувствуется.

— Значит, все очень серьезно, — помолчав, сделала вывод Энель. — И что делать? — задумчиво пробормотала она. — Может, продать этот амулет? — скорее себя, чем собеседника вслух спросила она.

— Я бы на твоем месте не торопился, — раздумчиво произнес Эндрю.

— Даже так? — удивилась она. — Но ты ведь совсем недавно говорил...

— Просто проверял, — признался Эндрю. — Надо собрать все семь вместе. Представляешь, сколько это будет стоить!

— А ты практичнее, чем я думала, — насмешливо проговорила она. — Значит, тебя интересуют деньги.

— Меня не интересуют, — покачал головой Эндрю. — Я надеюсь, ты не забыла, чья дочь Марсия. И это останется ей. Сейчас в мире кризис, ты уже начала снимать деньги со счетов, а кто знает, что дальше предложит жизнь. Ее правила не знает никто. А эти семь амулетов, это постоянно растущий в цене вклад. Надеюсь, теперь ты поняла...

— Я не уверена, что ты говоришь откровенно, — перебила его она. — Почему-то раньше ты никогда не...

— Все меняется, — вздохнул Эндрю. — Раньше я ни о чем не думал. Воевал, был наемником. И меня такая жизнь устраивала. А сейчас как-то подумал, что пора просто пожить. Осталось не так уж и много, наверное. Ну, по крайней мере для полноценной жизни точно. Мне уже пятьдесят скоро будет, и я решил бросить войну и жить с тобой. Разумеется, если ты меня примешь. И хочу, чтобы Марсия узнала правду.

— Какую? — усмехнулась Энель. — Что ты убил того, кого она считала своим папой? Или что ты ее отец, а про...

— Второе, — спокойно проговорил он. — Потому что если признаваться в убийстве Пьера, то я вынужден буду сказать всю правду, но не думаю, что этого хочешь ты, мадам Леберти, — засмеялся Эндрю. Энель хотела что-то сказать, но тут раздался женский голос.

— Мама. Ты где?

— Марсия, — посмотрела на дверь она. — Я здесь. Мы с Эндрю в кабинете.

— Здравствуйте, дядя Эндрю, — вошла в кабинет стройная, с длинными каштановыми волосами красивая девушка в брючном костюме. — Мама, — подошла она к Энель и поцеловала ее, — представляешь, что сегодня случилось! — весело засмеялась она.

— Значит, не произошло ничего ужасного, — улыбнулась мать. — Потому что ты...

— Мне пришлось доказывать, что ты моя мама, — засмеялась дочь снова. — Все мои друзья утверждали, что ты моя сестра. — Она, присев, обняла маму и поцеловала ее. — Ты у меня самая красивая и молодая мама в мире, — заявила она. — Вы согласны со мной, дядя Эндрю?

— Абсолютно, — улыбнулся он. — Твоя мама действительно очень красива, и я рад, что ты похожа на нее, — кивнул он. — Но, пользуясь случаем, хочу спросить вас, юная мадемуазель, почему вы не поступили...

— Мама, — вздохнула Марсия. — Ты уже нажаловалась. Да, — посмотрела она на Эндрю, — я действительно буду переводчицей. Я уже немного могу говорить...

— Давайте не будем об этом, — поднялась Энель. — Для меня это очень неприятная тема. И я не желаю более обсуждать это.

— Очень хорошо, — рассмеялась Марсия. Крутнулась на левой ноге. — Я ужасно хочу есть. Что сегодня приготовила Жозефина?

— Сейчас узнаем, — улыбнулась мать.

*   *   *

— Меня дважды снимали, — говорил Фишке. — Это только, сколько заметил я. Но не служба охраны мадам Леберти. Кстати, она на удивление молодая и красивая женщина. Все, что я успел сделать, это записать номера двух машин. Приезжали двое, — продолжил он. — На вид...

— Если хочешь завалить дело, — проворчал сидевший в машине Капут, — то первым пошли идиота. И тогда точно он навлечет на себя всех собак. Если ты заметил, что тебя фотографировали, почему допустил это во второй раз? Надо было просто...

— Тебе легко говорить, — вздохнул Фишке. — Я в конце концов врач, а не головорез, как ты. И когда меня сфотографировали второй раз, я именно тогда и понял, что уже видел эту пару — парня и девушку.

— Ладно, — кивнул Капут. — Разберемся. Ты номер машины запомнил?

— Нет, — опустил голову Фишке. — Точнее, запомнил сначала, но не записал и забыл. Но я попытаюсь вспомнить, — пообещал он.

— Попытайся, — усмехнулся Капут.

Бонн. ФРГ

— Черт бы побрал этого Фишке, — процедил Гейдрих. — Мало того, что он ничего не узнал, он еще засветился. Идиот.

— Но, с другой стороны, дядя, — улыбнулась Берта, — мы все-таки выяснили, что мадам Леберти охраняют. И кроме того, Фишке все-таки сумел сфотографировать двоих, кто приезжал к мадам, — напомнила она. — И вот что я скажу, — усмехнулась она. — Один из них из России. Из города на Волге Ярославля. — Она посмотрела на дядю. — Второй англичанин. Некто Чарли Досот. Журналист. Точнее, был им, работал на...

— Кто русский? — перебил ее дядя.

— Меньшов Олег Васильевич. Больше мы о нем ничего не узнали. Он улетел в Россию сегодня утром из Парижа. Но думаю, нам помогут о нем узнать мои знакомые.

— Как твой знакомый Зудин? — насмешливо спросил дядя. — Кстати, забыл тебе сказать. Точнее, не говорил, чтобы не опечалить, моя прекрасная племянница, — усмехнулся он. — Зудин Антон Вадимович попал в аварию и в данное время находится в больнице. Кстати, сколько денег ты ему...

— Эти вопросы к нему, — кивнула на Ганса Берта. — Я только виделась с ним, а договаривался и платил ему он, — заявила Берта.

— И что он узнал? — перевел взгляд на Ульдриха Гейдрих. Тот испуганно посмотрел на него и покачал головой.

— Он сообщил, что камушка у его отца нет, — пролепетал Ганс.

— Вот что, — вздохнул Гейдрих. — Отправляйся в Россию. Пусть его там встретят. — Он посмотрел на племянницу и снова обратился к Гансу: — И навести Антона. Что-то он узнал, раз не выехал из России. И вот что еще, — решил он. — Попытайся найти кого-нибудь из окружения Зудина Вадима Константиновича, отца Антона. Денег не жалей. Я уверен, что Зудин что-то знает. Не может быть совпадением то, что он знал Койота и тот работал на него, и люди Зудина были в Монголии. Что они там делали? — спросил Гейдрих. — В частности, его верный человек Иволгин Иван. Он был в Монголии, — повторил Гейдрих. — По крайней мере мне так сообщили, — отвечая на удивленный взгляд Берты, кивнул он. — И я не могу сомневаться в словах своего человека. И...

— Койот жив, — сказал, войдя в кабинет, бледный мужчина с белым платком на шее. — Мне звонил один

191

человек и сообщил, что Койот ждет его помощи в Монголии. Он находится...

— Так в чем дело, Генрих, — перебил его Гейдрих. — Немедленно отправь туда своих людей.

Лондон. Англия

— Камень у нее, — говорила загорелая, крепкая, с хорошей фигурой темноволосая женщина. — Ее секретарь подтвердил это. Но там появился ее любовник, Эндрю Фуш. Наемник, несколько лет провел в горячих точках. Также Пьер сообщил, что, возможно, дочь Энель Жунавье, так зовут мадам Леберти, вполне может быть дочерью этого «дикого гуся». По крайней мере, так думают многие, но, по понятным причинам, вслух об этом никто не говорит. Также вполне возможно, что Пьер Жунавье, муж Энели, был убит по заказу этого самого...

— Маргарет, — покачал головой Ричард. — Тебя отправляли в Лион не для того, чтобы выяснять, от кого дочь у мадам Леберти, а для того, чтобы...

— Перестань, Ричард, — остановил его тихий голос отца. — Чтобы победить противника, а мадам Леберти в данное время для меня именно таковой и является, надо знать о нем все. Дочь мадам Леберти возможно захватить? — спросил он и надсадно закашлялся. Сидевшая на стуле темнокожая женщина в белом халате поспешно поднялась и сделала ему укол. — Мне осталось совсем немного, — тяжело дыша, с трудом проговорил он. — И счет идет уже не на недели, а на дни. А возможно, и на часы. И я просто умоляю вас, — сипло проговорил он и, открыв воспаленные глаза, посмотрел на Маргарет и перевел взгляд на Ричарда, — попытайтесь договориться с мадам Леберти. Пусть даст камушек на неделю за миллион евро. Я отдам все, что у меня есть, — задыхаясь, проговорил он.

— Она ничего не продаст и не отдаст, — вошел в комнату плотный, среднего роста мужчина лет сорока. — Прилетел Чарли Досот, и он так сказал, а ему верить можно.

— Да, папа, — вздохнув, кивнула Маргарет. — Это истина. Мадам Леберти не знает жалости и сострадания. Деньги у нее есть, и купить ее просто невозможно.

— Но попробовать, наверное, стоит, — вздохнул Ричард. — Мы привезем отца в Лион...

— Дик, — посмотрела на него Маргарет, — ты слышишь, что ты говоришь? Неужели ты действительно думаешь, что этот камень может излечить от рака? Я понимаю папу, — перевела она взгляд на отца. — Но ты человек здравомыслящий. Кроме того, мадам Леберти ни с кем на эту тему переговоров, да и просто разговоров не ведет. К ней приезжали из Саудовской Аравии два нефтяных магната, у нее был...

— Попробуем убедить ее, — вздохнул Дик. — Вдруг она поймет нас и пойдет навстречу.

— А если не поможет? — перебила его сестра. — Что тогда? А если папа умрет во время этого общения с алмазом или после этого? И что ты тогда будешь чувствовать?

— Извините, что вмешиваюсь, — негромко начал вошедший в комнату полный мужчина, — но транспортировка убьет вашего отца через десять—пятнадцать минут.

— Сколько ему осталось, доктор? — спросил Ричард.

— Молодой человек, — посмотрел на него врач, — я просто удивляюсь, что ваш отец жив до сих пор. Собственно, объяснение этому только искусственная вентиляция...

— А вы, доктор Стен, — обратилась к нему Маргарет, — верите в это?..

— Позвольте, Марго, — вмешался врач. — Я ученый, а не писатель. Это исключено. В природе вообще не существует бессмертных организмов. Собственно, уже давно известно...

— Нам надо поговорить, — кивнул сестре Ричард и вышел. Она пошла за ним.

— За этой мадам, — отпив из бутылки виски, усмехнулся крепкий, загорелый молодой мужчина, — ведется наблюдение. Точнее, вычисляют тех, кто ею интересуется. Я заметил это и прекратил слежку. Но, кажется, поздно. — Он снова отпил виски. — И они знают мое имя, — недовольно продолжил он. — Я брал машину напрокат и попал, как муха в мед, — усмехнулся он. — Мадам эта в последнее время вообще ни с кем не контачит. Я в баре пообщался с одним арабом, он по-английски сносно говорит, он работал у нее садовником. После убийства какого-то профессора из Штатов в Англии она перестала встречаться даже со знакомыми. Уволила всех нанятых на работу в последние три года. И возле нее трется какой-то мужик. Собственно, он и организует ее охрану и все остальное. Есть дочь у нее, — кивнул он. — Красивая мадемуазель. Мужа этой мадам хлопнули в Испании пять лет назад. И что интересно, Марша, — подмигнул он сидевшей напротив него темнокожей молодой женщине, — в Лионе ничего не говорят про этот камушек бессмертия. И в газетах ничего ни про мадам Леберти, ни про этот камушек. — Он снова отпил виски.

— Ты закусывай, Чарли, — улыбнулась Марша.

— А как сэр Уильямс? — спросил он.

— Плохо, — вздохнула Марша. — Собственно, доктор Стен говорил, что сэр Уильямс должен был умереть еще месяц назад. Он живет...

— Доктор Турбаг просто вытягивает деньги, — усмехнулся Чарли. — Возможно, я не прав, но я бы давно отключил все аппараты и похоронил сэра Уильямса. Он же мучается, а не живет.

194

— Знаешь, — посмотрев на дверь, понизила голос Марша, — когда нашли камень в Монголии, сэр Уильямс почувствовал себя лучше. Даже говорил понятно, — кивнула она. — Наверное, надежда тоже помогает человеку. А ты веришь, что этот камень может излечить и даже подарить бессмертие?

— Да хватит тебе чушь нести, — хмыкнул он. — Какое, к черту, бессмертие? Почему же тогда не тот, кто...

— Их убили, — напомнила Марша.

— Перестань, — оборвал ее Чарли. — Ты же имеешь образование, а веришь глупым фантазиям.

— Но камень действительно может помочь, — снова прервала его Марша. — И...

— Просто если бы был камень, сэра Уильямса давно бы придушил подушкой Ричард, — заметил Чарли. — Его не зря называют Ричард Каменное Сердце, — усмехнулся он. — Ходят слухи, что он в Афганистане вырезал семью из шести человек. Мать, отца и четверых детей. Последнему, тому еще и года не было, оторвал голову. Говорят, что его именно из-за этого и вышибли из армии. В общем, спасибо, Марша, — услышав чьи-то шаги, повысил он голос. — Как дома побывал, — подмигнул он той.

— Привет, бродяга, — вошел в комнату Квентин.

— Черт возьми, — засмеялся Чарли. — Шотландские киллеры заявились. А где дядя Шон?

— Пошел к сэру Уильямсу, — подойдя к столу, Квентин сел. — Наше виски есть? — спросил он Маршу.

— Сейчас, — поднялась та.

— И как ты можешь пить это пойло? — поинтересовался Чарли. — Хотя у вас в Шотландии все не так, как у людей, — подмигнул он Квентину. — Мужики юбки носят и...

— Послушай, Чарли, — улыбнулся Квентин, — не надо задевать Шотландию. Я шотландец, и не забывай про это.

— Извини, бродяга, — усмехнулся Чарли. — Просто я давно хотел спросить насчет юбок и...

— Хватит, — уже серьезно предупредил Квентин.

— Все-все, — поднял руки Чарли.

— Как съездил, Досот? — спросил Квентин.

— Плохо, — признался Чарли. — Ничего конкретно не узнал, а засветился. Поэтому окружение мадам Леберти уже знает об интересе сэра Уильямса к камушку. Но я уверен, что от этой чертовки Леберти никто ничего не получит, — заявил он. — Камень из музея она убрала. Охрана постоянно с ней, дом ее как крепость. По крайней мере ротой надо брать. А сам знаешь, малейший шум — и полиция. В общем, все это зря. А вы как съездили?

— Хуже не бывает, — проговорил Квентин. — Захватили одну, а оказалось, она ни при чем. В общем, дядя решил, что надо покидать страну. Повезло еще, что знаменитых русских морозов не было.

— Виски, сэр, — поставила на стол бутылку шотландского виски Марша. — Что вам дать закусить? — спросила она.

— Крепкую сигару, — усмехнулся Квентин.

— Ничего конкретно мы не узнали, — сидя у кровати больного, говорил дядя Квентина. — И даже больше того, совершили преступление. Нам сообщили, что Стасин встречался с Зудиным. Но они уехали вместе, и все, — недовольно проговорил он. — Больше мы его не видели. Племянник предлагал попробовать захватить Зудина, но это полнейшее безрассудство. И я решил, что нам лучше уехать. А профессор Чейз звонил?

— Нет, — скорее угадал по губам, чем услышал больного шотландец. — Он и не позвонит, — прошептал больной. — Его брат в США наверняка сам пытается найти камушки жизни. Ведь они действительно делают человека бессмертным? — Его слезящиеся красные глаза особенно выделялись на худом, бледном лице.

— Знаешь, Вальтер, — вздохнул шотландец, — я бы на твоем месте давно пустил себе пулю в висок. Ты умираешь уже три года. И продолжаешь бредить бессмертием. Нет бессмертных в этой жизни. Остаются только имена политиков или писателей, художников и поэтов. Все остальное забывается. Например, я не помню, как зовут отца моего деда, — усмехнулся он. — Я не понимаю таких, как ты. Зачем мучить себя и остальных. Ты думаешь, что твои дети...

— Я знаю, что они ждут не дождутся моей смерти, — услышал он свистящий голос сэра Уильямса. — Но я буду жить, пока бьется сердце. Я сам позвоню мадам Леберти, и она поможет мне. Я не пожалею никаких денег и...

— Черт бы тебя подрал, Вальтер, — воскликнул шотландец. — Зачем все это? Мне пятьдесят пять и я понимаю, что уже не тот, каким бы хотел быть. Но я не стану прозябать. Как только пойму, что я только подобие человека, я пристрелю себя. Пусть говорят, что самоубийство смертный грех. — Он рассмеялся. — Грех, когда ты мучаешь своих близких, которые понимают, что ты не выживешь. Это все, что я хотел тебе сказать. И больше не зови меня, Вальтер. Не надо. Я поехал в Россию, потому что думал, что действительно найду там один из этих чертовых камней. Но не нашел и поэтому я уезжаю к себе и более мы с тобой не увидимся. Если только в аду, — подмигнул он больному. Встал и пошел к двери. Сидевшая неподвижно сиделка провожала его взглядом.

«А он все правильно сказал, — думала она. — Конечно, платят очень хорошо и именно поэтому я у него. — Она перевела взгляд на закрывшего глаза больного. — Какие-то камни бессмертия. — Ее губы тронула насмешливая улыбка. — Лучше бы дал мне тысяч десять и умер бы от секса».

— Мне все это уже надоело, — говорила Маргарет. — Три года сплошных поисков. Сначала мы искали чудодейственное лекарство. Были в джунглях Амазонки, в Китае искали знахаря...

197

— А ты не довольна этим, — перебил ее Ричард. — Например, у меня эти путешествия вызвали неповторимые ощущения. И я бы совсем не против повторить эти, как ты говоришь, поиски. И шанс на удачу есть, — подмигнул он сестре.

— Ты о камнях бессмертия? — в свою очередь, усмехнулась та. — Неужели ты думаешь...

— Я знаю, что все это стоит огромных денег, — перебил ее брат. — Но камни существуют. Меня убедило в этом убийство профессора в Монголии. Кроме того, — продолжил он, — ты вернулась и сказала, что...

— Знаешь, как мне надоело все это, — перебила его сестра. — Мы тратим большие деньги. Лекарства, врачи, сиделка...

— Надо что-то делать, — прервал ее брат. — Он все равно умрет и...

— Я бы на вашем месте, — перебил их голос шотландца, — на секунду отключил систему жизнеобеспечения. Ему осталось не больше месяца, — продолжил он. — И...

— Шонри Конрад, — усмехнулся Ричард. — Я правильно понял: ты советуешь нам убить папу? И...

— А вы хотите, чтобы он умер сам, — со смешком произнес шотландец. — Тогда, извините, но вы, как мне показалось, давно желаете этого, но просто не хотите, чтобы вас привлекли к ответу за убийство. Тогда терпите. И не исключаю, что Вальтер протянет еще года полтора. Медикам выгодно поддерживать его в этом состоянии, — кивнул он. — Потому что они зарабатывают на этом. Он, этот доктор Стен, пришел на полчаса, ну, пусть на час, а деньги берет...

— Но если отключить систему, — вздохнул Ричард, — это обнаружат и...

— Дети, — вмешался старый шотландец. — Уговорите отца согласиться с этим, и все. Он же сам мучается. Сейчас он поверил в камень бессмертия, ну то есть в...

— Да на его месте в это бы поверил любой, — вздохнула Маргарет. — Но что вы предлагаете? — спросила она. — Чтобы мы убили папу, — сама ответила Маргарет.

— Чтобы вы избавили его от мучений, — отрезал шотландец. — И себя тоже. Впрочем, вот что я вам хотел сказать, почему и зашел, — кивнул он. — Я поверил в то, что вы желаете заработать на этих камнях, и я поехал с племянником в Россию. Там нам пришлось убить женщину. Вы нам говорили о китайцах, а она оказалась просто...

— Подождите, Шонри, — остановил его Ричард. — Никто не говорил о том, что мы прекращаем поиск камней. Но, — он посмотрел на сестру, — надо решить, как быть с отцом.

— Да все очень просто, — усмехнулся шотландец. — Найдите или, в конце концов, закажите похожий по форме и цвету камень. Пусть лечится. И кстати, оцените его в миллион евро, потому что больше бесплатно и за свой счет мы с Квентином ездить не будем.

— А это отличная идея, — обрадовался Ричард.

Хатанбулаг. Монголия

— К тебе, — тихо сказал среднего роста монгол.

— Кто? — держа в каждой руке по пистолету, спросил Отто, стоявший у стены так, чтобы его не могли увидеть через окно с улицы.

— Суюнь, — ответил за монгола женский голос, и в комнату вошла невысокая узкоглазая женщина в джинсах.

— Наконец-то, — кивнул Койот. — А почему так долго? Адольф обещал, что...

— Раньше не могли, — по-немецки, с легким акцентом ответила Суюнь.

— Как будем уходить? — спросил Отто и, неожиданно прыгнув вправо, укрылся за стоявшим у стола креслом. В него трижды выстрелил появившийся за женщиной монгол. И Отто, перекатываясь под кровать, дважды выстрелил из пистолета в левой руке. Монгол с оружием и женщина упали. Вскочивший Койот, одновременно стреляя из пистолетов с обеих рук, уложил еще троих ворвавшихся с пистолетами. Перепрыгнув через кровать, бросился в соседнюю комнату. И двумя выстрелами из пистолетов уложил еще двоих. Остановился, тяжело дыша.

— Ну, спасибо, Алик, — процедил он. — Я надеюсь, мы встретимся.

— Что делать? — испуганно спросил сжавшийся на полу хозяин.

— Извини, но ты мне живым не нужен, — посмотрев на него, по-немецки проговорил Отто. Шагнув к нему, выстрелил в кричащий рот. Подскочил к окну, внимательно осмотрелся и увидел российский «УАЗ» с открытым верхом. Усмехнулся. — Всемером на одной машине вы бы не смогли приехать. — Услышал громкий голос на монгольском.

— Это там?

«Интересно, один ты или нет? — подумал Койот. — Скорее всего один», — решил он. Выпрыгнул в открытое окно.

— Холод, и трупы не скоро запахнут, — усмехнулся Отто. Подошел к углу овчарни и осторожно выглянул. Увидел еще один «уазик». Из приоткрытого окна водителя высунулся мужчина-монгол и выпустил дым. Хлопнул выстрел. Пуля, попав в лоб, отбросила убитого от окна. Койот, поменяв обоймы в обоих пистолетах, сунул пустые обоймы в карман и побежал к машине. Открыв дверцу, подвинул тело убитого водителя. — Кажется, у меня есть шанс побывать в исправительных лагерях Монголии. Фук был очень невысокого мнения о них, — вспомнил он. Почувствовав чей-то взгляд, повернул голову и увидел маленького мальчика в меховой шубке. Тот не отрываясь смотрел на него. — Твое убийство ничего не изменит, — вздохнул Отто и завел машину. — И куда? — пригнулся Отто. — Ну, Адольф, — покачал он головой, — до тебя я обязательно доберусь. И ты мне ответишь, кому ты сказал о моем местонахождении. Впрочем, если подумать, сказать он мог только Генералу, — усмехнулся Отто. — Но Генералу нет смысла убивать меня. Я ему живой нужен. Хотя зачем? — вздохнул Отто. — Я не выполнил его задания. Ладно, разберемся. Сейчас надо выбираться из Монголии. Карта, — увидел он между сиденьями сложенную вчетверо карту. — Зачем монголам в Монголии карта? Хотя в Германии я тоже постоянно вожу с собой карту, — заметил Койот. Разложив ее, осмотрелся. Чертыхнулся. Рядом с мальчиком стояла пожилая монголка с плеткой в левой руке. «Убить или уехать? — подумал Койот. Тронул машину. — Придется задействовать Дипломата».

Москва. Россия

— Как он? — спросила Рената.

— Неважно, — вздохнула плотная женщина в белом халате. — Серьезных повреждений вроде нет. По крайней мере, на первый взгляд.

— Жить будет? — спросила Ромова.

— Да, — ответила врач. — Но...

— Спасибо, — снова не дала говорить ей Рената и, сняв халат, отдала стоявшей рядом медсестре и пошла к выходу.

— Странно, — проговорила врач. — Ты не находишь, Света?

— Не знаю, — усмехнулась медсестра. — Мужик вроде обеспеченный, и должны были родственники приехать, а никого, кроме этой, не было. Я думала, его заберут в дорогую клинику, а ничего подобного.

* * *

— Он жив, но без сознания, — говорила в сотовый Рената.

— А как у тебя дела? — спросил Константин.

— Да неплохо вроде, — усмехнулась Ромова. — Вадим Константинович оказывает всяческие знаки внимания. И что интересно, ни о чем не спрашивает. Я уже сама пыталась...

— Не стоит, — перебил ее Константин. — Обо мне он что-нибудь говорил?

— Нет, — ответила Рената. — Вообще ни о чем не спрашивал и тебя не вспоминал. Я начинаю думать, что он как-то...

— Вот что, Рената, — перебил ее Аверичев. — Попробуй выяснить, есть ли у него камень, алмаз необычной формы и переливается несколькими цветами. Хорошо?

— И как я это попробую выяснить? — усмехнулась она. — Спросить...

— Ну, затащи его к себе, — перебил ее он. — Соври. Он на тебя глаз положил, это понятно. А пьяный пожилой мужчина, чтобы не потерять лица перед молодой женщиной, наверняка начнет хвастаться. И проговорится о камне. Поняла?

— И ты думаешь, я смогу его уложить в постель? — поинтересовалась она. — А если он им...

— Нет, — засмеялся Константин. — Он еще в силе, как мужчина, — уточнил он. — Это точно. Мне его жена говорила. Зоя...

— И ты так легко предлагаешь мне спать с этим старым козлом?! — усмехнулась она.

— Послушай меня, Ромова, — построжал голос Аверичева. — Я не романтик, и у нас с тобой отношения чисто деловые. Я предлагаю тебе дело, на котором мы можем заработать приличные бабки без малейшего опасения уго-

202

дить за решетку. То есть перед законом мы будем абсолютно чисты и честны. Покупатель уже есть, — добавил он. — Это очень большие деньги, — повторил он.

— Не верю я ей, Вадим Константинович, — качал головой Фантом. — Она...

— Она до сих пор никому не сказала, что видела камень, — перебил его Зудин. — А могла и даже должна была, чтобы спасти себе жизнь. Она не дура, — твердо сказал он. — Просто женщина, которая думает о своем будущем. И его она связывает со мной. Тебе этого не понять. Я ни о чем не спрашивал ее, и она не пыталась рассказать сама. Она умная и верная женщина, — уверенно закончил он.

— А Аверичев, — напомнил о том. — Он же с ней...

— Она уехала одна, — ответил Зудин. — Бросила машину и доехала на автобусе из Каширы. Знаешь, Андрей, — вздохнул Зудин, — мне уже шестьдесят восемь, а я никогда не чувствовал привязанности к женщине. Настоящей привязанности. И тут Рената. Я сколько раз жалел, что показывал ей камень. Повел себя, как несмышленый юнец. Но она никому не сказала о нем. Я давно испытываю к ней нежность, — улыбнулся Вадим Константинович.

«Старый придурок, — подумал Фантом. — Знать бы, где камушек, я бы тебя довел до инфаркта, — вздохнул он. — Иволгин полнейший идиот, — мысленно отметил он. — Отдать такие бабки. Мне бы этот камушек, и видел бы я всех на хрену у бегемота».

— В общем, так, — о чем-то подумав, начал Зудин. — Усиль охрану, мало ли что этот тульский оборотень задумал. Впрочем, если бы они знали о камне, давно бы приняли меры.

— Ну что еще? — спросил в переговорное устройство Фантом.

— Тут к Вадиму Константиновичу, — услышал он, — от Профессора.

— Даже так, — понимающе пробормотал Фантом. — От...

— Да, от Профессора, — перебил его голос. — Не ученого там какого, а...

— Тьфу ты, твою мать, — чертыхнулся Фантом. — Так бы сразу и говорил. Пропусти, — отключил переговорное устройство. — К вам Профессор.

— Что ему нужно? — усмехнулся Зудин. — Пусть войдет. «Просто так он бы не явился. Может, наконец решил долг отдать, — подумал он. — Собственно, там всего полторы тысячи евро и не стал я на него давить. Ладно, посмотрим». — Он вошел в кабинет. — Позвони Васину, пусть встретит партию мебели из Финляндии. И еще. Приедет Рената, немедленно ко мне.

«Возможно, я ошибаюсь, но мне кажется, что-то Рената крутит, — думал расхаживающий по комнате Константин. — Впрочем, идея была моя, сам ей предложил сотрудничать. А она боец, — вспомнил он парня с рубленой раной на голове. — Узнать бы наверняка, есть камень у Зудина или нет. Антон толком так ничего и не сказал. Все-таки зря я, наверное, Ренатке поверил. — Он остановился. — Хотя благодаря ей я и узнал все. Надо выходить на мента, — подумал он. — Хотя зачем? — Он пожал плечами. — Тот, наверное, просто что-то слышал и... — Константин плюхнулся в кресло. — Но его интерес к Зудину ведь чем-то вызван. Удав исполнял его просьбу. Но почему он послал Тайку к Зудину?» — вскочив, Аверичев прошелся по комнате.

— Черт возьми, — процедил он. — Вадим Константинович та еще лиса. Но если бы камушек был у него, Антон бы знал. Так. — Он подошел к справочнику. — В какой он больнице? Похоже, я совсем запсиховал, — усмехнулся он. — Рената же говорила, что...

— Ты дома? — раздался женский голос. Он выхватил пистолет и прыгнув, встал справа от двери. — Да одна я, — усмехнулась молодая темноволосая женщина, войдя в комнату.

— Почему опоздала? — недовольно спросил он.

— Послушай, Костик, — усмехнулась женщина, — ты спасибо скажи, что пустила. Тебя, кстати, тульские парни разыскивают. Пашка Кастет говорит, что ты кому-то по-крупному дорогу перешел. А мне из-за тебя попадать на нож желания нет. Что ты снова намутил? Никак не отойдешь от...

— Хватит, Ритусь, — подошел он сзади и, прижав к себе, обхватил ее грудь обеими ладонями. — Я по тебе так соскучился...

— Сволочь ты, Костик, — резко развернувшись, она положила ему руки на плечи. — В какие игры ты и тут играть начал? Кстати, слышал, что с твоим...

— Слышал, — кивнул он и впился ей в губы.

— Пойдем в спальню, — прошептала она, выскальзывая из его объятий.

— Перестаньте, Вадим Константинович, — улыбаясь, говорил среднего роста плотный, с профессорской бородкой мужчина в костюме. — Ну зачем вы делаете из меня олуха. Я знаю, что вы причастны к случившемуся в Монголии. Ваши люди были там, и именно поэтому я предлагаю вам партнерство. Я знаю человека, который купит у вас...

— Пшел вон, — спокойно проговорил Зудин. — И поторопись, Васильев, — посоветовал он. — А то я отдам тебя своим парням, и они попортят тебе внешность. Да, кстати, — улыбнулся он, — чуть не забыл. За тобой должок.

— Могу отдать, — совершенно спокойно перебил его Васильев и вытащил из внутреннего кармана пачку евро. — Я вам должен...

— Три, — усмехнулся Зудин. — Время прошло. Сейчас кризис...

— Хорошо, — улыбнулся Васильев. — Получите...

— В комнату для гостей его, — кивнул на него Зудин. Васильев хотел вскочить, но удар по затылку ногой одного из охранников сбил его на пол. Двое парней поволокли Васильева из кабинета. — Номер на машине чей? — спросил Зудин.

— Он на такси приехал, — ответил Фантом.

— Узнай у него, кто его послал и что он знает о камушках бессмертия, — приказал Зудин.

— Лида, — вздохнул сидевший за рулем крепкий, лет тридцати пяти мужчина, — ну, почему ты не хочешь помочь? Профиль твой, и за это очень хорошо заплатят. Неужели тебя устраивает...

— Представь себе, — улыбнулась Лида. — Меня устраивает абсолютно все. А ты все в поисках лучшей жизни, — насмешливо отметила она. — Не пора ли остановиться, Тарасюк?

— Это мое последнее дело, — улыбнулся тот. — Разбогатею и, разумеется, вернусь к тебе. И мы сделаем так, как ты хотела. Пойдем...

— Неужели ты думаешь, что все осталось по-прежнему? — удивленно спросила Лида. — Тарасюк, Тарасюк, — покачала она головой, — ты ничуть не изменился. Все такой же самоуверенный...

— Но я приехал к тебе, — перебил ее он. — Попросил прощения, и ты согласилась принять меня.

— Не принять, а встретиться, — улыбнулась Лида. — И только для того, чтобы сказать тебе: забудь меня, Михаил. Забудь. Тебя в моей жизни больше нет. Прощай, Михаил. — Она открыла дверцу.

— Подожди, — взял ее за руку Тарасюк. — Я понимаю, что виноват, и прошу прощения. Но если ты не желаешь возобновить наши отношения...

— Я тебе все сказала, — улыбнулась она. — Пусти. Я же говорила, ты ничуть не изменился.

— Я предлагаю тебе хорошо заработать, — не отпуская ее руки, проговорил он. — Ты сможешь и, заверяю, тебе это будет интересно. Если не хочешь встречаться со мной, будешь иметь дело с моим человеком. Помоги, Лида, — вздохнув, попросил он.

— И чем я могу помочь? — спросила она.

— Надеюсь, этот вопрос не потому, что я удерживаю тебя, — улыбнулся Михаил и отпустил ее руку.

— Я слушаю, — поторопила его Лидия.

— Надо узнать кое-что об одном знахаре, — вздохнул Михаил. — Он...

— Ахас ба Ванунга, — улыбнулась Лида. — Семь камней бессмертия. — Он удивленно смотрел на нее. — Сейчас столько пишут про это, — спокойно пояснила она, — что, я думаю, любой, кто хоть немного интересуется восточными легендами и...

— Какой же я дурак, — вздохнул Михаил. — Оставил такую женщину и...

— Оставила тебя я, — спокойно напомнила она. — Но ты хотел говорить о деле. И чем же я могу помочь?

— Займись этим профессионально, — попросил он. — Нам нужна вся информация об этих камнях.

— Знаешь, Михаил, — вздохнула Лида, — я никак не пойму, почему эти семь амулетов называют камушками. Правильнее сказать: семь амулетов бессмертия, — проговорила она. — Это алмазы из священного русла Небесного Ручья. По преданию, в этом ручье ночью отражаются семь планет. Осколки этих планет были сброшены на Землю кем-то из наказанных богами ангелов, решившим подарить человечеству бессмертие. По крайней мере, так гласит легенда. Хорошо, — вздохнула она. — Я помогу тебе. Но ответь, пожалуйста, только честно, зачем тебе это?

— Ну, говорить, что просто интересно, — улыбнулся он, — это будет нечестно. Мы желаем найти эти камушки и узнать, действительно ли они обладают целебными свойствами. И буду откровенным до конца. Эти семь камней стоят очень дорого. Известно, где находится один, — продолжил он. — В Лионе, в музее...

— Второй был найден в Монголии, — спокойно перебила его Лида. — Убит профессор, и где в данное время амулет, неизвестно. Третий, насколько я поняла, может быть в Южной Африке. И...

— Подожди, дорогая, — расширил глаза Михаил, — а...

— Еще раз услышу нечто подобное и мы не будем работать вместе, — холодно проговорила Лида. — И еще. Это уже по работе, — вздохнула она. — Это просто предположение, и потому я не буду его озвучивать полностью. Я должна все проверить. И когда буду абсолютно уверена, я скажу.

— Согласен, — кивнул Михаил. — Тебя отвезти?

— Я доберусь сама, — открыв дверцу, перебила его Лида. — Я позвоню, если узнаю что-то конкретное.

— Хороша стерва, — провожая взглядом женщину, усмехнулся Михаил. — И умна. Ты будешь моей, — прошептал он. — Обязательно будешь.

«Это очень интересно, — думала Лида. — И за это еще и заплатят. Я не очень внимательно, но слежу за поиском амулетов Ванунги. А тут такое предложение. Отказаться было невозможно. Но если Тарасюк думает, что он вернет меня как женщину, глубоко ошибается. Я никогда не испытывала к нему глубоких чувств. Он устраивал меня в редких случаях как партнер в постельных утехах, — вздохнула она. — В очень редких, — добавила Лида. — Он скорее альфонс, чем любовник. Но отказаться от поиска семи амулетов я просто не могла. Уж очень заманчивое предложение. Но то, что я уже знаю, я не скажу, — засмеялась Лида. — Тарасюк может и простонапросто обмануть. Кстати, надо попросить у него...» — Раздался вызов сотового.

— Да, — поднесла она телефон к уху.

— Лида, — услышала она голос Михаила, — раз уж ты согласилась работать, то я решил выдать тебе аванс. Тебе причитается две тысячи евро по кризисному курсу, — усмехнулся он.

— А если я ничего не найду? — спросила она.

— Не ты будешь работать, — услышала Лида. — Ты не умеешь обманывать. Поэтому скажи, куда привезти деньги.

— Где ты? — спросила Лида. — Я подъеду.

— А почему бы мне не привезти аванс к тебе? — поинтересовался Михаил. — Заодно отметим начало нашего сотрудничества и...

— Ты забыл о моем условии? — спросила она. — Где ты?

— Ну вот, — улыбнулся Зудин, — а говорил, сам решил заняться. Хотел меня, как говорится среди уголовников, взять на понт?

— Это не я, — пролепетал сидевший на стуле бледный, со скованными за спиной руками, Васильев. — Дятин так велел говорить. Он...

— Дятин, — усмехнулся Зудин. — Вот гнида. Слушай, — кивнул он Васильеву, — а у тебя есть что-то такое, на чем Дятина могут его коллеги подловить? Компромат на него у тебя есть?

— Нет, — качнул головой Васильев. — Он меня подловил, ну, должен я одному козырному. Витьке Ту...

— Понятно. — Зудин задумался. — Значит, вполне может быть, что подполковник Профессора как наживку мне сунул. Даже скорее всего так и есть. Снимите наручники и отпустите, — сказал он. — Вызовите такси, и пусть убирается. — Фантом кивнул. Рослый парень подошел и снял с Васильева наручники. Тот встал и, недоверчиво глядя на Зудина, несмело шагнул к двери. — Выпей на дорожку, пока вещи тебе в порядок приведут, — спокойно проговорил Зудин. — В сауну проводите его и вещи отпарьте. Отобедаешь и поедешь. А ты, значит, с ментами дружить начал.

— Да не начал я, — растирая правую кисть, поморщился Профессор. — Просто я одному должен был. Решил молодость вспомнить и в бильярд сыграл. И проиграл прилично. А сейчас зимнее время да еще этот кризис и людей, готовых доверить свое здоровье профессору медицинских наук, увы, очень и очень мало. Вот и...

— Понятно, — рассмеялся Зудин. — Ну, иди в сауну, расслабься. Разумеется, Дятину про наручники знать не обязательно. Хотя, собственно, как хочешь, — улыбнулся он.

— Я ему ничего говорить про это не стану, — заверил его Васильев.

— Это твое дело, — спокойно проговорил Зудин. Васильев вышел вслед за парнем.

— Его убрать? — спросил Фантом. — Под автокатастрофу или...

— Не трогать, — отрезал Зудин. — У тебя есть люди, способные проследить за ним?

Тула

— Да, братец, — покачивал головой полный плешивый мужчина лет сорока восьми. — Ну, и начудил ты тут. Молись Богу, чтобы...

— Да все нормально, — остановил его сидевший в кресле в пижаме Дятин. — Ты-то как съездил?

— Да, можно сказать, впустую, — недовольно признался полный. — К этой мадам Леберти, едят ее мухи, не подобраться. Видно, чует баба, что охотников до нее полно. И вот что я тебе скажу, — кивнул он. — Кто-то из наших там вился. Я, значит, подобрался к одному французу, ну, он из старой семьи русских белогвардейцев, конечно, самто, понятное дело...

— И что дальше? — прервал его Дятин.

— Он у этой мадам ну, вроде как снабженец, — продолжил плешивый. — Вот и говорил он, что люди мадам этой заметили несколько человек, которые ведут наблюдение. И вроде как один из России. Почему так решили, я не понял. И Серж не пояснил, но говорил, слышал, как хозяйке, мадам этой, ее любовник говорил, что вроде как русский замечен. И пропал тот русский, как сквозь землю провалился. И машины он не брал напрокат, а, видать, у кого-то из знакомых...

— А ты, Федор, как был колхозником, так им и остался, — проговорил Дятин.

— Зато ты, братец, оборотнем стал, — усмехнулся Федор. — И вот что я иногда думаю: на кой ляд я с тобой связался? Ведь сейчас только и слышишь: там оборотня за жопу взяли, там прихватили, там посадили. Как бы с тобой не погореть, — вздохнул он. — Я-то не боюсь, за мной ничего нет, и цапнуть меня невозможно. А ты...

— А ты за меня не бойся, — зло ответил Дятин. — Я знаю, что делаю и...

— Да вот в том-то и дело, что не знаешь, — подначил его Федор. — На кой ляд ты начал тут смертоубийство устраивать? Чем тебе...

— Но они знали о моем интересе к Зудину, — перебил его подполковник. — И...

— А на кой черт ты сказал этому змею, — процедил Федор, — про камушек и вообще про Зудина? Я, кажется, тебе ясно дал понять, что ничего делать не надо. Просто пусть Тайка, подруга Удава, попробует ненавязчиво узнать у своей подруги, чем занимается Зудин, зачем вернулся Антон. А ты устроил бойню. Может, объяснишь зачем?

— Удав что-то начал сам искать, — вздохнув, заговорил подполковник. — И пытался меня шантажировать. Ну и пришлось убрать его. Оставить Тайку я тоже не мог. Она бы...

— Идиот, — сокрушенно сказал Федор. — Ну, уже ничего не изменить. А кто спас Цыгана и Тайку? — спросил он.

— Так убили обоих, — напомнил Дятин. — Ну, в доме их пришибли. Короче, этот умник, Аверичев, — усмехнулся он, — сумел сделать так, что вроде тех Цыган сделал, а Яшку последний пристрелил. Конечно, у него одного ничего бы не вышло, но участковый ему в унисон поет. Мол, видел, так все и было.

— А чьи люди были? — спросил Федор.

— Непонятно, — недоумевал Дятин. — Если бы Зудина, то Аверичев бы не стал комедию ломать, да и зачем ему убивать их? — пожал он плечами. — Кто-то еще влез в это дело, — уверенно проговорил он. — Но как нашли Аверичева, непонятно. И установить, чьи это люди, тоже не удается. Ну а ты что выяснил?

— Да ты уже спрашивал, — напомнил Федор. — Ничего существенного. Только в том, что у этой мадам есть камушек, я абсолютно уверен. Знаешь, Игорь, — вздохнул Федор, — ничего, кажется, не получится и лучше забыть... об этом.

— Что? — прервал его Дятин. — Что ты сказал? — Он, шагнув вперед, схватил Федора за грудки. — Значит, я просто так трупы на себя повесил и навел на себя...

— А кто тебя просил? — перебил его Федор. — Если человек идиот с рождения, то это навсегда. Ты вот что, — кивнул он. — Подчисти за собой все хорошенько. И чем быстрее ты это сделаешь, тем лучше для тебя. И запомни, братик, — кивнув, вполне серьезно проговорил он, — делать зачистку надо как можно скорее. Иначе мне придется сделать это самому. Мне-то гораздо легче, — усмехнулся он и, сцепив пальцы на кисти левой руки Игоря, крутнувшись, упал на правое колено. Дятин взвыл от боли. — У тебя сутки, — отпустив его, Федор поднялся. — Я уезжаю. Надеюсь, никто больше не знает, что?..

— Нет, — простонал потиравший левое плечо Игорь.

— Значит, ты пока живой, — подмигнул ему брат. — Да, кстати, — улыбнулся он, — убивать меня не советую. В случае моей насильственной смерти через три часа, как только узнает милиция, тебя арестует служба внутренней безопасности. У меня на тебя целое досье, — засмеялся Федор, — с фотографиями, документами с твоей подписью и видео. Так что, не дури, братишка, — посоветовал он.

— Ну, ты и сука, — процедил подполковник.

— Мы с тобой только по отцу и мамане одной крови, — усмехнулся Федор. — А в остальном я чище, а значит, лучше тебя, братик. Надеюсь, ты все понял. И не дури, не суйся больше к Зудину. Просто подчисти ближайшее окружение, поработай наконец ментом. Ты же вот-вот можешь стать начальником...

— Ухожу я, — вздохнул Дятин. — До пенсии год, но раньше ухожу. Сердце что-то начало пошаливать. Пора и о себе подумать.

— А ты все время именно этим и занимался, — улыбнулся Федор. — В общем, делай, как я говорю, а понадобишься, позову. И вот что еще, — кивнул он. — Надежных, ну тем, кому доверяешь, я про бандюков, подкармливай, но пусть пока силы копят. Ударная сила нам нужна. Понял?

Ярославль

— И что? — нетерпеливо спросил в сотовый Доринов.

— Это не телефонный разговор, Павел Игоревич, — услышал он. — Я просто позвонил, чтобы сообщить: я вернулся. Готовьте деньги. И кстати, есть информация. Я думаю, она вас заинтересует. Могу сказать с уверенностью, мадам Леберти, она же Энель Жунавье, действительно хранит один из камней — амулетов бессмертия. Я приеду к вам в пять вечера. Жду вас и деньги. — И телефон отключился.

— Значит, что-то он нашел, — довольно пробормотал Доринов. — Отлично, — положив сотовый, потер ладони, — прекрасно. Вот и что-то конкретное. Артуру спасибо, — улыбнулся он. — У меня просто на это бы терпения не хватило. Отлично, — засмеялся он. — Римма, — включив внутреннюю связь, проговорил он, — шампанского и два бокала, на сегодня работа закончена, и мы будем праздновать хорошие новости. Жду, — улыбнулся он и отключил связь.

— Интересно, какие хорошие новости, — усмехнулась Римма. — Вскоре узнаю. Знает ли он про Кадича? — усмехнулась она. — Впрочем, какая разница.

— А я думаю, зря все это, — говорил в сотовый Артур. — Он просто горит желанием, но на деле ничего конкретного не знает. И выхода на Зудина у него нет. Так что я напрасно...

— Не торопи события, — услышал он. — И вообще, делай то, за что получаешь деньги. Кстати, тебе платили не за то, чтобы ты спал с секретарем Доринова.

— Опачки, — пробормотал Артур. — А откуда вы это узнали? Я...

— Все, — остановил его абонент. — Кстати, что ты узнал от нее?

— Да кое-что, — усмехнулся он. — Доринов что-то крутит, — продолжил он. — Он, кстати, нанял кого-то и отправил во Францию. По крайней мере я в это верю, потому что Доринов заикался про человечка во Франции. Я думал, что он цену себе набивает, но Римма тоже упоминала об этом.

— Узнай, кто и что сообщит Доринову, — требовательно проговорил абонент.

— Деньги получил, — говорил в телефон Заветов. — Спасибо. Продолжаю наблюдение, хотя, если честно, не вижу в этом необходимости. Клиент был у секретаря Доринова. Собственно, вкус у него есть, — кивнул Алексей. — Дамочка очень даже ничего. Я в смысле...

— Хватит, — усмехнулась Полина Андреевна. — Я знаю, что ты по своей сути донжуан. Или предпочитаешь, чтобы о тебе говорили как о Казанове?

— Я предпочитаю, чтобы про мои амурные дела вообще не говорили, — засмеялся Заветов. — Я хочу, собственно, уточнить кое-что. Насколько казалось мне, я выполнил все ваши задания и могу возвращаться. И вдруг вы...

— Я плачу тебе еще девять тысяч, — услышал он. — Но ты должен эти двое суток постоянно следить, с кем встречается Доринов. Тебе понятно?

— Разумеется, — кивнул Алексей. — Хорошо. Приступаю немедленно.

— На трое суток, как договорились, — улыбнулся подтянутый молодой мужчина в дубленке.

— Если что, звоните, молодой человек, — проговорила пожилая женщина в потертом зимнем пальто.

— Обязательно, — улыбнувшись, кивнул он. — А это вам к чаю. — Он вытащил из пакета коробку конфет и отдал женщине.

— Мне? — растерянно посмотрела она на него. — Спасибо, — опустив голову, с повлажневшими глазами поблагодарила она. И вышла. Он закрыл дверь.

— Видно, здорово приперло бабусю, — сказал мужчина. — И никто ей давно ничего не дарил. Так. — Он прошелся по однокомнатной квартире. Зашел в ванную комнату и попробовал открыть воду. — Все течет и чисто, — улыбнувшись, вышел. Взял пульт и, сунув в розетку вилку от телевизора, плюхнулся в старое кресло. — Показывает, — переключая каналы, отметил он. — Пять каналов, хрен с ним. — Выключил телевизор. — Надо ванну принять. Пиво есть, и коньячку немного. Встречу перенесу в последний момент, — решил он. — Береженого, как говорила бабушка, бог бережет.

— Куда же вы, уважаемый, — вздохнул Алексей. Завел машину и тронулся с места. — Дядя очень богатый, — пробормотал он. — Охраны две машины. Что же за дела у вас, уважаемый? — усмехнулся он. — И странно, что Параконова обратилась ко мне. Хотя ей посоветовал Дудин, я ему племянницу нашел и его жену с хахалем вычислил. Узнать бы, чем конкретно интересует Параконову Доринов, и может, и я бы там кусочек отхватил.

Выселки

— А у тебя тут хорошо, — прикурив, кивнул Белов.
— А то, — довольно отозвался Казаков. — Только вот денежные вопросы, мать их, — чертыхнулся он и жадно затянулся.
— Кредит, это серьезно, — кивнул Бурин. — И что думаешь делать?
— Хрен его знает, — отмахнулся Илья. — Выкручусь как-нибудь. Собственно, если бы не эти ду́хи, мать их. — Он снова затянулся. Белов покачал головой.
— А может, все-таки не менты?
— А кто еще-то? — огрызнулся Илья. — Точно они. Точнее, тот, кто обыскивал. Поймаю, зарою суку, — кивнул он. — Я его морду хорошо запомнил. Подопрет, я его найду, — пообещал он. — Знаешь, старлей, — вздохнув, признался он, — я сейчас на что хошь готов. Если бы предложили кого-то убить за пятьсот тысяч, не задумываясь бы согласился. Ну, прикинь, — продолжал он. — Машины есть, а мы с соседями ездим, те берут немного, ну вро-

де как на бензин. Короче, не знаю, что делать. Хоть, блин, банк на ура бери.

— А сможешь? — спросил Белов.

— Запросто, — кивнул Илья. — Я тут приглядел один. Небольшой, но наверняка тысяч пятьсот-то взять можно. А нет, еще один. У меня же...

— Да понятно все, — кивнул Белов. — Но это же преступление, — усмехнулся он. — И запросто могут и повязать.

— Я все понимаю, — перебил его Илья. — Но устал я бояться. Пацан у меня приболел. Вроде ничего серьезного, простыл, но его одевать-обувать на лето надо... Зине обещал кожаный плащ купить и сапожки новые. А теперь, похоже, продавать все придется.

— Ты, может, такой удалой, пока подшофе, — усмехнулся Белов. — В общем, надеюсь, завтра ты подтвердишь свое желание стать Робин Гудом. — Поднялся. Посмотрел в звездное небо. — Благодать, — засмеялся он. — Если дело выгорит, куплю себе домик в деревушке на берегу реки и буду жить-поживать. Женюсь на какой-нибудь крестьяночке, и родит она мне двоих сыновей, продолжателей рода Беловых, и дочь красавицу.

— Вот это да, — округлил глаза Вениамин. — Да не может быть такого! Ты серьезно или...

— А чего мне врать-то, — усмехнулся примерно его возраста русоволосый парень. — Дед так и говорил. Мол, с давних времен...

— Быть не может, — прошептал Вениамин. — А где твой дед живет? — спросил он.

— Перебрал ты сегодня, — укоризненно сказала Татьяна.

— Есть маленько, — засмеялся Никита. — Просто давненько с нормальными мужиками не сидел. А тебе старлей цветы преподнес. Вот что значит русский офицер, — подмигнул он жене.

— Ну, он просто, — начала она, — как...

— Да правильно он сделал, — обнял ее Никита. — Мне лично по кайфу. Молоток мужик. Правда, в зонах погонников со звездочками не жалуют, но мне он понравился как человек. А чего Венька-то рано так ушел? — опомнился он. — Где он...

— Да Сашка Решин приехал, — перебила его Таня. — А они же друзья, вот и...

— Понятно, — кивнул Никита. — Перебрал я, это точно. — Он сел на кровать. — Коньячок, кстати, не фуфло, — улыбнулся он. — Молодец старлей. Правда, он себе на уме, — вспомнил Орлов. — О себе не заикнулся даже. А приятель его, прапор, как и Илья, тоже нормальный мужик. Его с работы вышибли, он в армию снова хочет. С этим кризисом преступность подрастет крепенько, — заявил он. — Сколько мужиков, даже не думавших о том, чтоб где-то что-то хапнуть, пойдут на дело, — подмигнул он жене. — Вот почему в деревне и ништяк. Здесь этого как-то не чувствуется. Ну, пьянь, она везде пьянь, но не город, где выйдешь на улицу и запросто можешь по черепушке кирпичом получить. Или кулаком, — усмехнулся он. — Сейчас по телику слышишь, тот, чемпион по борьбе, тот, мастер по боксу, а другой в каратэ не балуй. Молодежь груши колотит, мускулы качает, кто дома, кто в секции ходит. Хотя и таких пентюхов, как Венька, тоже хватает. Компьютерщики хреновы. Впрочем, бывает, и миллионы с банков стригут без всякого гоп-стопа, — зевнул. — Может, и Венька такую хреновину готовит, — подмигнул Никита жене.

— Да ну тебя, — рассердилась та. — У тебя одно на уме. Пойдем спать.

— Значит, договорились, — пожав руку парню, кивнул Вениамин. — Только не говори никому, а то потом...

— Не скажу, — твердо ответил тот. — А ты почему так заинтересовался этим? Думаешь...

— Все потом, Сашка, — остановил его Веня.

— Венька! — раздался сердитый голос Татьяны. — Сколько говорить, дверь закрывай. Не лето, чай.

Волчье (Красноярский край, рядом с Северо-Енисейском)

— Етишкин кот, — откашлявшись, вздохнул седобородый, невысокий пожилой мужчина. — Что-то совсем хворь напала. И не помогает ничего. Понятное дело, в баньке бы попариться — все бы как рукой сняло, но голова не та стала, — проговорил он. — Малость парку, и в глазах темнеет. Весной в том году даже вынесли из парной. Совсем старый стал ты, Савелий. Совсем сдал. — Он кряхтя спустился с лежанки русской печки. — Хорошо, Женька ступеньки сделал с перилами, — проворчал он. — А то бы грохнулся давно. Держусь вроде, так ничего, потихоньку спускаюсь. Вот, етишкин кот, дожил Савелий Федотыч, — усмехнулся он и, подойдя к стулу, сел. Поежился. — Печь бы протопить, да дров нет, а притащить не смогу. Ну, думаю, до завтра не задрогну, — вздохнул старик.

— Что-то у Медведева дым из трубы не идет, — глядя в окно, проворчал невысокий старик. — Совсем его Женька с Натальей забросили. Летом так, почитай, каждый выходной наезжали. А зимой, так и не видать, — сплюнув, пробормотал он. — А ведь он для них с Аленой, почитай, только и жил. И мясом, и шкурами им подсоблял. И сами были как бояре одеты, и торговали. Сейчас же никому на хрен старый не нужен, — сокрушенно проговорил он. — Сходил бы, Дмитрий, посмотрел, как там Федотыч. — Он посмотрел на сидевшего с газетой крепкого молодого мужчину.

— Да ну, чего я пойду, — отмахнулся тот. — А если дед крякнул? Меня еще и загребут.

219

— Да что за народ такой пошел? — рассердился старик. — Чужая беда никого не трогает. Вот ты ответь мне, умник. Ежели человек зимой, в метель лютую, будет на дороге валяться, ты остановишь свой вездеход или нет?

— А чего он там валяется? — усмехнулся Дмитрий. Мои знакомые не будут...

— Что ты, папа, к нему пристал? — недовольно спросила молодая крепкая женщина с короткой стрижкой. — Тебе все не так. Если мешаем, так скажи. Мы ведь...

— А ты еще бы наголо постриглась, — осуждающе проговорил он. — Ведь какие волосы были, а сейчас глядеть и то тошно, — сплюнув, он ушел в комнату.

— Иван Демьянович, — громко, вслед ему проговорил Дмитрий, — зря вы так с нами. Что там у соседа делается, мне все равно. А вот вы на нас напрасно наезжаете...

— Закрой ты свой рот, — раздался голос старика, — а то надоел порядком. В вас уже ничего человеческого нет, — сердито продолжил он. — Вон, наша фельдшерица, даром, что молодая, но ко всем внимание проявляет. А ведь не уродина какая или там головой тронутая. Профессию себе выбрала людям нужную. Вот на таких и равняться надо. А ты, Верка, кем стала-то? Ведь учительницей хотела стать, так нет, — осуждающе проговорил он. — В модели подалась, жопой голой крутить. На весь белый свет опозорила. Глаза бы тебя мои не видели.

— Не обращай внимания, — прошептала Вера. — Он уже из ума выживает.

— Да сколько еще терпеть-то, — прошептал в ответ тот. — Надоело порядком выслушивать, какие мы плохие. Если бы не земля его да меха и деньги, давно бы плюнул и уехал.

— Надеюсь, недолго осталось, — усмехнулась Вера.

— Ну, кого там еще принесло? — проворчал, с трудом поднимаясь, Савелий Федотыч. — Кому чего надо?

— Здравствуйте, Савелий Федотович, — стряхнув снег с дубленки и меховых сапожек, проговорила мо-

220

лодая симпатичная женщина. — Это я к вам пришла. Сейчас холодно, а под утро под сорок обещали. Я дров вам принесла и печь растоплю. Подкладывать сами ведь сможете?

— Спасибочки тебе, милая, — вздохнул он. — Холодновато стало. А у меня, как назло, спину прихватило. Думал, сходить за дровами-то, но не могу, чую.

— А вода у вас есть? — спросила женщина.

— Так снег таю, — признался он. — До колонки-то и не дойду. А просить, так некого, да и не могу я просить, — смущенно проговорил он. — Стыдно...

— Понятно, — кивнула она. — И не ели ничего. Сейчас, — пообещала она, — я быстро, — и вышла.

— Вот те бабушка и Юрьев день, — пробормотал он. — Вот уж кого не ждал. А на кой я ей нужен-то, — покачал он головой. — Я ж, етишкин кот, даже имени ее не знаю. Врачиха Сиротина, и все тут. Помереть скорей бы, — опустил он голову.

Красноярск

— Здорово, сестренка, — усмехнулся бритоголовый атлет. — С какого бодуна ты вдруг нарисовалась? Или твой Мишка снова?..

— Нет его, — ответила крепкая симпатичная длинноволосая брюнетка. — Он уехал по делам. И...

— Тормози, — попросил ее брат. — Как уехал? Куда это он намылился? Я думал, ты приехала...

— Михаил делом занимается. Собственно, и я приехала из-за этого. Ты отца давно видел?

— Мы были с тобой у него в сентябре и больше я не ездил. Звонил неделю назад, живой вроде. А что? — спросил он. — На кой хрен ты его вдруг вспомнила?

— Просто проведать надо, — со значением улыбнулась она. — Все-таки...

— Да не пудри ты мне мозги, Наташка, — усмехнулся и он. — Ты просто так и муху не прибьешь, а тут из Питера прикатила. С чего это вдруг в тебе любовь дочерняя проснулась?

— Не знаю, — задумчиво сказала Наташа. — Наверное, умрет скоро отец, вот и потянуло. Все-таки родная кровь.

— Не вешай лапшу на уши, — рассмеялся он. — Ты просто так хрен...

— А с чего бы вдруг он мне так нужен стал? — спросила она. — Не дури, Женька. Неспокойно на душе. Как туда добраться сейчас можно?

— Вертушкой, — ответил он. — И то, если сможешь договориться. Но стоить это будет... дорого.

— А есть с кем договариваться? — спросила Наташа.

— Конечно, есть, — кивнул он. — А чего это ты вдруг так загорелась отца увидать? — непонимающе спросил он. — Ведь ты всегда...

— Хватит меня допрашивать, Женька, — сердито перебила его сестра.

«Что-то ты темнишь, — подумал он. — Сто пудов даю, темнишь, сеструха».

— Ты сведешь меня с тем, кто может меня доставить к отцу? — спросила Наташа.

— Завтра перетрем, — пообещал он. — А ты приемыша видела? — спросил он.

— Да зачем он мне нужен, — усмехнулась Наташа. — А почему ты спрашиваешь?

— Так у отца сын Павла был, — ответил Евгений, — Сашка. Перед Новым годом привез его Павел. Сам по делам куда-то ездил, а сына к отцу отвозил. Вертолет был вроде как на ремонте. И там парень жил около месяца.

— Интересно, зачем он туда летал? — спросила Наташа.

— Да я же тебе говорю, сына отвозил, — немного раздраженно напомнил Евгений.

— А сам был там? — спросила она.

— День пробыл и улетел, — непонимающе ответил он. — Да чего ты, блин, докопалась до Пашки с сыном. Ты мне...

— Ладно, — перебила его она. — Просто есть возможность заработать неплохие деньги. Медвежий жир нужен. И меха можно хорошо сдать. В общем, договорись с вертолетчиком, а я тебе потом пять процентов от прибыли дам.

— Кинешь, сестренка, — усмехнулся Евгений.

— Не кину, — заверила его она. — Просто ты не показывайся там. На тебя отец злой. И поймет, что...

— Хорошо, — пообещал Евгений, — договорюсь. Но, может, пооткровенничаем? — предложил он. — Что-то мне не особо верится в...

— А зачем мне тебя обманывать? — усмехнулась и сестра. — Можешь полететь со мной, но, боюсь, будешь только мешать. Отец...

— Да и ты у него не в почете, — засмеялся он. — Только что живешь в Питере, устроилась ты, сестренка, — покачал он головой. — А может, и меня там пристроишь? Я на все готов, чтоб пожить в центре по-человечески. Сейчас и тут, конечно...

— Тогда делай, как я говорю, — перебила его сестра. — И все в твоей жизни устроится. Звони своему знакомому, — напомнила она. — Но мне надо не до Северо-Енисейска, а до самого Волчьего. Заплачу, сколько он скажет.

«Что-то ты темнишь, сестренка, — усмехнулся Евгений. — Но я выясню, чего ты задумала. Обязательно все выясню».

Волчье

— Спасибо тебе, милая, — грея руки перед печной дверцей, вздохнул Савелий Федотович. — А то бы точно замерз. И укол ты сделала, дышать полегче стало. А ты откуда есть-то? — спросил он. — И чья будешь?

223

— Детдомовская я, — грустно улыбнулась женщина, мешавшая что-то в двух кастрюлях попеременно. — Не помню ни папы, ни мамы. Маленькой попала в детский дом. Закончила училище, а сейчас, сами знаете, как с работой. Многие врачи с дипломами сидят без работы или на рынке торгуют. А тут предложили фельдшером в Новое. Ну, и еще три поселка обслуживать и ваш заодно. Я и согласилась. И не жалею, — улыбнулась она. — Здесь и народ лучше, чем в городе, и как-то дышится вольнее.

— Народ сейчас не тот, что был, — вздохнул Медведев. — Вот вымрут мои годки, и все, — кивнул он. — Кончится сибирское гостеприимство. Сейчас уже, хрен, дверь ночью откроют, а раньше вообще не запиралась. Даже когда СССР был, примут, если помощь нужна, и накормят, и напоят. А сейчас. — Савелий Федотович махнул рукой. — А ты, милая, извини, понятное дело, — смущенно проговорил он, — но как звать-то тебя? Фамилию знают все. Сиротина, а по имени...

— Женя меня зовут, — вздохнула Сиротина. — Нашел меня маленькую милиционер какой-то, Евгений, а по фамилии Зайцев. Вот меня и сделали Евгения Евгеньевна Сиротина. Ну, я пойду, наверное, — попробовав суп, проговорила она. — Вы поешьте. Тут суп и картошка с мясом. Я завтра приду, — пообещала она.

— Да куда ж ты пойдешь-то? — вздохнул Медведев. — У тебя хибарка не протапливается, печка разрушенная. Вот что, Женя, — кивнул он, — жить у меня будешь. И присмотришь за мной, и тебе лучше. И давай без всяких там не могу, неудобно и так далее. Я...

— Но ведь действительно неудобно, — смущенно улыбнулась Женя.

— Неудобно штаны через голову снимать, — проворчал он. — Я тебя к себе сиделкой беру. Понятно или нет?

— Понятно, — весело засмеялась Евгения. — Но у меня вещи в амбулатории. Я там ночую, — смущенно проговорила она. — Теплее, да и...

— Завтра принесешь свое барахло, — перебил ее Медведев. — А мне и спокойней, и веселее будет. А то я ж один уж сколько годков. Получается, как-то не по-людски, — проговорил он. — Мы с Аленой двоих на свет произвели. Сына и дочь. Год разница, — вздохнул он. — Вроде как нормальные люди были. Мы в радости жили и видели свою старость спокойной и сытой. Дети не оставят, мол. А тут еще одного судьба подкинула, — продолжал он. — У меня сестра была, двоюродная. У нее сын родился, Пашка. А Пелагею с мужем медведь порвал. Ну, и оставили мы Пашку у себя. Дети подросли, понятное дело, разлетелись кто куда. Наташка моя вместе с дочерью соседа Ивана Добрина, приятеля моего, в педагогический учиться пошли. Но тут... — Он махнул рукой. — В общем, моя дочь Наталья проституткой стала. Вот и...

— Как проституткой? — удивленно перебила его Женя. — Ведь, говорят, она в модельном бизнесе работает.

— Как раз там и работает, — кивнул Савелий Федотович. — Голой задницей крутит, етишкин кот, — сплюнул он. — Сейчас, правда, не сама, а девчонок молодых заставляет. И муж у нее, точнее хахаль...

— Савелий Федотович, — засмеялась Евгения.

— Извини старика, — вздохнул он. — Ну, вообще не муж он ей и она ему не жена, но живут совместно. Как прежде говорили, примак он ей, а могло быть, она ему просто... — остановившись, махнул рукой. — Вот, етишкин кот, — проворчал старик. — Ведь всю жизнь так говорю, а сейчас вроде как стесняюсь. В общем, ты меня верно поняла. И ты у меня жить будешь, Женька, — кивнул он. — И не обсуждается мое слово. Так что вон там твоя комната будет, — махнул он рукой налево. — Дом большой и не старый еще, — продолжал он. — Туалет в доме, ванная имеется. Но там как-то надо включать, электропечка, кажется, воду греет. Но я баню любил. А не мылся уже, почитай, месяца полтора, — вздохнул он. — Только харю ополаскивал и ноги мыл. Там вон кучка носков, —

смущенно посмотрел он в сторону двери в ванную. — В общем, живи у меня. Плохо мне одному, — опустив голову, негромко проговорил он.

— Конечно, буду жить у вас, — стараясь подбодрить старика, весело проговорила она. — А сейчас давайте поужинаем. Я есть очень хочу, — улыбнулась Евгения.

Москва

— Господи, — вздохнула Лида. — Конечно, об этом даже подумать никто не мог. Хотя, — она потянулась и, смущенно улыбнувшись, оглянулась. Но сидевшие в зале люди были заняты своим, кто-то читал и делал пометки, другие листали журналы. — Хотя это мое предположение, — прошептала Лида. — Но мне оно кажется абсолютно верным. Не может быть таких совпадений.

«А может, он действительно дает бессмертие?» — разглядывая алмаз в бархатной коробочке, думал Зудин. — Может, мне тоже простуду вылечит? — чихнув, предположил. — За те деньги, которые за него предлагают, можно вылечить, пожалуй, все, что угодно, и еще останется. Хотя чушь, наверное, про бессмертие-то. И что-то не помогает он мне, камушек этот. Может, солнце нужно? — Он посмотрел на заледеневшее окно. Положил алмаз в коробочку и закрыл ее. Вздохнул. Вытащил из коробки сигару. Отрезав кончик, сунул ее в рот и щелкнул зажигалкой. Не прикурив, положил сигару обратно. — Кажется, зря я в это дело влез, — прошептал Вадим Константинович. — Трачу деньги, нажил врагов, потерял сына. Сын, — прищурился он, — Антон приехал ради камня. Он был в Германии, — вспомнил он. — Вернулся из Африки и остановился в Германии. Не хотел приезжать, а тут заявился. Стоп, — кивнул он. — Иволгин был в Турции и говорил, что встретил там знакомого Антона. Черт. Наверняка поведал о Монголии, и Антон приехал. Стоп, — снова буркнул он. — А ведь он сразу начал говорить про камень и столько наговорил, что я и то не знал. Получается, Антон на кого-то работал. Понятно, — покачал он головой. Нажал кнопку внутренней связи.

— Слушаю, Вадим Константинович, — сразу отозвалась Рената.

— Срочно Иволгина ко мне, — требовательно проговорил он. — И зайди ко мне. — Он отключил связь. — Похоже, сынок, нам с тобой поговорить надо, — пробормотал он.

— Погоди, — непонимающе говорил в телефон Тарасюк. — Я что-то не пойму, при каких тут твой батя? Ты, собственно, где есть-то? — недовольно спросил он. — Я жду...

— Я навещу папу, — услышал он насмешливый голос Наташи.

— Какого папу?! — заорал он. — Ведь ты должна была у знакомого отца...

— Да все я купила, — услышал он. — И отправила. Я успею прилететь и товар встречу. Просто вот что я узнала, — торопливо проговорила она. — Мне дядя Степан кое-что рассказал про... Да скоро вернусь, — весело продолжила она. — Мишка это, — услышал он. — Беспокоится.

— Дай-ка поздороваюсь, — услышал он голос Евгения.

— Миша, с тобой братик поговорить хочет.

«Что там еще за секреты?» — подумал он.

— Миха, ты? — раздался в трубке веселый голос.

— Нет, Тарасюк, — возразила Лида. — Что-то ты, как всегда, не договариваешь. А я умница, — улыбнулась Лидия. — Вообще-то я Мишке благодарна за толчок. Я, кажется, нашла еще один камень. Съездить бы в Иран. Когда-то он назывался Персией. Я просто умница, — вздохнула Лида. — Но как Тарасюк узнал про все это? — удивленно прошептала она. — Обратился он ко мне, понятно почему. Я занималась этим. Хобби, — улыбнулась Лидия, переводчицы самоучки Лидии Николаевны Березиной. Ладно, — посмотрела она на часы, — поеду домой. Приму душ и за компьютер.

— Как он, доктор? — спросил Фантом. — Транспортировку выдержит?

— У него переломы, — пересчитывая деньги, проговорил врач. — Ну и на морде царапины и ссадины. На лбу...

— В общем, его можно увозить, — кивнул Фантом. — Берем господина, — усмехнувшись, кивнул он четырем парням. — И поаккуратнее с раненым, — подмигнул он врачу.

— Да ничего такого не было, — рассказывал Иволгин. — Видел я там Лубина. Говорили с ним. Вспоминали Антона. Но неужели вы думаете, я бы сказал о камне? — Он качнул головой. — Плохо же вы про меня думаете, Вадим Константинович. Скорее всего ваш сын связан с немцами, которые послали Койота. Сам Отто не мог сказать фрицам про это. Койот решил за одно и то же получить дважды. Нас бы он кинул, а немцам...

— А это похоже на правду, — пробормотал Зудин.

— Подъезжают, Вадим Константинович, — сказала приоткрывшая дверь Рената. — Куда...

— Пусть в гараже оставят, — кивнул он. — Мне надо задать сынку пару вопросов. — Он потер лоб. — А где Профессор? — вспомнил он.

— Уехал утром, — ответила Ромова. — По дороге его застрелили и ограбили, машина угнали, а труп уже обнаружили.

— Понятно, — усмехнулся Зудин. — Приготовь мне кофе с коньяком, — попросил он. — Как ты это умеешь. Аверичев не звонил?

— Нет, — покачала она головой. — Если бы он...

— Кофе в гараж, — поднялся с кресла Зудин.

— Чего ты хочешь, Фантом? — простонал Антон.

— Да я-то ничего, — ответил тот. — Отец с тобой побазарить желает. А ты мне, собственно, на хрен не нужен. Но если решит папаня твой, что ты свое отжил, грохну я тебя, — засмеялся он. — Но не сразу. Помучаешься, Антон Вадимович.

— Где он? — раздался голос вошедшего в гараж Вадима Константиновича.

— Тут, — кивнул на лежавшего на полу Антона Фантом. Вадим Константинович подошел к сыну. У того были перевязаны голова, левая нога и правая рука в гипсе. Присел на корточки.

— Кому ты в Германии говорил обо мне? — спросил он.

— Да ты что, отец? — промычал сын. — Я...

— Ты дважды звонил в Германию, — перебил его отец. — Кому?

— И это узнал, — закрыв глаза, прошептал сын. — Отошли своих псов, тогда и поговорим, — морщась, проговорил он.

— Он ваш, — кивнул Фантому Вадим Константинович.

— Отец, — застонал Антон, — я скажу все. Да, — выдохнул он, — я работал на одного немца, он генерал бывший. Он меня и попросил поехать к тебе и узнать про алмаз. Но я, когда узнал, что камень у тебя, ничего не сказал немцам.

— Имя немца? — спросил отец.

— Вилли Гейдрих, — ответил сын. — Живет в Бонне. Он послал своего человека в Монголию. Там нашли камень и...

— Вилли Гейдрих, — покачал головой Зудин. — Значит, вот кто послал Койота. Извини, — повернувшись, посмотрел он на Иволгина. — Я думал...

— Бывает, Вадим Константинович, — усмехнулся тот. — А этот сучонок, значит, отца родного продал.

— Я ничего не говорил Гейдриху, — простонал Антон. — Я...

— Запиши на магнитофон все, что он скажет, — кивнул Фантому Зудин. — А он должен рассказать все, начиная со знакомства с Гейдрихом, и что он делал в Африке по поручению, точнее, по найму этого фашиста.

— Понял, шеф, — кивнул Фантин. — Все сделаю и все узнаю. А потом его...

— Я решу, как с ним быть, — перебил его Вадим Константинович. — И не бить. Он должен рассказать все сам.

— Его привезли, — говорила в сотовый Рената, — и оставили в гараже. Даже в комнату для гостей не...

— И что это значит? — перебил ее Аверичев.

— Убьют, — вздохнула она. — Из гаража только трупы вывозят.

— Понятно, — услышала она. — А как узнать, о чем они там говорили? Ну, подслушать или еще как-то. Может...

— Я узнаю, — пообещала она. — Кто-то идет, — услышала она шаги и отключила телефон.

— Значит, Зудин-старик что-то заподозрил, — усмехнулся Аверичев. — Жаль, я ничего конкретно не узнал. Антон что-то говорил про Германию. Про нанимателя, у которого дочь-волчица. Погоди, Костя, — задумался он. — А не Адмирал ли нанял его? Точно, — усмехнулся Константин. — Гейдрих. Его дочь Берта, змея гремучая в женском обличье. Точно. Черный Капитан, — пробормотал он. — Джоуш Бернади. Точно, — кивнул он. — Черный Капитан что-то про эти камни бессмертия говорил. Ле-

230

генду рассказывал о семи камнях бессмертия. Перс какой-то нашел в реке бессмертия осколки и выложил из них фигуру, которая дает бессмертие. Точно, — кивнул он. — Рената, милая, — прошептал он, — узнай хоть что-нибудь, и моя благодарность будет безгранична. Только дай мне хоть за что-то зацепиться. Один такой камушек стоит кучу бабок. Стоит найти один, и ты в шоколаде на всю жизнь. — Вздохнул. — Узнай и скажи мне, что у Вадика есть камень, — прошептал он. — И я женюсь на тебе. И буду верным тебе.

— Значит, забрали, — усмехнулся Федор Дятин. — И кто? — поинтересовался он. — Ну, я имею в виду, точно отец?

— Он, — кивнул врач. — Прислал своих людей.

— Жаль, — вздохнул Федор Васильевич. — А братик мой даже этого не знает. Мент, — усмехнулся Федор. — А давно забрали?

— Да часа полтора назад, — ответил врач.

«Значит, просто не успел узнать, — подумал Федор. — Вот я идиот, — вздохнул он. — Думал, подполковник поможет, а он гнида».

— Что-нибудь еще? — спросил врач.

— Спасибо, я узнал все, что хотел, — кивнул Дятин. Повернувшись, он шагнул было к выходу, но вернулся, сунул врачу сто долларов и вышел.

— Побольше бы таких родственников у больных было, — усмехнулся врач.

— Я в Москве, — говорил в сотовый Сергей. — Как дела у тебя?

— Скучаю, — вздохнув, проговорила Лида. — Пока я тебя не вижу, могу это сказать. Я люблю тебя, Белов. Приедешь ты или нет, я не знаю, но я должна сказать это. Я люблю тебя, Белов, — повторила она. Улыбнулась. — Почему ты молчишь? — спросила Лида.

— Не знаю, что ответить, — услышала она голос Сергея. — Хотя могу сказать вот что. Ну, в общем. — Он кашлянул. — Ты хороший человек, Лидка, женщина, что надо. Просто я не готов к чему-то серьезному. Я не живу, как все. Ну в общем, я...

— Ничего не говори! — воскликнула Лида. — Если сможешь, приезжай, и все скажешь мне, глядя в глаза. Я знаю, что ты не будешь со мной и что я не нужна...

— Хрен ты угадала, — неожиданно грубовато перебил ее Сергей. — Это, — тут же торопливо начал он. — Извини, Лида, просто...

— А ты знаешь, — весело рассмеялась она, — приятнее я ничего, пожалуй, в своей жизни не слышала. Ты когда приедешь?

Выселки. Ярославская область

— Вот она, жизнь, — пробормотал Сергей. — Пошлешь женщину...

— Старлей, — заглянул в комнату Илья, — обедать иди. Ну и разумеется, по сто пятьдесят выпьем. Пошли.

— Пошли, — улыбнулся Белов. — Слышь, Илья, — остановил он приятеля, — а ты как живешь? Ну, если честно, не жалеешь, что женился?

— Неа, — ответил Казаков. — Конечно, поначалу както немного не по себе было, — признался он. — Ну, не то чтоб хреново, просто ответственность какая-то появилась. А я, собственно, и забыл, как на гражданке-то живется. Ну и, понятное дело, теща, — усмехнулся Илья. — Да уж, и за другими девками не побегаешь. Зинка про это молчала, — вздохнул он. — Сам всё понимал. А когда Андрюшка, сын, появился, счастливее меня, наверное, и не было никого, — засмеялся Илья. — А ты что, старлей, никак жениться надумал?

— Да я понял, каково с женой во время кризиса, — проговорил входивший Бурин. — Меня на хрен послала, как только уволили. Может, и сам виноват. Ее папаша к себе звал. В охрану. Но я на дыбы встал. Я Родине служил, а теперь олигарха охранять буду. Не для того меня государство...

— Понятно, — рассмеялся Сергей. — А что же ты жену себе с таким папой нашел? Неужели...

— Думал, любовь, — вздохнул Александр. — А оказывается, не было любви. Она и замуж за меня вышла, чтобы только у ребенка отец был. Ну, и думала, я под ее каблук попаду. А я любил, — признался Александр. — Хотя ее отца на дух не переносил. Он что-то вроде мафиози. Его парни в основном партнеров по бизнесу уговаривают. Но бизнес вроде успешный. Он занимается строительством. Гастарбайтеры у него в основном работают. Я как-то раз видел, как с ними рассчитываются. И понял, что лучше держаться от такого родственника подальше. А у него...

— Я тоже женщину встретил, — вздохнул Белов. — О такой, собственно, и мечтал. Умная, красивая, понимающая. Был бы в армии, женился. Знаете, мужики, если еще и есть декабристки, то это она, — уверенно заявил Белов. — Она бы со мной в любую глушь поехала. Для такой главное, чтобы рядом был мужчина, который ее любит. А я... — Он махнул рукой и закурил. Опомнившись, потушил сигарету.

— Да кури, — усмехнулся Илья. — Окно откроем, выветрится. Когда Андрюшки дома нет, я курю. Так что не стесняйтесь. — Он взял из пачки Сергея сигарету. — Мой тебе совет, старлей, — прикурив, начал он, — ты...

— Идите обедать! — услышали они громкий сердитый голос Зины. — А то остынет все.

— Как мне такой зов нравится, — подмигнул друзьям Илья, — прямо выразить не могу. И Зинка моя просто объедение.

— Это точно, — в один голос поддержали его Белов и Бурин.

— Черт бы тебя подрал, — нервно говорил, расхаживая по кабинету, Доринов. — Он, видите ли, занят. Я тебя в порошок сотру, щенок. Римма, — заорал он, — мне никто не звонил?

— Если есть звонок, я вам сразу же сообщаю, — зашла в комнату Римма. — И не понимаю ваших...

— Ну ладно, — вздохнул Доринов. — Извини. Просто должны позвонить, но, увы, не звонят, — процедил он.

— Как только позвонит кто-нибудь, я всегда сообщаю вам сразу, — обидчиво напомнила она. — И даже когда звонят на сотовый ночью, я даю знать.

— Ну хватит тебе, — остановил ее он. — Просто странно как-то. Прилетел, позвонил, назначил встречу и пропал. Точнее, перезвонил дважды, мол, пока не могу. Приболел. Странно все это, однако.

— Может, действительно приболел, — несмело предположила она.

— Дай-то бог, если так, — вздохнул Доринов.

— Надоел ты мне до смерти, — проворчал Алексей. — Катаешься без толку. Может, сообщить твоей женушке, что у тебя как минимум две любовницы? — усмехнулся он. — И к секретарю ты неравнодушен. Ты гляди: зима на дворе. А этот тип на «мустанге» с открытым верхом, — качнув головой, поежился. — Менингит обеспечен. Застудишь и мозги, конечно, при условии, что они у тебя есть. Артур Кадич, — кивнул он. — Я думал, ты Полине нужен, а оказывается, за Полиной кто-то стоит. Но если я почувствую, что за всем этим криминал, я сразу прекращу связь с госпожой Параконовой. Сразу же, — кивнул он. — Мне криминал не нужен. Куда вы сейчас, господин Доринов? — тронул он машину. — Я просто поражаюсь вашей охране, сударь, — усмехнулся он. — Неужели они не заметили хвост? Хотя я рад этому, — засмеялся Заветов.

— Если и в этот раз ты не появишься, — процедил сидевший на заднем сиденье «мерседеса» Доринов, — ты пожалеешь об этом. Но объяснить, почему ты дважды не приехал на встречу, которую сам назначал, тебе придется.

Мужчина в дубленке сделал глоток кофе и обвел взглядом кафе.

— Ты, понятное дело, в ярости, и потребуешь объяснений. А может, и нет, — улыбнулся он. — Информация есть, но ничего существенного. — Увидел вошедшего в бар крепкого мужчину в кожаной куртке и белой вязаной шапочке. — Отличительная примета охраны Доринова, — улыбнулся мужчина, — белые шапочки и белые шарфы. А вот и господин Доринов.

Войдя в кафе, Доринов скользнул взглядом по немногочисленным посетителям. Увидел мужчину, сидевшего в углу справа от входа, и быстро пошел к нему. За ним шли двое, еще двое остановились у входа.

— Молодой человек, — явно раздраженно начал Доринов, — может, вы объясните свое возмутительное поведение? Я...

— Вы присядьте, уважаемый, — усмехнулся мужчина. — По поводу двух несостоявшихся встреч отвечу вот что. Мне кажется, за мной следили. Кстати, у мадам Леберти работают профессионалы. Меня вычислили. Именно поэтому я дважды переносил нашу встречу. Кстати, буду честен, — улыбнулся он, — проверял и ваше окружение. Надеюсь, вам известно, что в России как минимум двое пытаются обрести бессмертие с помощью камней. Подробный отчет здесь. — Он легонько коснулся пальцами лежавшей на столике папки. — Я выяснил точно только одно. У мадам Леберти такой алмаз есть. И в свете последних событий она увеличила охрану, и кроме того, ра-

235

ботают наблюдатели со стороны. Меня заметили, и я был вынужден исчезнуть.

— Молодец, Дубовский, — вздохнул Доринов. — Поехали ко мне, — предложил он. — Там все пояснишь и получишь расчет.

— Мамма миа, — удивленно пробормотал смотревший в бинокль Заветов. — Чего не ждали, того не ждали. Но я очень надеюсь, что узнаю все подробно. Но это довольно неожиданно. — Положив бинокль, взял фотоаппарат. — На выходе надо тоже заснять. Но чего не ожидал, того не ожидал. — Он приготовил фотоаппарат к съемке. — А почему Полина меня оставила тут? — опомнился он. — Неужели из-за появления этого типа? — усмехнулся Алексей.

Бонн. ФРГ

— Значит, не вышел на него? — недовольно спросила Берта.

— Нет, — виновато отозвался мужской голос. — Он оказался хитрее, — признал он. — Мы перебрали всех, кто вернулся в Россию...

— Большой объем бесполезной работы, — усмехнулась она. — Возвращайтесь. И считайте, это была оплаченная экскурсия в Россию. — Она отключила телефон. — Ну, почему все так плохо, — прошептала Берта. — Койот жив, но захватить его не удалось. Почему так не везет? — вздохнула она. — Еще пара провалов, и я откажусь от поисков. Но Койота найду, чего бы мне это ни стоило, — прищурившись, зло проговорила она.

— Извините меня, — несмело начал Ганс. — Спасибо за то, что вернули меня. Я хотел вот что отметить. Зачем увлекаться поиском Отто? — Он пожал плечами. — Конечно, ради мести, я понимаю, но делу это уже не поможет. Тем более что захватить его живым не получится. Я думаю, что необходимо найти того человека, который имел с ним дело в Монголии. Мы этим не занимались, но это возможно, — робко закончил он.

— А он прав, — согласно проговорил Гейдрих. — Надо было заняться этим сразу. И как ты представляешь поиск этого русского? И кстати, почему именно русского? Это мог быть монгол или...

— Отто, как известно, сотрудничал с русскими, — несмело напомнил Ганс. — Но узнать, есть ли у него алмаз, мы так и не смогли. Есть предположения, но, увы, без доказательств. И именно поэтому нам нужно найти того, кто встречался в Монголии с Койотом. Мне кажется, дела обстоят вот как. Кто-то сумел убедить Койота продать камень ему, Койот не сразу согласился, и его пришлось уговаривать. И Койот решил сыграть. То есть он дал согласие на продажу алмаза, а сам решил захватить деньги, убив русского. Если бы дело выгорело, мы бы ничего не узнали об этом. Но, судя по всему, Койот изменил своему правилу «стреляй, а потом говори», — вздохнув, он посмотрел на Капута. — А русский, видимо, подстраховался, и именно поэтому Койот был ранен, а его люди убиты. Но также вполне возможно, что тот русский не отдал алмаз отцу Антона. — Он перевел взгляд на Вилли. — Но это может сказать только тот русский, который имел контакт с Отто. Я разработал эту версию, и претендентов трое. — Он робко взглянул на Берту.

— А ты умеешь работать, — поощрительно улыбнулась та.

— Продолжай, — требовательно бросил Гейдрих.

— Я проверил всех троих, — проговорил Ганс, — и пришел к выводу, что наиболее вероятный кандидат он. — Ганс выдвинул фотографию. — Ивлев Иван. Бывший морской пехотинец, старший лейтенант. Из армии ушел по ранению. Принимал участие в боевых действиях в Чечне. И именно в те дни его не было в Москве. Я сделал запрос в Монголию, ответ подтвердил мои предположения. Он не был в Монголии. Но своему сыну он подарил через три дня после произошедшего в Монголии кинжал пастуха. Кроме того, Ивлев работает на Зудина, — добавил он. — В данное время в Москве. Хотя живет...

— Молодец, Ульдрих, — улыбнулся Гейдрих. — Не ожидал от тебя таких умозаключений. А ты ничего подобного даже не предположил, — укоризненно посмотрел он на Штольке.

— Я разрабатываю Антона, — пояснил тот. — Кстати, его забрал из больницы отец. Хотя это...

— Значит, нужно ждать, когда Зудин-старший выйдет на нас, — усмехнулась Берта. — Антон все расскажет, если его прижмут. Он слабак, — презрительно сказала она.

— Если алмаз у Зудина, — заговорил Гейдрих, — то можно будет попробовать договориться. Разумеется, только на словах. Но первым выйти на нас должен он, — подчеркнул Гейдрих.

— Именно поэтому необходимо найти Ивлева, — несмело проговорил Ганс. — И еще, — вздохнул он. — Кадич звонил и говорил, что Доринов ждет кого-то из Франции.

— Из Франции? — удивленно переспросила Берта. — А как же твоя работа по вычислению...

— Значит, Доринов тоже что-то знает, — перебил ее дядя. — И вполне возможно, камушек находится у него.

— Алмаза у Доринова нет, — перебила его Берта. — Я в этом уверена. В конце концов он бы не ждал так Кадича и...

— Я хочу знать все о том, кто приехал к Доринову из Франции, — перебил ее дядя. — И кстати, почему решили, что из Франции?

— Так говорил Кадич, — проговорил Ганс. — Не мне, разумеется, он кому-то звонил в Москву и...

— Кому? — спросил Гейдрих.

— Неизвестно, — вздохнул Ганс. — Он звонил от секретаря Доринова, и мы слышали только запись разговора. Почему я уверен, что у Доринова алмаза нет? Потому что нам удалось установить записывающее...

— А почему мы вообще заинтересовались Дориновым? — перебил его Гейдрих.

— По просьбе Миллера, — ответила за Ганса Берта. — Он компаньон Миллера, и тот, опасаясь...

— Понятно, — кивнул Гейдрих. — Теперь вот еще вопрос. Почему мы решили, что Доринов будет заниматься поиском камней бессмертия?

— Благодаря Миллеру, — улыбнулась Берта. — Мы просто...

— Понятно, — кивнул Гейдрих. — Как дела у Брута?

— Не получается у него встреча с Джино, — сообщила Берта. — И Леден помочь не может. Собственно, я не думаю, что это нужно, — проговорила она. — Оуш нам сообщил бы, если бы Джино решил начать поиск. Точнее, тот решил под нажимом своей придурочной супруги, — усмехнулась она. — Я знаю Джину и...

— Вы в чем-то похожи, — вздохнул Гейдрих. — Но дело не в этом. Меня, собственно, интересует профессор Чейз. Он где сейчас?

— Кто из Чейзов? — уточнила Берта.

— Как это кто? — нахмурился Гейдрих.

— У профессора Роберта Чейза есть брат Томми Чейз, — ответила она. — В Чикаго имеет свою стоматологическую клинику. Но Томми только получает прибыль, всеми его делами занимается Марсело Магучиро. У профессора есть любовница. Томми авантюрист. Сам он имеет диплом доктора наук философии. Но, как говорят многие, это купленный диплом. По слухам, отношения между братьями просто ужасные.

— Томми старше или младше Роберта? — уточнил Гейдрих.

239

— Они двойняшки, — улыбнулась Берта. — Но ничего общего ни в облике, ни в характере. Насколько удалось выяснить мне через знакомых в Чикаго, Томми вполне может принять участие в поиске камней бессмертия. Но в бессмертие он не верит. Его интересует только материальная сторона вопроса.

— Понятно, — кивнул Гейдрих. — Но что нам делать с мадам Леберти? Может, попробовать как-то договориться с ней? — спросил он. — Например...

— Извините, Адмирал, — несмело заговорил Ганс, — но если бы у вас был один из камней, вы бы вступили с кем-то в переговоры?

— Вообще-то да, — усмехнулся Вилли. — А теперь вот что, — кивнул он. — Я хотел бы услышать мнение каждого из вас. Стоит нам продолжать заниматься этим или нет? Ответ должен быть честным.

— Я за то, чтобы искать, — высказалась Берта.

— Я тоже за, — кивнул Капут.

— Я присоединяюсь к мнению Берты и Штольке, — вздохнув, проговорил Ганс.

— Спасибо, что высказали свою точку зрения, — улыбнулся Адмирал. — А теперь новость. В Лондоне живет один человек. У него рак. И он пытался договориться с мадам Леберти. Но та даже разговаривать с ним не хочет. Эта информация попала ко мне совершенно случайно. Мой знакомый врач с хорошей репутацией был в Англии и встречался со своим приятелем. И тот поведал ему эту историю. Мол, этот больной готов отдать огромные деньги за какой-то камушек, а мне, похоже, он перестанет платить. Я узнал, кто этот больной, и выяснил, что он действительно пытался выйти на мадам Леберти. Я сумел найти человека из окружения мадам Леберти. Заправляет там всем...

— Этот человек Эндрю Фуш? — улыбнулась Берта.

— Именно он, — засмеялся дядя. — Кстати, на него я вышел опять-таки благодаря доктору больного англичанина. И вот что я хочу сказать, — кивнул он. — Семья Уильямс очень серьезные противники, — усмехнулся он. — И не склонны потакать капризу отца, то есть выкупать камень у мадам Леберти. Я знаю, что ты хочешь сказать, — улыбнулся он, кивнув Гансу. — Что это ее псевдоним как владелицы двух музеев. Ее... — и замолчал. Берта и Ричард переглянулись. — Музеев два, — пробормотал Гейдрих. — А мы, как и все остальные, знаем про один. А где второй?

— А почему ты говоришь, что музеев два? — спросила Берта.

— Мне так сказал доктор Стен, — ответил Гейдрих. — Он сказал, что музеев два. Так, — кивнул он Фишке. — Звони доктору и...

— Доктор Стен уехал в Испанию, — напомнил тот. — Действительно, — вспомнил тот. — Его телефон недоступен. Скорее всего он сейчас летит в самолете, а в последнее время на многих авиалиниях разговоры...

— Ладно, — вздохнул Гейдрих. — Вот что, — посмотрел он на Берту. — Сегодня же отправляйся во Францию. Там тебя встретят, — кивнул он. — Мой старый приятель. Он не совсем в курсе дел, но помочь согласился. Вопросов задавать не будет. В аэропорту позвонишь по этому номеру. — Он отдал ей визитку. — И тебя встретят. Спросят, как погода в Персии, — улыбнулся он. — Так ты узнаешь связного. Номер запомни, — кивнул он. — Ты, — посмотрел он на Капута, — едешь в Берлин. Узнаешь у Адольфа, выходил на него Койот или нет. И оставь наблюдение. Койот наверняка понял, что Адольф сдал его, и обязательно навестит того. А по времени Койот уже мог выбраться из Монголии. Его способности нам известны, — криво улыбнулся он. — Так же как то, что он мстителен. Это, пожалуй, его единственный недостаток, — усмехнулся он. Вытащил сигарету и, понюхав, сунул обратно в пачку. — Пытаюсь бросить курить, — пробормотал он. — Ты, — взглянул он на Фишке, — поедешь в Россию. Найдешь

241

Ивлева. Я правильно назвал фамилию? — посмотрел он на Ганса.

— Правильно, — кивнул тот. — Но будет лучше, если вы не станете искать его, — вздохнул он. — Тем более посылая людей. Ивлев сам явится к вам. Его дочь выезжает в Берлин, в клинику Марлеха. У нее болен ребенок и...

— Ты молодец, Ганс, — удивленно отметил Гейдрих. — И когда...

— Она приедет через двое суток, — ответил Ганс. Когда я вышел на Ивлева и узнал про его родственников, я подумал...

— Когда ты все успеваешь, Ганс?! — засмеялся Гейдрих.

— Я начал анализировать все случившееся в Монголии и наши подозрения относительно Зудина, — пояснил Ганс. — Высчитал Ивлева и узнал все остальное. Я не сказал про болезнь его внука, потому что не знал. Мне об этом сообщили только что, — показал он на сотовый.

— Значит, в Россию ехать не надо, — усмехнулся Гейдрих. — И вот что, Ганс, — улыбнулся он. — Ты впредь держи меня в курсе своих дел. Хорошо?

— Извините, Адмирал, — вздохнул Ульдрих. — Я предпочитаю сообщать достоверную информацию.

— Тоже правильно, — кивнул Адмирал.

Лондон. Англия

— И что ты скажешь? — кивнул на стол Ричард.

— Что там? — подошла к столу Маргарет. Замерла. Какая красота, — прошептала она. — Это камень мадам Леберти? — не отрывая взгляда от переливавшегося разными цветами камушка в позолоченной маленькой коробочке, спросила она.

— Впечатляет, — подмигнул ей брат. — Это привез Шонри, — засмеялся он. — Он видел в какой-то лавке около восточного...

— Ты умница, — повернувшись, засмеялась она. — Например, я думала, что именно так и выглядит камень бессмертия. Точнее, один...

— Меня тоже впечатлило, — подмигнул он ей. — А может, это действительно один из семи? — засмеялся он.

— Отлично, — положив последнюю купюру, довольно улыбнулся Квентин. — Сто тысяч. Ловко ты, дядя, — посмотрел он на того.

— Я просто помог Ричарду и Маргарет, — усмехнулся Шонри. — Мне уже порядком надоело нытье Уильямса. Хоть скулить перестанет. А мы получили деньги.

— А где ты взял этот камень? — удивленно спросил Квентин.

— Да мне Шалим подарил, — усмехнулся Шонри. — Помнишь, я его вытащил из-под развалин мечети, когда в нее ракета из вертолета попала. Вот он и дал мне этот камень. Что-то вроде родового талисмана, — кивнул он. — Из поколения в поколение передается. Я бы не отдал, ну, не продал бы, но как только Уильямс покинет этот мир, мне причитается два миллиона, — подмигнул он племяннику. — Когда я вкладывал деньги в его бизнес — нефть, то вложил с оговоркой. Он может дом не отдавать, но после его смерти десять процентов от средств на счету фирмы достаются мне. Сейчас на счету Уильямса двадцать миллионов. И он уже начинает расходовать эти деньги...

— Понятно, — кивнул Квентин. — А я-то думаю, с чего это ты вдруг...

— Я просто так ничего не делаю, — усмехнулся Шонри. — Так что представь глаза Маргарет и Ричарда, когда они узнают об этом.

— Представляю, — усмехнулся Квентин. — Но вдруг это действительно...

— Я думал про это, — спокойно проговорил его дядя. — Но Шалим даже не упоминал о бессмертии, второе, — продолжил он, — этот камень охранял человек из рода Фаушех. Так что это не камень бессмертия. Но ты мне подкинул одну мысль. Надо поговорить с Шалимом. И еще кое-что надо обдумать.

— Я могу узнать, что? — спросил племянник.

— Пока нет, — возразил дядя. — Ты же знаешь мое правило: никогда не делись ни с кем тем, что задумал. Иначе ничего не выйдет.

— Я и сам всегда придерживаюсь этого правила, — засмеялся Квентин.

Чикаго. США

— Послушай, Том, — раздался в трубке голос профессора Чейза, — ты что затеял?

— Я что-то не совсем тебя понял, Робби, — проговорил Томми, посмотрев на Элен, подмигнул ей. — Ты что имеешь в виду, неудачник?

— Я? — возмущенно заорал голос. — Неудачник?! Да ты...

— А как еще можно тебя назвать? — довольно резко спросил Томми. — Камень, за которым гоняется весь мир, был у тебя под носом. Ты знал об этом. Товасон звонил тебе. И ты позволил...

— Вот ты о чем, — усмехнулся его брат. — А ты хотел, чтобы голову отрезали мне? Вот что я тебе скажу, Том, — уже серьезно продолжил он. — Не берись за это дело. Даже не думай. Ты знаешь, как я к тебе отношусь, и...

— Взаимно, — улыбнулся Том. — Я тебя тоже терпеть не могу...

— И все же какой-никакой, а ты мне брат. Я сам хотел заняться этими камушками, но вовремя передумал. Иначе бы меня уже не было в живых. Не подумай только, что я...

— А я именно так и думаю, — оборвал его Том. — И вот что я тебе скажу, Робби, — вздохнул он. — У меня своя жизнь, и я делаю все, что хочу. Ты в отличие от меня делаешь только то, что тебе диктует закон. И потому ты ни на что стоящее не способен. Но за предостережение спасибо. Кстати, ты не против, если я приеду? Правда, хочу предупредить, что разговор пойдет как раз об этих семи камушках бессмертия. Ты не возражаешь?

— Нет, — услышал он. — Приезжай. Заодно, надеюсь, познакомишь меня со своей Элен.

— Разумеется, — усмехнулся Том. — Кстати, передай лучшие пожелания своей Розанне.

— Обязательно, — заверил его брат. — А когда вас ожидать?

— Я собирался завтра, — ответил Том. — Но если...

— О'кей, — услышал он. — Ждем вас завтра.

— Значит, и я приглашена, — усмехнулась Элен.

— А куда я без тебя, дорогая! — воскликнул он. — Кстати, предупреждаю, ты будешь там скучать. Он настоящий ученый сухарь. И кроме как о науке, он ни о чем не говорит. И наверняка знает очень много об этих семи камнях бессмертия, — кивнул он. — Но заниматься этим не будет. А вот его жена, она старше тебя на три года. Она женила на себе Роба, — хохотнул он. — Роб в свои сорок был робок с женщинами. Жил затворником. Хотел написать историю Чингисхана. Впрочем, очень прошу, не упоминай при Робби этого имени. Иначе... — Он, махнув рукой, рассмеялся с удовольствием.

Вашингтон

— Ну, разумеется, я не против, — улыбнулась сидевшая у бассейна стройная, сильная женщина. — Наконец-то я встречусь с твоим братом. Я его, кажется, и не видела ни разу, — усмехнулась она. — Он же был категорически

245

против нашего брака. Я постараюсь доказать, что мы счастливая семья.

— Мне все равно, что он думает, — вздохнул Роб.

— Приедет мой старый друг, — кивнул Джино. — Томас Лис. Лис — это его прозвище, — пояснил он. — Хитрый тип. Он адвокат и пользуется большим спросом. Его фамилия Токман. Мы с ним были...

— Подожди, — остановила его Джина. — А тебе он зачем? Или произошло что-то и тебе нужен?..

— Да просто он прилетел зачем-то и позвонил. Я, разумеется, пригласил его. Мы с ним не виделись уже лет пять. Интересно...

— И вдруг пригодится? — прибавила Джина.

— Перестань, — усмехнулся он. — А ты что-то начала говорить о...

— К тебе хочет попасть Брут, — кивнула она. — Он из Германии. От Адмирала.

— И что от меня Адмиралу понадобилось? — непонимающе спросил Джино. — У меня давно с ним нет никаких дел.

— Об этом тебе лучше спросить Брута, — усмехнулась она.

— Ты права, — задумчиво ответил Джино.

— Так что передать Ледену? — спросила она.

— Значит, Леден его приютил, — усмехнулся Джино. — Передай, что завтра я поговорю с человеком Адмирала. Интересно все-таки, что ему надо.

— Дональд, — проговорила крепкая, смуглая, коротко остриженная женщина в шортах, — Лонг.

— Наконец-то, — отозвался подплывший к краю бассейна полковник. — А я думал, его уже убили. — Он протянул руку. Женщина вложила в его мокрые пальцы спутниковый телефон. — Ну, что у тебя там? — спросил пол-

246

ковник. — Жаклин, — попросил он женщину, — дай, пожалуйста, попить.

— Все, собственно, так и было, — отозвался Лонг, — как писали газеты. Убийц профессора и его сопровождающих так и не нашли. Но тут чувствуется, что кто-то убил Товасона именно из-за камня. Правда, удалось выяснить, что произошло еще несколько убийств. Последний раз...

— Мне плевать на то, кого и сколько там убивают, — раздраженно проговорил Дональд. — Ты мне о камне скажи. Факт исцеления — это выдумка журналистов или действительность?

— Лаборантка Мэри Флеминг действительно простудилась и исцелилась с помощью камня, — услышал он. — Есть очевидцы этого. Она делала анализы почвы с него, ну, в общем, работала с ним. Товасон поскорее хотел получить результаты и поэтому она работала, несмотря на высокую температуру. А через полчаса или чуть больше почувствовала себя абсолютно здоровой. Камень при этом удивительно красиво переливался несколькими цветами. Это видели рабочие, которых нанимал профессор для раскопок. Ну а затем это просочилось в прессу.

— Вот что ты должен сделать, — кивнул полковник. — Поговори с теми, кто все это видел. Ты умеешь разговаривать с людьми.

— Хорошо, полковник, — проговорил Лонг. — Я сделаю это. И что потом?

— Возвращайся, — подумав, решил полковник. — И сопоставив все, решим, что делать. И еще, Куи, — вздохнул он, — попытайся что-то выяснить о преступнике. Денег не жалей, — распорядился он. — Если понадобятся, звони. Но, разумеется, только за достоверные факты плати.

— Понял, господин полковник, — отчеканил Лонг.

— Перестань, Куи, — засмеялся Дональд.

— Я позвоню, если узнаю что-то серьезное, — заверил Лонг.

— Побольше бы таких, — отключив телефон, пробормотал Дональд.

— Ты полностью ему доверяешь? — спросила Жаклин и поднесла ему бокал с напитком.

— Он не давал повода сомневаться в его преданности. — Дональд взял бокал и сделал несколько жадных глотков. Отдав бокал, легко поднялся из бассейна.

— По телевизору предупредили, — сообщила Жаклин, — чтобы по возможности не пользовались личным транспортом. Гололед и туман.

— А я никуда не собираюсь, — поцеловав ее, улыбнулся Дональд.

— У тебя красивая жена, — выпустив дым, кивнул крепкий, высокий, с заметно поредевшими волосами мужчина.

— И это не единственное ее достоинство, — засмеялся Джино. — А тебя сюда каким ветром занесло? — спросил он. — Громких процессов, кажется, нет и не намечается.

— Одна дама из России желает получить пару миллионов от своего мужа-американца, — засмеялся крепыш. — И неплохо платит. — Кроме того, если я сумею уговорить ее бывшего мужа дать ей эти два миллиона, то получу приличную сумму. А в условиях кризиса лишними деньги не бывают.

— И получится? — с улыбкой спросил Джино.

— У меня, да, — самодовольно сказал крепыш. — Если не она заплатит, то он. Мне, собственно, без разницы, кто будет платить. Я выиграю в любом случае.

— Ты не изменился, — усмехнулся Джино.

— А вам, Томас, известно такое чувство, как сострадание? — спросила Джина, подойдя к ним.

— Я понимаю вашу неприязнь, — ответил Томас. — Но в моей профессии это лишнее. Чувства всегда мешают принимать правильное решение, а тем более добиваться успеха. — Он улыбнулся. — Побеждает бесстрастный.

— У вас есть жена? — присела Джина рядом с мужем. Тот обнял ее и поцеловал.

— Нет, — последовал ответ. — Никак не найду свою вторую половину. Наверное...

— Думаю, жить с таким, как вы, — усмехнулась Джина, — нормальная женщина не сможет. Хотя бы потому, — вздохнула она, — что любовь — это чувство, а вы просто не знаете, что это такое. Любовь — это и жалость, и сострадание, и уважение. Извините, — смутилась Джина. — Я не хотела вас обидеть.

— Вы правы, — легко согласился он. — Именно поэтому я один. Жениться лишь для того, чтобы рядом была женщина, не хочу. Хотя знаете, Джина, прошу поверить на слово, желающих быть моей спутницей в жизни и носить мою фамилию предостаточно. И вот тут я чувствую, — рассмеялся он, — что им нужен не мужчина Томас Токман, а его счета в банках. Скорее всего я останусь один, и будучи старым и немощным, наверняка вспомню наш разговор и печально вздохну. Но не сейчас, — улыбаясь, закончил он. — Не поймите меня превратно. Я мужчина в полном смысле этого слова. Я вместе с Джино дрался за брошенный каким-нибудь богатеньким дяденькой цент. Разбивал морды в кровь за окурок дорогой сигары. Мы дрались за то, чтобы выжить и стать тем, кто мы есть сейчас. Мы по-разному закончили борьбу за место под солнцем. Джино стал сильным, безжалостным мафиози, я выбрал путь более спокойный, но, поверьте мне, не менее опасный, — улыбнулся Томас. — Вообще-то давайте прекратим этот разговор. Я предлагаю выпить за жену моего друга и очень надеюсь, что и вы, Джина, когда-нибудь будете относиться ко мне более лояльно.

— Время покажет, — улыбнулась Джина. Поднимаясь, задела лежавший на столике журнал. Тот упал. Из него вылетели три лежавшие между страницами фотографии.

— Ба, — нагнувшись, поднял одну Томас. — Знакомые все лица. Неужели ты опустился до услуг такого подонка? — спросил он Джино.

— Ты про кого? — подался тот вперед.

— Про него, — показал фотографию нанятого для охраны профессора Товасона Томас. — Отто Торман. Более известен как Койот. Наемник, убийца, бандит и так далее. Не брезгует ничем. Кстати, в узких кругах есть мнение, что именно он причастен к убийству профессора Товасона в Монголии, — кивнул он. — Вы слышали, наверное, про это. — Джино и Джина переглянулись.

— Ты уверен? — тихо спросил Джино.

— Абсолютно, — усмехнулся Томас. — Я немного знаком с Койотом. Защищал его в Англии. Его задержали за связь с возобновившими свою деятельность боевиками ИРА. Ирландская республиканская армия, — увидев непонимающий взгляд четы Баретти, добавил он. — Я был его адвокатом. Кстати, нанимал меня Адмирал, — кивнул он Джино.

— Адмирал? — удивленно переспросил тот.

— Именно он подтвердил сказанное Томасом.

— Вот это новость, — пробормотал Джино.

— Кстати, я, кажется, догадываюсь зачем, — улыбнулся Томас. — Во-первых, небезызвестная тебе Берта Хольц, — кивнул он. — Она работала с Койотом пару раз. В Иране и Сомали. Так, по крайней мере, я понял из их разговора. Воспоминания боевых товарищей. А теперь, если можно, спрошу я, — кивнул он на фото. — Откуда у вас его фотография и...

— Теперь все понятно, — процедил Джино. — Значит, Койот. Я тоже слышал о нем, но не имел чести встречаться, — криво улыбнулся Баретти. — Но теперь наша встреча просто вопрос времени.

— В Монголии, по крайней мере, население приграничных с Китаем районов говорит о неком целителе-убийце. Его, кстати, искали две или три группы, — вспомнил он. — Полиция, как всегда, молчит. Кстати, несмотря на популярность Койота, он до сих пор не в розыске, — усмехнулся Томас. — Хотя пара стран в Африке даже назначала цену за его голову.

— Значит, Гейдрих, — пробормотал Джино. — И получается, что алмаз у него.

— Если ты имеешь в виду один из камней бессмертия, то нет, — покачал головой Томас. Профессора скорее всего убили именно из-за камня. Койота сейчас усиленно разыскивают люди Адмирала. Однажды его нашли, в результате шесть трупов вместе с хозяином. Монгольская полиция выдала эту информацию чуть по-другому. Мол, было нападение, и при перестрелке хозяин сумел убить нападающих и погиб сам. Но в то же время разыскивается некий европеец. Вот так. Довольно о Койоте, — улыбнулся он. — Я так понимаю, вы заинтересованы в информации о семи камнях бессмертия. И хочу спросить, надеюсь, разумеется, на честный ответ, это вы командировали Товасона в Монголию?

«Вот почему ты напросился в гости», — мысленно отметила Джина.

— В Монголию он поехал по своей инициативе, — начал Джино. — Но и я кое о чем просил его. Оплатил, кстати, ему половину стоимости билета и нанял охрану. Но как теперь понял, убийцу профессора, — вздохнул он. — О камне бессмертия мы узнали из прессы. А почему ты...

— Неужели ты не понял, милый, — усмехнулась жена. — Томас приехал именно поэтому, и скорее всего он понял, что мы тоже решили заняться поиском так называемых камней бессмертия. Я правильно говорю?

— Не совсем, — чуть помедлив, сказал Томас. — Хотя бы потому, что я абсолютно здравомыслящий человек и, разумеется, ни в какое бессмертие не верю. Конечно, мож-

251

но подумать, что я решил заняться этим из-за высокой стоимости камней. Ради денег я порой освобождаю от вполне справедливого приговора подонков, — усмехнулся он. — Но, повторяю, я здравомыслящий человек и прекрасно понимаю, что у меня нет ни малейшего шанса на успех. В подобных мероприятиях конкурентов убивают. Поэтому я даже на мгновение не задумывался о том, чтобы стать участником этого шоу. Но, разумеется, за энную сумму я готов поделиться тем, что знаю, — добродушно закончил он.

— И на какую сумму тянет твое «знаю»? — с иронией проговорил Джино.

— На пять процентов от вырученной вами суммы, — спокойно ответил Томас. Муж и жена переглянулись.

— Мы подпишем контракт или ты поверишь на слово? — усмехнулся Джино.

— Ты умеешь убивать, грабить, но не опускаешься до обмана, — с улыбкой заметил Томас. — И потому твоего слова довольно. Я готов все рассказать.

— Отлично, — воскликнула Джина. — Но немного позже. Теперь ты понимаешь, почему приехал человек от Адмирала? — тихо спросила она мужа.

— Подожди нас, — кивнул Томасу Джино. — Мы сейчас.

— Поговори с ним, — снова негромко проговорила жена. — А я позвоню Ледену.

Барранкилья. Колумбия

— Значит, уехал, — усмехнулся Мигель. — А я думал, не поедет. Сантас становится мужчиной, — отметил он. — И научился принимать решения.

— Даже такие, — недовольно перебила его Эдельмира, — за которые он рано или поздно поплатится.

— Ты о чем? — непонимающе спросил муж.

252

— Убит Мигерио, — ответила она. — Убит в тот же день, как уехал от Сантаса. Его расстреляли возле дома его родителей. Из автомата. — Она бросила ему газету.

— Даже так, — покачал головой Мигель и рассмеялся.

— И что тут смешного? — рассердилась Эдельмира.

— Просто я вспомнил свою молодость, — посмеиваясь, ответил муж. — Я тоже, не задумываясь, убирал того, кто знает о моих планах и не согласен с ними. Значит, Сантас...

— А что мы скажем семье Подунго? — спросила Эдельмира. — Барруко наверняка задаст вопрос...

— А почему мы должны знать, почему убили его сына? — усмехнулся Мигель. — Пусть Фабио сам решает свои вопросы. Или кто-то видел, как убили Мигерио, и это был Сантас?

— Нет, конечно, — проговорила Эдельмира. — Но он же был у нас и разговаривал с Сантасом. И вполне понятно, что Сантас мог быть причастен...

— Перестань, — остановил ее Мигель. — Все это твои домыслы. Оно и понятно: ты мать и волнуешься за сына. Кстати, почему ты думаешь, что Сантас виноват в гибели Мигерио?

— Они поссорились, и Сантас пообещал убить Мигерио, — вздохнула Эдельмира.

— Значит, было за что, — спокойно констатировал Мигель. — Какого дьявола молчит Феленго, — недовольно вспомнил он. — Он уже в Лионе пять дней и ни разу не связался с нами. Если решил сыграть на сторону, то...

— Перестань, — усмехнулась Эдельмира. — Феленго не любит пустой болтовни и пока не выяснит что-то конкретное, не выйдет на связь.

— Надеюсь, ты права, — кивнул Мигель. — И тем не менее он должен был позвонить сразу по приезде в Лион. Надеюсь, с ним ничего не случилось.

— А я надеюсь, Муранто не потеряет Сантаса из виду, — вздохнула Эдельмира.

* * *

— Значит, летит в Вашингтон, — усмехнулся Муранто. — Отлично. Свяжись с Болефио, пусть встретит Сантаса. И предупреди, — добавил он, — головой за него отвечает.

— Хорошо, — ответил темнокожий коренастый мужчина.

Вашингтон. США

— Вот и все, — кивнул Томас, — что я знаю. И надеюсь, вам это поможет.

— Вот что, приятель, — произнес Джино. — Если ты думаешь, что я тебе за это буду платить, то ошибаешься, — вздохнул он. — Все это мы прочитали, и не раз, в разных изданиях, газетах и журналах. И даже немного больше. За то, что ты сказал про Койота, я дам тебе десять тысяч песо. Больше это не стоит.

— Даже так, — усмехнулся Томас. — Но мне кажется, ты только что узнал, что в деле с Койотом замешан Адмирал, и тебе не понравилась эта новость. Я прав?

— Отнюдь, — с улыбкой возразил Джино. — Наоборот, мне это понравилось. И знаешь, что я намерен сделать? — засмеялся он. — Свяжусь с Адмиралом и скажу ему, что есть человек, который пытается повесить дело об убийстве профессора Товасона на него. Якобы он нанял Койота, и тот работал на него, убивая...

— Ты этого не сделаешь! — вскочив, заорал Томас.

— А что мне помешает? — усмехнулся Джино. — Я думаю...

— Он здесь, — перебила его вошедшая в комнату Джина.

— Пусть Берни присмотрит за гостем, — кивнув ей Джино и вышел. В комнату вошел темнокожий здоровяк, его тяжелый взгляд был красноречивее всяких слов, Томас побледнел и замер. Джина рассмеялась и вышла.

254

* * *

— Значит, тебя послал Адмирал, — кивнул сидевший в кресле Джино. — Интересно, зачем?

— У него есть сведения, — заговорил Брут, — что ты занимаешься поиском камней бессмертия. И он предлагает тебе сотрудничество.

— Даже так, — протянул Джино. — А почему Адмирал решил, что я занимаюсь поиском этих... камней?

— Я не знаю, — ответил Брут.

— А почему же Адмирал ничего не сказал о том, что нанял Койота и тот убил профессора, которого в Монголию отправлял я?

— Слушай, Джино, — поднялся Брут. — Я здесь не для того, чтобы обсуждать действия Адмирала. О цели своего визита я тебе сказал.

— А теперь ты выслушай меня! — заорал Джино. — Сейчас ты все подробно расскажешь мне о том, что знаешь о поисках камней, и тогда, может быть, останешься жив. Если ты сделаешь это добровольно и без нажима, у тебя есть шанс вернуться в Германию. Итак, — кивнул Джино. — Что будешь пить?

— Водку, — усмехнулся Брут. — Президентскую, то есть «Путинку».

— «Путинки» нет, — возразил Джино, — есть «Московская». А почему водку? — спросил он.

— Просто она жжет сильнее, — вздохнул Брут и, протянув руку, взял стакан. Резко развернувшись, выплеснул водку в лицо стоявшего справа от него бугая. Ногами оттолкнул столик и, заваливаясь назад, уронил кресло на спинку. Перевернувшись, ногами ударил бросившегося к нему парня. Вскочил и поднял выроненный им пистолет. Прозвучали два выстрела. Стреляла из браунинга Джина.

— Молодец, — морщась от боли, Джино отодвинул столик. — Не ожидал я от него такой прыти. Умеет набирать себе людей Адмирал. Конечно, жаль, что не узнали ничего конкретного, — произнес он. — Но ты молодец, — посмотрел он на жену. — Пойдем к...

— Надо брать Ледена, — напомнила она. — Он ждет около ворот.

— Хорошо, что вспомнила, — улыбнулся он. — Сейчас его...

— Он уехал, — перебил его вошедший мужчина. — Услышал выстрелы и уехал.

— Найти его! — заорал Джино. — И отправьте этого адвоката в пыточную. Разговор с ним предстоит серьезный. Он наверняка сказал не все, что знает, — усмехнулся он.

— Я сумею разговорить его, — заявила Джина.

— Он прилетел, — говорил в телефон рослый мулат. — И что дальше?

— Не отпускайте его, — услышал он. — Держите все время на виду. Ты отвечаешь, Болефио...

— Ты уже говорил это, — усмехнулся мулат. — А если он отправится в Европу или еще куда-нибудь...

— Как только возьмет билет, мы должны знать, куда он отправляется, — перебил его абонент.

Лион. Франция

— Я не звонил, — говорил среднего роста худощавый мужчина в меховой куртке, — потому что боялся, что замерзну. Тут неожиданно выпал снег и мороз ударил. А я к такому климату не привык. В общем, узнал я, что действительно есть такая мадам Леберти и у нее в музее был камушек. Но сейчас музей закрыт. К ней не подойдешь ближе, чем на сто метров. Ее охраняют как президента. Там какой-то мужик всем заправляет. Чувствуется, что из «диких гусей». Его называли... — Сильный удар по шее лишил его сознания. Телефон успел подхватить крепкий парень.

— Алло! — орал в телефоне Мигель. — Феленго! Куда, дьявол тебя побери, подевался?!

— Извините, — забрав у парня телефон, казенно проговорила в телефон молодая женщина. — Временно связь прервалась. Приносим извинения и надеемся, что вы не перестанете из-за этого досадного недоразумения пользоваться услугами сети...

— Да иди ты, — рявкнул Мигель. Потерявшего сознание Феленго забросили в открытый багажник машины. Женщина закрыла багажник и села в автомобиль, за рулем которого уже сидел ударивший колумбийца парень.

— Да нет, — вздохнув, тихо проговорил среднего роста полный мужчина лет сорока. — Я ничего обещать вам не могу. Конечно, предлагаемая вами сумма...

— Так в чем дело, Пьер? — усмехнулась Берта в телефоне. — Для тебя это не составит никакого труда. И как только ты назовешь мне имена, я тут же отдам тебе деньги. Хочешь — чек на эту сумму, а желаешь — наличными.

— Лучше наличные, — вздохнул Пьер. — Хорошо, — помолчав, кивнул он. — Я сделаю, что вы просите. Завтра в девять вечера ждите меня в баре «Рошаль Ку», и я привезу туда...

— Отлично, — перебила его Берта. — Если будут сведения о нескольких потенциальных покупателях, ты можешь заработать очень приличные деньги. Ты меня понял?

— Конечно, — поспешно согласился Пьер. — Я все сделаю. Я знаю, что мадам за последнее время на эту тему говорила с двумя людьми. Я завтра принесу вам данные на этих людей.

— Значит, до завтра, Пьер, — дрогнул улыбкой голос Берты.

***

— Отлично, — довольно улыбаясь, проговорил Эндрю. — Везите его ко мне. Молодец, Кристина.

— Мы едем, — отозвался женский голос.

— Что там? — спросила мадам Леберти.

— Взяли одного из наблюдателей, — ответил Эндрю. — Из Колумбии. Представляешь, милая, — засмеялся он, — похоже, бессмертием заинтересовались и наркобароны.

— Не нахожу ничего смешного, — проговорила она. — И знаешь, Эндрю, я начинаю бояться. И пожалуй, самое страшное то, что я не знаю, что делать. Точнее, есть один вариант. Продать этот алмаз, — вздохнула она. — Но опасаюсь, что в это никто не поверит, и меня все равно не оставят в покое. Наверняка все думают, что у меня есть еще по крайней мере один такой же камень. Помнишь вопрос журналиста из «Фигаро», — продолжила она. — А вы выглядите так именно из-за камней бессмертия?

— Все я помню. — Эндрю подошел к ней. — Но не забывай и ты: пока я с тобой, ничего плохого не произойдет.

— Почему ты не хочешь продать алмаз? — спросила она.

— Знаешь, Энель, — вздохнул Эндрю, — я когда-то в детстве зачитывался сказками. Очень любил, — смущенно признался он. — И особенно мне понравилась сказка в переводе с русского про Кощея Бессмертного. Если говорить откровенно, я не то чтобы верю в то, что камни дают бессмертие, но просто хочется увидеть все семь, сложенные в определенную фигуру. Я даже несколько раз брал похожие по величине камушки и пытался выстроить должным образом. Но ничего не получается. Но ведь выкладывал эту фигуру Ахас ба Вананга! — воскликнул он. — Чем больше я думаю об этой легенде, тем больше убеждаюсь, что в ней перечислены подлинные факты жизни этого самого перса. Упоминается река жизни, то есть...

258

— Все это так, — вздохнула Энель, — но я боюсь за себя, за Марсию. Ведь, чтобы завладеть камнем, предлагают огромные деньги. И в конце концов, почему не заплатить эти деньги наемникам, которые просто похитят дочь и потребуют...

— Это исключено, — заявил Эндрю. — Мне просто обидно это слышать. Неужели ты думаешь, я позволю...

— Эндрю, — вздохнула она, — Марсия сама не хочет, чтобы ее охраняли. Ты же слышал, как она недовольна. И я боюсь, что она просто сбежит от охраны. Пойми ты меня.

— Я все понимаю, — подойдя, он обнял ее. — Но постарайся понять и ты, — кивнул он. — У нас есть шанс узнать истину. Неужели тебе не хочется прикоснуться к тому, что сделал великий человек несколько сотен лет назад? И он делал это с твердой верой, что подарил миру бессмертие. В дневнике твоего покойного мужа...

— Не упоминай о Пьере, — попросила Энель. — Мне кажется, что я предаю его. Он говорил, что отдаст этот необычный камень для научных исследований.

— Это просто один из семи алмазов, — улыбнулся Эндрю. — И я найду и соберу их все. С тобой и дочерью ничего не случится, — заверил он ее. — И поверь, Энель, мы близки к цели. Я уже нашел еще два камня. Когда у нас будет хотя бы четыре, то владельцы остальных выйдут на нас сами. Разумеется, никто не верит в бессмертие, но я абсолютно уверен, что каждый, у кого есть камень, желает проверить это. Один камень у нас, — продолжил он. — Другой был найден в Монголии и у кого находится сейчас, неизвестно. Но очень скоро мы это узнаем, — уверенно проговорил он. — Еще один камень в Израиле, — добавил он. — Я узнал об этом сегодня ночью. Мои люди проверяют, действительно это так или...

— Ты уже три года, — усмехнулась Энель, — пытаешься найти...

— Я найду все, — перебил он ее. — Правда, прежде я сомневался в существовании остальных. Все-таки прошло почти триста с лишним лет, и я предполагал, что скорее всего остальные погребены под руинами и засыпаны камнями и землей. Ведь природа с помощью бурь и землетрясений хоронила многие тайны. Во время войн тоже многое было предано земле для того, чтобы не досталось врагам. Но когда был найден камень в Израиле, я понял, что возможно найти все семь. И профессор Товасон доказал это. Я активизировал и расширил круг поисков. И ночью мне сообщили, что в Израиле, в Тель-Авиве, есть один человек, выходец из России, по всем данным, владеющий одним из этих алмазов. Но счастье в том, что этот человек даже не догадывается, каким сокровищем обладает. Сейчас проверяют, действительно ли его алмаз один из семи камней бессмертия.

— И как это возможно? — насмешливо спросила Энель. — Спросить дух мастера?

— Это хорошо, что к тебе вернулась способность иронизировать, — засмеялся Эндрю. — Но все гораздо проще. Алмаз имеет своеобразную огранку, кстати, до сих пор подобного не может сделать никто. Высказывается даже мнение, что эти алмазы природного происхождения. Такое тоже возможно, хотя целый ряд специалистов опровергают такую гипотезу. В общем, сплошные загадки, но меня волнует не это, — проговорил Эндрю, — а...

— Я могу узнать, как ты нашел в Израиле человека, имеющего алмаз? — спросила Энель.

— На удивление просто, — улыбнулся он. — Этот человек, Михаил Васильевич Пуршко, приехал в Израиль по приглашению родственников, которые живут там уже двадцать лет. И они уговорили его переехать. Он довольно быстро получил вид на жительство. Дело в том, что Пуршко отличный врач-терапевт...

— Понятно, — усмехнулась Энель. — Как говорят русские, утечка мозгов. А прекратить это ведь довольно легко. Цените таланты и создайте им условия для жизни.

— Перестань, Энель, — рассмеялся он. — Так вот, — продолжил Эндрю, — этот Пуршко привез с собой несколько доставшихся ему по наследству украшений. Довольно дорогие вещицы, и среди них небольшой алмаз, так было указано в перечне ввозимых драгоценностей. А тут совершенно случайно один из моих людей по имени Лазарь услышал об этом от таможенника. Лазарь нашел Пуршко, и оказалось, что его камень идентичен тому, что у нас. Поэтому мы сделаем все, чтобы выкупить алмаз и, разумеется, узнать, как он попал к родственникам этого Пуршко. Я получил эту информацию в два часа ночи и уснуть уже не мог. Я просто не мог поверить в происходящее, — признался он. — И чуть было не улетел в Израиль. Но я понимаю, что не могу оставить тебя и Марсию одних. Но надеюсь, уже сейчас с этим Пуршко беседуют. — Он посмотрел на часы.

Тель-Авив. Израиль

— Да я уже говорил вам и повторяю, — произнес на иврите плотный мужчина лет пятидесяти. — Я ничего никому не собираюсь продавать. Это память о родителях, о моих дедушке и бабушке, и это стало, если хотите, семейной реликвией. Все-таки, согласитесь, в России были очень тяжелые времена, когда люди, чтобы выжить, отдавали и продавали самое дорогое. Но наш род сохранил этот алмаз и поэтому я никогда не расстанусь с ним.

— Извините, Михаил Васильевич, — улыбнувшись, по-русски прервал его сидевший напротив крепко сложенный молодой мужчина в белом костюме. — Говорите по-русски, я знаю этот язык. Вы просто не понимаете. Этот камень принадлежал...

— А мне плевать, кому он принадлежал и когда, — отрезал Пуршко. — Я знаю, что он достался родителям моих родителей от...

261

— Мы предлагаем вам, говоря по-русски, астрономическую сумму, — спокойно перебил его крепкий.

— То, что ты говоришь по-русски, очень хорошо, — насмешливо перебил его Пуршко. — Значит, поймешь меня правильно. Я ничего не продаю, и идите вы со своим предложением на... — Сильней удар в подбородок сбил его со стула на пол.

— Вы просто не оставляете нам выбора, — спокойно проговорил крепкий. — Где алмаз? — наклонившись над Михаилом Васильевичем, требовательно спросил он.

— Да выкуси ты, гнида, — промычал Пуршко. Крепкий что-то проговорил на арабском. Из соседней комнаты донесся вскрик ребенка. Из комнаты двое смуглых мужчин вывели мальчика лет пяти и полную бледную женщину, к ее шее было приставлено кривое лезвие ножа. Другой держал мальчика за голову.

— Камень или жена и сын умрут, — жестко проговорил крепкий.

— В сейфе, — испуганно промычал Пуршко. — В спальне. Слева от окна. Сейф не заперт. — Державший голову мальчика смуглый рослый араб коротко и резко дернул голову влево и вверх. Мальчик рухнул на пол. Пронзительный крик женщины прервало полоснувшее по горлу лезвие. Пуршко, округлив глаза, рывком встал. Удар носком ноги в горло свалил его на пол. Изо рта упавшего хлынула кровь.

— Поторопился ты, Махмуд, — покачал головой крепкий. — Если алмаза там нет, не видать тебе цветущего сада и семи девственниц, — усмехнулся он. И пошел к двери в спальню.

— Сколько раз я тебе говорил, — недовольно начал убийца женщины, — не торопись убивать.

— Так, — вернулся крепкий. — Ничего не трогать. Мы оставим полиции след, — улыбнулся он и вытащил из кармана листок. Положил рядом с трупом мужчины. «Родина возвращает тебе долг, Миша», — по-русски было написано на листке. — Выходим спокойно, вы к машине, я остановлюсь и спрошу соседей, где может быть хозяин, — улыбнулся он. Вытащил из кармана телефон. Набрал номер.

— Слушаю, — по-немецки отозвался мужской голос.

— Камушек у нас, — проговорил он по-немецки и выключил телефон.

Джиде. Турция

— О, — весело улыбнулся среднего роста мужчина в темных очках, — кого я вижу! Как де... — Вздрогнув, осел и рухнул на спину. Не лбу остался след от пули. Второй выстрел убийца произвел в сердце.

Катманду. Непал

— Благодарить и прощаться я не буду, — усмехнулся Койот. — Да и деньги вам уже ни к чему. И как ты, Герд, мог жить в этой стране? Но тем не менее благодарю за помощь. Извини, что убил, но я не могу сейчас оставлять свидетелей, — вздохнул он. Открыл холодильник. Вытащил бутылку пива. — Вот что ценно: у тебя всегда есть что выпить. — Он открыл бутылку и сделал несколько глотков из горлышка. Сел в кресло, посмотрел на часы. — Через два часа я покину Непал и уже через пару суток буду в Европе. Разумеется, навещу Алика. Он мне должен жизнь, и я заберу у него ее. Кстати, что ты нашел хорошего в этой уродине? — посмотрел он на лежавшую на полу молодую женщину. — Собственно, у нас с тобой на этот счет всегда были разные вкусы. — Допив пиво, сунул бутылку в сумку. — Отпечатков не оставил, никто меня у Герда Друхленда не видел, поэтому все хорошо. Прощай, Герд. — Он заглянул в большую комнату. Там

263

посередине валялся труп полного молодого мужчины. — А ты, видно, неплохо зарабатывал, — усмехнулся Койот. — Спасибо и за деньги. Извини, что говорю все это тебе мертвому, но это мое правило. Сначала делай, а потом говори. Я нарушил это правило в Монголии и только чудом остался в живых. — Он взял палочку, надвинул на глаза лохматую шапку и, ссутулившись, вышел из дома. Дойдя до угла, посмотрел на часы. На перекрестке остановился. Увидел подъезжавшее такси. Усмехнулся. Такси затормозило около большого частного дома. Он подошел.

— Заказывал я, — по-английски проговорил Отто. — В аэропорт.

— Да, господин, — тоже по-английски с заметным акцентом, открыв дверцу, отозвался водитель.

«Правильно делают, что берут на работу водителей со знанием иностранного языка, — сев на заднее сиденье, подумал Отто. Огляделся. Машина тронулась. — Пока все неплохо», — выдохнул он с облегчением.

Москва. Россия

— Значит, вот как, — нахмурился Вадим Константинович. — А я думал, мы сумеем договориться.

— Я тоже так думал, — улыбнулся Федор Дятин. — Но, увы, не получается. А ведь, уважаемый Вадим Константинович, вы ходите по краю пропасти, название которой смерть. Неужели вы думаете, вам оставят алмаз? — усмехнулся он. — Он у вас, — уверенно заявил Дятин. — Я в этом уверен. Полагаете, что вашего сына не навещали в клинике? — засмеялся Федор. — А перед тем, как отправиться в гроб, люди становятся очень откровенными. И вы правильно поступили, что забрали его домой, но это надо было сделать немного раньше. Что же вы так, уважаемый, — покачал он головой. — Непрофессионально...

— А ты, Федор, тот еще фрукт, — рассмеялся Зудин. — Неужели ты думаешь, сын не сказал бы мне, что у него в клинике кто-то был? И ты думаешь, я не подкупил дежурных из каждой смены? Чего ты хочешь? — спросил он.

— Партнерства, — спокойно ответил Дятин. — И вам лучше принять мое предложение. Иначе милиция может узнать правду о гибели вашей супруги. Да, — усмехнулся он. — Ее убили не вы, а ее бывший...

— Пошел вон, — с улыбкой произнес Зудин. — И будь внимательнее на дорогах и остерегайся падающих деревьев. — Нажал кнопку. В кабинет вошли двое. — Человек уходит, — проговорил Вадим Константинович.

— Зря вы так, уважаемый, — покачал головой Дятин. — Я, собственно, пришел не для того, чтобы вы меня выгнали. Посмотрите это. — Он протянул Зудину диск.

— И что интересного я там увижу? — усмехнулся тот.

— А вы посмотрите, — спокойно произнес Дятин. Зудин кивком выпроводил парней.

— И что это?

— Посмотрите, — повторил Федор. — Уверен, вам это не понравится.

— Даже так! — с иронией воскликнул Вадим Константинович.

— Я поставлю, — поднялся Дятин.

— ...убили, — усмехнулся на экране Зудин. — Очень хорошо. Теперь я вдовец. Стасина куда дели? — Зудин взглянул на Федора.

— Смотрите, — улыбнулся тот.

— Может, он действительно бессмертие дает, — бормотал на экране сидевший за столом Зудин, глядя на коробочку с блестящим камушком. Изображение пропало.

— Убивать меня не советую, — сказал Федор. — Есть еще две копии. В случае моего исчезновения одна будет направлена в Бонн Адмиралу Гейдриху, другая в Англию, в семью Уильямс. Там болен...

— Где ты это взял? — прошипел Вадим Константинович.

— Мне это досталось от вашего сына, — усмехнулся Дятин. — Он, видимо, понял, что договориться с вами не получится, и сделал эту запись. Думаю, она заинтересует милицию, и, разумеется, Адмирала и детей сэра Уильямса. Вы не находите?

— Где ты это взял? — повторил вопрос Зудин. — Кто помог тебе?

— Ваш сын, — напомнил Дятин. — Диск он оставил в своей квартире, и я забрал его сразу после аварии. Ваши люди прибыли на квартиру Антона через двенадцать минут после меня, — улыбнулся он.

— Черт, — откинувшись на спинку кресла, буркнул Зудин. «Видимо, это действительно сделал Антон, — думал он. — Именно поэтому он так легко согласился с тем, чтобы уйти от меня». — Гад, — уже вслух бросил Вадим Константинович.

— Надеюсь, это адресовано не мне, — засмеялся Федор. — А теперь вернемся к нашему разговору. Я могу хотя бы увидеть камень?

— Значит, ты решил поиграть, — произнес Зудин. — А не подумал, что я могу не поверить в наличие копий и просто убить тебя?

— Ну как не подумал? — улыбнулся Дятин. — Думал и понимаю, что вы можете сделать это. Или будете пытать, чтобы узнать, где копии. Но хочу предупредить, копии пойдут по адресам, если я не вернусь в определенное время. Поэтому у нас не так много времени и давайте решать вопросы полюбовно, — усмехнулся он.

— Чего ты конкретно хочешь? — спросил Вадим Константинович.

— Для начала увидеть камушек, — улыбнулся Дятин. — А уже потом будет разговор на тему сотрудничества. Вы теряете время, Вадим Константинович. — Он посмотрел на часы. — Поэтому, будьте столь любезны, покажите камень. А потом продолжим разговор. — Зудин, катая желваки, приглушенно выматерился. Повернувшись, открыл дверцу сейфа и вытащил из нижней ячейки бархатную коробочку. Дятин встал и шагнул вперед. Замер. В правой руке развернувшегося Зудина был пистолет.

— Сядь, — кивнул Вадим Константинович, — слушай меня внимательно. Первое. Копия отправится в милицию, и поверь, это ничего не изменит. Это просто слова, ничем не подтвержденные. Второе. Насчет немцев и англичан. Ты мне все расскажешь и про тех, и про других. Впрочем, про немцев я кое-что знаю, — усмехнулся он. — А про англичан слышу впервые. Итак, — кивнул он. — Я слушаю.

— Уберите пистолет, — вздохнув, натянуто улыбнулся Дятин. — Мой брат знает, что я у вас, и вы понимаете, что он это так не оставит. И кроме того, копии...

— У тебя минута, — перебил его Зудин. — Начинай или убью. Хотя... — Он усмехнулся и левой рукой нажал кнопку вызова. В кабинет сразу вернулись двое. — В гараж его, — кивнул Зудин. — Выясните все про диск, где он находится и...

— Копии в Киеве, — усмехнулся Дятин. — И через час пойдут по адресам. Поэтому...

— Я хочу, чтобы его смерть была долгой и очень мучительной, — сунув пистолет в сейф, кивнул Зудин.

— Не надо! — завопил Федор. — Мой брат Игорь что-то знает об одном камушке! Он говорил мне. И это он отправлял меня в Англию! — орал Дятин.

— А как же копии? — усмехнулся Зудин. Парни выжидательно смотрели на него. — Нацепите браслеты, — подумав, кивнул он. — И пристегните к стулу. Поговорить с ним надо.

— Господи, — воскликнула Лида, — неужели я права?! Господи, — рассмеялась она и, опомнившись, смущенно огляделась. На нее осуждающе смотрел пожилой седой мужчина в очках. Слева двое молодых мужчин улыбались. — Простите, пожалуйста, — пролепетала она.

— Девушка, — ворчливо начал седой. — Это архив, храм документов прошлого. И поверьте, за этими старыми бумагами в основном кроется очень страшное. История человечества даже недалекого прошлого обильно полита кровью. Вы же, как я вижу, просматриваете материалы погибшего государства, коим была Персия, и ваш смех, сударыня, позволю себе заметить, неуместен.

— Простите, пожалуйста, — пролепетала смущенная и растерянная Лида. — Поверьте, я пережила счастливый момент и не могла удержаться. Простите, пожалуйста.

— Прощения надо просить у тех, кто, рискуя жизнью, а в большинстве отдавая ее, собирал все это. И если позволите, сударыня, — вздохнул он, — вопрос. Чем вас так заинтересовала Персия? Мне помнится, история этого государства уже достаточно изучена и не представляет особого интереса для науки.

— Просто я прочитала отрывок одной легенды, — честно ответила Лида. — И он меня заинтересовал, — смущенно улыбнулась она. — И вот я, кажется, нашла легенду в полном объеме.

— Милейшая сударыня, — мягко проговорил седой, — в полном объеме подобные сказания большущая редкость. Поверьте мне, — вздохнул он. — Но, честное благородное, я рад за вас и даже приношу свои извинения. Я понимаю, ваш смех выражал торжество успешного поиска. Мой внук, к сожалению, далек от подобного, — осуждающе проговорил он. — Хотя его отец, мой сын, и его супруга тоже были научными работниками. К сожалению, они и погибли на этом поприще. При раскопках в Бутане были убиты бандитами. Надеюсь, вы поймете мое замечание по поводу проявленного вами веселья. Хотя это оправдывает меня только в малой мере. И тем не менее приношу искренние поздравления. Вы милая девушка и прекрасный человек.

— Знаете, — вздохнула Лида, — я завидую вашему внуку и, честное слово, сожалею, что он не пошел в науку. Хотя надо знать его, чтобы говорить об этом, — виновато улыбнулась она. — А вы, Аркадий Владимирович, еще раз извините...

— Простите, ради бога, — непонимающе заговорил он. — Разве мы знакомы?

— Отчасти, — засмеялась Лида. — Я училась у вас десять лет назад. Три года назад ходила на ваши лекции...

— Только не вспоминайте об этом, — смутился Аркадий Владимирович. — Я подрабатывал. Стыдно признаться, но истина, как говорил Галилей, дороже. — В сумочке Лиды прозвучал вызов сотового.

— Извините, — буркнула она и вытащила телефон.

— Где ты и что новенького? — услышала она голос Тарасюка.

— Просматриваю бумаги, — холодно ответила Лида. — Нового, как ты говоришь, пока ничего нет.

— А у меня появилась зацепка, — самодовольно проговорил Михаил. — Так что вечерком увидимся, и я дам тебе пищу для размышлений. Годится?

— Мы же договорились, — холодно напомнила Лида, — никаких личных встреч. По крайней мере до того времени, пока я не узнаю чего-либо стоящего.

— Годится, — усмехнулся Михаил. — Тогда поторопись, а то тебя заставят отрабатывать деньги.

— Даже так, — возмущенно проговорила она. — Тогда можешь забрать свои деньги и больше ко мне не обращайся!

— Извини, — буркнул голос. — Просто я как увидел тебя, так голову потерял.

— До свидания, — отключила она телефон.

— А вы умеете ставить хамов на место, — улыбнулся Аркадий Владимирович.

«Если бы это было так», — подумала Лида.

— Извините, — поднялась она, — но мне пора. Приятно было увидеть вас и до свидания.

— Удачи вам в ваших поисках, — пожелал Аркадий Владимирович. — Была бы она моей внучкой, — вздохнул он. — Мне пришлось рано стать отцом, — улыбнулся он. — И моему сыну тоже. Бедный Афанасий. Правда, он оставил мне внука, но, к сожалению, в нем нет ничего от нашей фамилии. А вот от его жены... — Он опустил голову. — Если бы сын был жив, то, наверное понял бы, меня и не допустил того, что происходит сейчас. Но тем не менее жизнь продолжается.

— Ну и что? — спросил в телефон Зудин.

— Он сказал правду, — услышал он голос Фантома. — Здесь документы, видеокассета и несколько фотографий. Если бы я знал, что на меня есть такие фотки, я бы, наверное, засмотрелся, — проговорил он.

— Даже так, — усмехнулся Вадим Константинович. — Вези все, — кивнул он. — Смотреть кассету и читать документы даже не пытайся. Ясно?

— А на кой мне это надо, — равнодушно отозвался Фантом.

— Тогда жду. — Зудин отключил телефон. — Значит, действительно немцы ищут камушки, — задумался Зудин. — И англичане. Про англичан я не знал ничего. И еще кто-то. Если верить Федору, а ему, кажется, нет смысла врать, да и не может человек в его состоянии, — рассмеялся он, — придумать подобное. Значит, подполковник Дятин на кого-то работает, — сделал он вывод. — Иначе откуда у него столько информации, и не на свои же деньги он посылал брата в Европу, в частности, в Лион, — заметил Вадим Константинович. — Мадам Леберти, по сути, приманила к себе потенциальных владельцев камней бессмертия. Ведь тот, кто ищет камень, сам может иметь подобный. Яркий этому пример я сам, — усмехнулся он. — Я несколько раз порывался позвонить в Лион и даже дважды собирался поехать туда. — Он вздохнул. — Надо выяснить, на кого работает подполковник.

И Аверичев? — вспомнил он. — Наверняка он что-то вызнал у Таи и у того парня, Цыгана, по крайней мере Рената так говорила. Ловкий сукин сын, — хмыкнул он. — Ловко обставил дело под Тулой, в Грызлове. — Он нахмурился. — Вот уж не думал, что сын будет моим врагом. Я понимал, что он обижен, и в какой-то мере чувствовал свою вину. Антоша любил мать, — вздохнув, он опустил голову. — А я, увы, увлекся молодой. Но насчет алмаза, сынок, извини меня, старика, — криво улыбнулся он. — Мне уже шестьдесят восемь и вроде бы полон сил, но все же понимаю, что это только видимость. А вдруг в этих камнях действительно заключена сила, дарующая пусть не бессмертие, но здоровье? Ведь вылечилась лаборантка профессора в Монголии, — вздохнул он. — Когда я смотрю на камень, чувствую какое-то облегчение, даже прилив сил, — кивнул он. — Думаю, собранные вместе камни действительно могут оздоравливать организм. Даже какой-то врач в интервью признал это. Он утверждал: вполне может быть, что лучи, идущие от камня, воздействуют на организм, исцеляют его. Разумеется, его объявили шарлатаном, но никто не знает истинных свойств камней. Я, признаюсь, опасаюсь долго смотреть на камень. Я хочу найти все семь и испытаю их действие на ком-нибудь. А за англичанином надо понаблюдать. Вполне возможно, он найдет камень, точнее, его дети. Он болен раком, если верить Федору. Ладно, — усмехнулся Зудин. — Поиграем.

— Похоже на то, что Зудин договорился с братом оборотня, — предположил Аверичев. — Вот это новость. Выходит, Зудин все-таки владеет камнем, — кивнул он. — Неужели ты ничего об этом не знаешь? — подозрительно уставился он на Ренату.

— Я бы сказала сразу, — сердито ответила та. — Зачем бы я скрывала, если меня...

— Извини, — буркнул он. — Странно, что этот Федор приехал к Зудину. Ничего не понимаю, — покачал он головой. — Найти хоть бы один камушек, — пробормотал он. — И я бы зажил так, как мечтал в детстве. Если жив останусь, — вздохнул он. — На кой хрен я вообще влез в это? — спросил он себя вслух. — Казалось, все просто. Антон погибнет, Зудин обратится ко мне и я сумею забрать камень. Мне не нужны все семь и я не верю в бессмертие. Да и Вадим Константинович не настолько глуп, чтобы поверить в это. Он просто желает собрать как можно больше камней, а затем продать. Наверняка какой-нибудь идиот с миллиардным счетом в банках имеет пару-тройку камушков. Скорее всего он и заварил эту кашу. И наверное, лаборантка, которая вроде излечилась, была подкуплена. Но куда делся камушек, который нашел убитый профессор? Антон что-то говорил, но я, идиот, не стал уточнять. Сначала он утверждал, что камушек у его родителя. Затем вдруг перестал доверять и даже пытался убрать меня. Наверное, пора выходить из игры, — усмехнулся он. — Не для меня это. Конечно, бабок можно получить немерено, но, думаю, лучше все это бросить и уехать. Так и сделаю.

— Подожди, — проговорила Рената. — А как же я?

— А что ты? — усмехнулся он. — Вернешься к Зудину.

— Ты прав, нас ничего не связывает, и мне действительно лучше вернуться к прежней жизни. Я не боец, — вздохнула она. — И мне до сих пор снится, как я бью топором по голове. — Она, не договорив, вздрогнула. — Так что спасибо тебе за твое решение. Я просто не знала, как тебе сказать об этом.

— Все нормально, — улыбнулся Константин. — Может, поужинаем сегодня?

— Не могу, — с деланным сожалением ответила она. — Работы много, и если я не подготовлю контракты вовремя...

— Как хочешь, — равнодушно отозвался он, даже не дослушав.

272

— Ты где сейчас? — спросила Лида.

— В Ярославле, — ответил Сергей. — Как ты живешь?

— Глупый вопрос, — вздохнула Лида. — Скучаю, — тихо проговорила она. — Очень хочу увидеть тебя. Спасибо за то, что звонишь. Услышу тебя и как-то легче становится. Если бы не звонил, я бы, наверное, подумала, что ты забыл меня. Конечно, со временем я бы смирилась с этим. Я вот о чем хочу попросить тебя, Сережа. Если ты поймешь, что я...

— Перестань, — оборвал ее Белов. — Лида, ты только не подумай, что я пытаюсь тебя использовать. Тут дело вот в чем, — нерешительно продолжал Белов. — В общем, у жены моего знакомого есть брат, парень молодой и, похоже, немного двинутый на компьютерах. А тут ему в голову ударило, что он знает, где можно найти какой-то камень бессмертия. Это, ясен хрен, полная чушь, но он с этим...

— Подожди, — остановила его Лида. — Ты где сейчас?

— В Ярославле, — повторил он. — Ну, не в самом, а в двадцати пяти километрах от него, в Выселках.

— Я могу поговорить с этим мальчиком? — спросила она.

— Ну, он уже не мальчик, — усмехнулся голос Сергея. — Учился в технологическом институте.

— Можно я приеду? — неожиданно для себя спросила Лида и, охнув, замерла.

— Конечно, — радостно заорал на другом конце Белов. — Я хотел тебя пригласить, еще когда уезжал. Но не знал, как там примут, а потом...

— Я на Ярославский и, как в поезд сяду, позвоню, — улыбнулась Лида и отключила телефон. — А ты просто навязываешься, Лидка, — прошептала она. — Да, — засмеялась она. — Пусть навязываюсь. Я очень хочу его видеть. И снова совпадение. Вновь эти камни бессмертия, — опомнилась она. — Может, это амулеты судьбы, — задумчиво прошептала Лида. Зазвонил телефон. Она сняла трубку.

— Сотовый твой постоянно занят, — услышала она недовольный голос Михаила. — В общем, вот что, Лидок, — усмехнулся он. — Кажется, ты права и камушек в натуре был в России. Мне тут цинкануло и...

— Ты же можешь говорить по-человечески, — недовольно прервала его Лида. — Или снова пытаешься произвести впечатление отпетого уголовника? — насмешливо спросила она. — Собственно, дело не в этом, — тут же добавила она. — Это хорошо, что ты позвонил. Я верну тебе деньги, так как у меня появились дела и я уезжаю. Понятно?

— Нет, подруга, — послышался смешок. — Так не пойдет. Бабки взяла, надо отработать. А то мы же на тебя понадеялись и никого больше не...

— Хватит! — крикнула она. — Приезжай к Ярославскому через час, я верну деньги. С процентами, — насмешливо добавила она. — Добавлю триста долларов. Через час у Ярославского, — и положила трубку.

— Сучка, — бросил Михаил. — Подстилка хренова. И на кой хрен я в эти игры с ней играть начал, — проговорил он. — Просто знал, она помешана на подобных вещах, — вздохнул он. — Вот и решил по новой подкатиться. Она упакована ништяк, значит, где-то бабки делает. Видно, поняла шкура. Только бы про это Папочка не узнал, — покачал он головой. — Иначе мне кирдык будет. Да, собственно, я сам хотел узнать что-нибудь про эти камушки. А то водят, блин, как ишака на веревочке. Это Натка меня в эту канитель втащила. Бабки дают, а делово-то хрен да немного, — усмехнулся он. — Попасти того, присмотреть за этим. А Натка меха тут продает. Она сама из Сибири. Да, собственно, порядком мне надоела уже эта волокита. Придумал кто-то сказку про камушки бессмертия, — рассмеялся он. — Если бы что-то было, эта шкура

Лидка уже давно бы все выложила. Значит, фуфло все это. А Натка, похоже, тоже башкой тронулась, — добавил он. — На кой-то хрен к старику поехала. Она его терпеть не может. Рассказывает о нем, как о придурке. Не хотел бы я такую дочь иметь. — Раздался вызов сотового. — Опачки, — хмыкнул Михаил. — Папочка звонит.

— Значит, говоришь, уезжать собирается, — ухмыльнулся Зудин. — Ну, что ж, как говорится, скатертью дорожка. И еще хочет что-то вызнать про камни, — посмотрел он на Ренату. Та кивнула. — Вот люди-человеки, — проворчал Зудин, — сами на себя беду накликивают. А я тебя вот о чем спросить желаю, — уставился он на Ромову. — Почему ты никому про камушек не сказала? Я, например...

— Извините, Вадим Константинович, — улыбнулась она, — вы про какой камень говорите? — Он, замолчав, уставился на нее и рассмеялся.

— А ты далеко пойдешь. Вот был бы я помоложе, я б на тебе, ей-богу, женился. Сейчас нет, — с сожалением добавил он. — Помнишь, я тебя в постель приглашал, а ты отказалась. И правильно сделала. Проблемы у меня с мужским достоинством. Годы, наверное, свое берут, — вздохнул он. — Ты, Рената, верная, и я ценю это. И вот как ухвачу удачу, ты у меня богатой станешь за верность и за молчание. Я преданность ценил и ценю всегда, — заверил он ее.

— Вызывали, Вадим Константинович? — открыв дверь, вошел в кабинет худощавый мужчина в очках.

— Вызывал, — ответил Зудин. — Пить будешь? — спросил он.

— Кофе без сахара, — ответил худощавый.

— Сделай, Рената, ему кофе, — распорядился Зудин. Та поднялась, выходя, закрыла дверь.

— Вот что, Дипломат, — улыбнулся Зудин. — Поедешь в Тулу к брату нашего гостя. И вот что ты там ему скажешь... — Он подвинул к себе кожаную папку.

— Ответь, только честно, — улыбнулся сидевший за столом Аркадий Владимирович. — Как тебе у нас живется-служится? Никогда прежде и подумать не мог, — вздохнул он, — что будет у меня горничная, повар и даже свой личный врач. Так как тебе у нас, Настя?

— Хорошо, — поставила на стол поднос с двумя тарелками молодая стройная женщина. — У других гораздо хуже, — весело добавила она.

— А хозяйка тебя не обижает? — посмотрел он ей в глаза.

— Жаловаться понапрасну грешно, Аркадий Владимирович, — вздохнула Анастасия. — Ешьте.

— Если будет выгонять или еще что, — проговорил он, — ты мне скажи. Я хозяин квартиры и, следовательно, все решения принимаю тоже я. А ты, Настя, меня вполне устраиваешь. Как твои родственники с кризисом справляются?

— Знаете, Аркадий Владимирович, — вздохнула она, — на селе кризис как-то и не чувствуется вроде. Вот только подорожало все разом. Отец вон пишет и удивляется. Бензин подешевел, а цены на все вверх поползли. Раньше если бензин...

— Нефть подешевела на мировом рынке, поэтому и цена на бензин на внутреннем снизилась. Цены растут как раз из-за кризиса. В сельской местности потому кажется легче, что массовых увольнений нет. А где хозяйка? — спросил он.

— А я, извините меня, Аркадий Владимирович, заметила, что вы по имени...

— Не хочу я ее по имени называть, — сухо перебил горничную Аркадий Владимирович. Вздохнул. — Березина, — неожиданно проговорил он. — Что же я, старый пень, не узнал ее. Березина Лидия Максимовна. Вот память, — недовольно пробурчал он.

— О чем это вы, Аркадий Владимирович? — спросила Настя.

— Встретил в историческом архиве свою лучшую ученицу, — улыбнулся он, — и не узнал. А сейчас как-то неожиданно вспомнил. Верно говорили в народе, и на старуху бывает проруха, — улыбнулся он.

— Ну, вот и все, — сидя у окна, думала Лида. — Тарасюк очень хотел узнать, куда и зачем я еду и почему так легко вернула деньги. Лучше бы, конечно, было на машине, — поднялась она, заметив, как ей подмигнул сидевший напротив подвыпивший мужчина. — Но дорога дальняя, а я не очень хорошо вожу, а если случится что, я просто сойду с ума, — улыбнулась она.

Ярославль

— Кого еще принесло? — Дубовский, вытащив из-под подушки ТТ с глушителем, взвел курок и, мягко ступая босыми ногами, вышел в прихожую. Чуть приоткрыл глазок и посмотрел. Удивленно расширил глаза. Открыв замок, снял цепочку и отступил на два шага назад. Направил руку с пистолетом на дверь. — Открыто, входите.

— Ты не пальни сдуру, — раздался голос Заветова. — Это я, Леха.

— Открой дверь медленно и входи, — спокойно заговорил Дубовский. Дверь медленно открылась. Толкнувший ее Алексей остался стоять. Увидел глушитель на стволе и покачал головой.

— И как тебя из Франции выпустили?

— Ты даже это знаешь, — усмехнулся Дубовский. — Заходи. — Заветов, неторопливо заложив руки за голову, вошел. — Закрой дверь, — не опуская руки с пистолетом, попросил Дубовский.

— А ты, Юрка, больной на всю голову. — Алексей закрыл дверь еще и на цепочку.

— Здорово. — Дубовский спрятал пистолет и протянул руку. — Как ты меня нашел? И откуда знаешь про Париж?

— Вот. — Алексей протянул ему конверт. Сняв полусапожки и стряхнув с шапки снег, бросил ее на пол у вешалки.

— Значит, наняли, — усмехнулся Юрий, рассматривая фотографии, на которых он беседовал с Дориновым в кафе. — Могу узнать, кто?

— Можешь, — поставив на стол бутылку водки, кивнул Заветов. — Закусить найдется?

— И выпить тоже. — Вытащив пистолет, Дубовский бросил его на кровать.

— Как в старые добрые времена, — улыбнулся Алексей. — Восемь в обойме и девятый в стволе. Затвор не передергиваешь, а просто взводишь курок. И тише, и быстрее, и противник в случае перестрелки рассчитывает на восемь выстрелов.

— Школа Бати, — подмигнул ему Юрий. — Сейчас принесу фрукты. Есть хочешь?

— От мяса и колбасы не откажусь, — проходя в комнату, усмехнулся Алексей.

— Консервы разогреть? — спросил с кухни Юрий.

— Тащи так, — сел на стул Алексей.

— Странно, — произнес в трубку Доринов. — Но я не думаю...

— А подумать стоит, — перебил его Кадич. — Извините меня, конечно, Павел Игоревич, но за ним наверняка был хвост. Он же не просто так трое суток вам не показывался. Или чувствовал что-то, или ждал кого-то.

— Он, кстати, говорил о возможности слежки, — припомнил Доринов. — Но я как-то не обратил на это внимания. Вот ты говоришь, его надо убирать. А зачем, и что это даст?

— А вы не поняли? — усмехнулся Артур. — Кто-то наверняка следил за ним, и вышли на вас. Вполне возможно, что Дубовский работает еще на кого-то, и кроме того, и на себя. И вообще, Павел Игоревич, — усмехнулся Кадич, — арап свое дело сделал, арап может умереть. Старая истина. Тем более сейчас, наверное, нет такого человека, который не хотел бы найти хотя бы один камушек. И наверняка этот Дубовский тоже имеет такое желание. Надо убирать его. Кстати, — попросил он, — подождите. — Ну, что? — Доринов услышал чей-то голос, но разобрать слов не мог. — Ну вот, видите, — усмехнулся голос Кадича. — У него кто-то есть. А вы говорили, что в Ярославле у Дубовского знакомых нет.

— Он из Питера, — ответил Доринов. — Значит, ты прав. Но идти на убийство, — вздохнул Доринов. — Я не готов к подобному развитию событий. Поэтому сделай это, разумеется, если...

— Все будет сделано, — заверил Артур.

— Сейчас познакомишься, — вздохнул Сергей. — Она такая, ну вообще...

— Влюбился ты, старлей, — засмеялся Илья. — Вот не думал, что тебя кто-то зацепит. На что ты жить-то будешь? На ее деньги?

— Пока о совместной жизни говорить рано, — вздохнул Белов. — Хотя, будь у меня постоянный заработок, наверное, предложил бы ей руку и сердце, — выматерился. — Но не буду же я ходить грабить магазины и затем возвращаться и что-то ей объяснять...

— Пришла электричка, — махнул рукой Александр, стоявший у выхода на перрон. Белов и Казаков пошли к выходу.

— Скоро приедем, — сказал сидевший за рулем Никита. — Электричка подошла. А вон и они. А она вполне прилично выглядит, — кивнул он. — Из новых русских, наверное.

— Ты там не начни городить чепуху свою блатную, — предупредила Таня.

— Все путем, ну то есть нормально будет, — улыбнулся он.

— Ее встретили, — говорил в сотовый невысокий неприметный мужчина. — Трое мужчин. Идут к машине. Новая «Нива». Что делать?

— Вон тачка, — кивнул на стоявшую «десятку» длинноволосый парень. — Она у него в гараже стояла у одного мужика. Мы узнавали, он заплатил, чтоб до его приезда постояла тачка. А сейчас взял. Видно, собирается уезжать. Далеко не уедет, — усмехнулся он. — Второго мы...

— Оба тут, — подойдя к «фольксвагену», сказал среднего роста парень в полушубке. — Следов видно не будет, там лед и асфальт. Так что все путем, — усмехнулся он.

— На выезде со двора работай, — кивнул длинноволосый. — Нам нужны оба. Если поедет кто-то один, второго проследить, и машину не взрывать, пока не доберемся до второго.

— Поехали, — сел рядом с водителем парень в полушубке. — Нам скажут, кто сел в машину, а второго поведут.

— Они за город, — говорил в сотовый коренастый мужчина. — Может, просто пробить номер и...

— А ты уверен, что хозяин с ними? — перебил его голос. — Может, его просто наняли или знакомый. Он же не был на перроне. Веди до конца.

— Да брат моей жены, — говорил Никита, — влез в компьютер и какие-то камни бессмертия ищет. А тут приехал его приятель, он на Новый год в Сибирь с отцом ездил и у деда был, пока пахан дела делал, — кивнул он. — И Сашка, ну это кореш Веньки, что-то ему наговорил.

Венька и засобирался. А Танька, это баба моя, ну то есть жена, — поправился он, — в ярости и...

— Извините, — остановила его сидевшая на заднем сиденье Лида. Справа от нее сидели Белов и Бурин. — Ваш родственник хочет ехать в Сибирь? В Красноярский край? — уточнила она. Пораженный Никита уставился на ее отражение в зеркале.

— За дорогой гляди! — привел его в чувство Илья. Орлов выровнял машину.

— Во, блин, — пробормотал он. — Ни хрена себе уха. А ты, ну то есть вы...

— Будем на ты, — улыбнулась Лида. — Так проще, и доказано, что разговор на ты вызывает больше симпатии и доверия. А я предположила, потому что кое-что слышала. А с вашим любителем компьютера я поговорю с удовольствием. И смею сказать, что он гений и дурак одновременно, — улыбнулась она. — Такое, как ни странно, случается.

— Ты на дорогу смотри.

— Она чего, ведьма? Откуда она про Веньку все знает? — пробормотал Никита.

— У нее спроси, — отозвался Илья.

— Оба вышли, — услышал длинноволосый из переговорного устройства. — Садятся в машину. На заднее сиденье поставили две большие пустые сумки.

— Все, — усмехнулся длинноволосый. — Свободны.

— Выселки, — сказал в сотовый коренастый. — Пасти до дома я побоялся.

— Или глупость, или совпадение, — услышал он в ответ. — Свободен.

— Вот она, — кивнул длинноволосый на выезжавшую «десятку» с затонированными стеклами и питерским номером.

— Ну, привет, ребята, — усмехнулся мужчина в полушубке и нажал кнопку на сотовом. Ахнул короткий мощный взрыв. Развороченный перед машины подбросило, и «десятка» перевернулась. Снова грохнул взрыв, и развороченную машину охватило пламя. «Фольксваген» свернул влево. — Их нет, — сообщил в телефон длинноволосый.

Выселки

— Да потом вы с ним поговорите, — махнула рукой Зина. — Остынет же все. А Венька никуда не денется. Лида, — вздохнула она. — Ну, в общем, я вам в одной комнате постелила. Ничего это или, может...

— Мы с ним спали и не раз, — улыбнулась Лида. — И давайте на ты, Зина. А то...

— С удовольствием, — весело улыбнулась та. — Я ведь думала, приедет такая городская фифочка. У нас тут на лето из Москвы приезжают, так фу-ты ну-ты, — фыркнула она. — Не подступишься. А ты...

— Неужели у Сережи может быть фу-ты ну-ты! — рассмеялась Березина. Зина тоже засмеялась.

— Класс баба, — кивнул Илья.

— Мой тебе совет, Казак, — улыбнулся Сергей, — не зови жен друзей и свою бабами. Это оскорбляет мужчину, который с ней.

— Извини, старлей, — вздохнул Илья. — Просто все тут в основном...

— Не всегда правильно то, что делают или говорят окружающие, — спокойно проговорил Белов. — Скажи, это кто другой, я бы не поправлял. Но ты мой боевой товарищ и...

— Все понял, — заверил его Илья.

— А тебе не показалось, старлей, — пробурчал Александр, — что от вокзала нас вели. Сначала «десятка», потом «восьмерка».

— Показалось, — кивнул Сергей. — Я поэтому и попросил Никиту остановиться у деревни. И «восьмерка» развернулась и ушла назад. От вокзала нас действительно вела «десятка». Мы дважды уходили с проспекта, и она шла за нами. Интересно, кто это?

— Слышь, мужики, — вмешался в разговор Никита. — На бане, ну на вокзале, — поправился он, — бывший мент нас пас. Сукой буду, пас, — кивнул он. — И номер вроде записал. Я думал, просто он меня знает, и решил проверить, не спер ли я тачку. А теперь понял, что он нас пас. Он работал у нас, ну в Ярославле. Потом погорел на взятке или еще на чем-то, и его перевели. В Тулу, кажется, — кивнул он. — Я этого козла...

— Если вели, — перебил его Сергей, — значит, Лиду. С ней я потихоньку перетру, и...

— Да не надо, — остановил его Александр. — Зачем пугать. Завтра мы этого мента проведаем. Ты же сможешь найти...

— Он у телки одной живет, — кивнул Никита. — Она в паспортном работала, да тоже на чем-то спалилась. Вот он к ней и прикатил. Но живет он в Туле и в ментуре вроде как не работает.

— В общем, завтра мы у него все и узнаем, — сказал Александр.

— Класс, — одобрил Орлов. — Я с ним с удовольствием перетру. Напомню, как он, шакал, меня дубиналом в камере окучивал.

— Ты чего? — удивленно уставился на ворвавшегося в кабинет Кадича Доринов.

— Этих обоих взорвали в машине, — быстро заговорил тот. — У Дубовского тачка была в...

— И что ты такой нервный? — усмехнулся Доринов. — Или кто-то из твоих?..

— Мои тут ни при чем, — перебил его Артур. — Вот в чем дело. Их убрал кто-то другой. А значит, и про вас знают. Вполне возможно, и про меня, — нервно добавил он.

— Ты так думаешь? — растерянно спросил Доринов.

— Конечно, — кивнул Кадич. — Поэтому надо принимать меры безопасности. Я останусь у вас, пока ситуация не прояснится. Потому что непонятно, кто за этим стоит, — добавил он. — И почему их убили.

— Действительно, что-то непонятное происходит, — растерянно пробормотал Доринов. — Значит, ты думаешь, могут убрать и нас? — В его голосе Артур услышал страх.

— Ну, убрать, наверное, пока нет, — ответил он. — А вот захватить, чтобы узнать, что вам известно, могут вполне.

— Так, — кивнул Доринов. — Значит, надо собирать всех людей для охраны. Немедленно, — подчеркнул он.

— А не лучше перебраться куда-нибудь? — спросил Артур. — Здесь...

— Здесь, чтобы добраться до меня, — самодовольно ответил Доринов, — нужна рота спецназа. И то им придется нелегко. А бандитам не нужен шум, и если прозвучат хотя бы несколько выстрелов, они немедленно отойдут. Потому что после звонка о перестрелке здесь уже через двенадцать минут будет вертолет с ОМОНом. Я член городской...

— Ну, значит, у вас безопасно, — сделал вывод Артур. — Надеюсь, вы не будете против моего присутствия в вашей крепости? — спросил он.

— Не надо иронии, — недовольно проговорил Доринов.

— Извините, — поспешил сказать Кадич.

— Это и есть Вениамин Богатырев? — улыбаясь, спросила Лида.

— Это я и есть, — смущенно проговорил парень. — А вы Лидия...

— Просто Лида, — засмеялась Березина. — Значит, ты собрался на поиски...

— Эй, — подошел к ней Белов. — Я не знаю, что у вас за дела, но прошу, вернись к столу, пожалуйста, — улыбнулся он. — Проблемы подождут, а я впервые среди друзей с любимой женщиной.

— Тогда это все меняет, — весело отметила она. — Мы поговорим с тобой завтра. А сейчас надо веселиться, — засмеялась она. «А мне тоже давно не было так легко и хорошо», — подумала она.

— Дом пустой, — произнес мужчина в черном. — Никого. Света нигде нет. Что делать-то?

— Сейчас, — кивнул другой и вытащил сотовый. Нашел номер и нажал кнопку вызова.

— Да, — отозвался мужской голос.

— Никого нет, — проговорил он. — Дом пуст. Что делать?

— Оставь наблюдение, — помолчав, решил абонент. — Они обязательно появятся. Это дело надо доводить до конца. Понятно?

— Понятно, — кивнул звонивший.

— И вот что, — напомнил абонент. — Всех, кроме Богатырева. Понятно? И еще, Ночной, — продолжил абонент. — Все тщательно проверить, любые документы, имеющие отношение к Персии, берите. Понятно?

— Все сделаем, — отчеканил Ночной.

— Но не спугни, — предостерег голос.

— Подождите. — Веня тряхнул головой. — Вы тоже думаете...

— Зачем ты вошел в Интернет и сообщил о том, что нашел? — вздохнула Лида. — Поверь, Веня, все это очень и очень серьезно. А ты как бы пытаешься выманить на себя...

— Нет, — не дал говорить ей он. — Я просто хочу, чтобы все, у кого есть камушки, объединились, хотя бы для того, чтобы проверить, действительно ли, собранные вместе, они помогают при болезни. Я не говорю о бессмертии, я реалист, — заявил он. — Но...

— Венька, — перебила его Лида. — Из-за этих камней уже погибли люди. В Монголии убит профессор, который нашел один из семи камней. Так, по крайней мере, писали в газетах и журналах. Его сотрудница, делающая анализы почвы, была простужена и, поработав с камнем около часа, почувствовала себя легче. Если быть откровенной, я в это не верю, — покачала она головой. — Хотя может быть всякое. Но я думаю, что все это...

— Но вы никак не даете сказать мне главное, — виновато перебил ее Вениамин. — Понимаете, у меня есть товарищ, другом назвать я его не могу, потому что имею свое представление о дружбе, — вздохнул он. — Саша был в Красноярском крае...

— И ты действительно думаешь, что там находится один из семи камней? — прервала его Лида.

— Понимаете, Лидия, — вздохнул он, — я рассматривал возможность попадания хотя бы одного из семи камней на территорию Руси. И понял, что сие вполне могло произойти. Помните...

— Ну, вы все-таки уединились, — вошел в комнату Илья. — А мы вас разыскиваем всюду. Оставьте все дела на завтра, — попросил он. — А ты не баламуть Лидию. Человек с дороги и ведь приехала она не к тебе...

— Он ни в чем не виноват, — перебила его Лида. — Просто так получилось, что мы с Вениамином занимаемся одной темой. Идем к столу. Мы завтра с утра с тобой обо всем поговорим. Только обещай мне ночью не...

— Обещаю, — смущенно проговорил он. — И Сашку я позову, он вам тоже расскажет и вы поверите. Понимаете...

— Хватит, гений ты наш, — оборвал его Илья, — деревенский. Хватит, Венька, — уже раздраженно повторил он.

— Я домой пойду, — робко улыбнулся Вениамин. — А то я не хочу пить коньяк или водку. А меня постоянно заставляют, мол, ты что, не мужик, что ли. Сейчас скажу Тане и Никите и пойду.

— Да ты не обиделся на меня? — спросил Илья.

— Да, нет, конечно, — успокоил его Богатырев.

— А я думал, почему Никиту иногда Богатырем называют, — попытался сгладить возникшую неловкость Илья. — А ведь ты и Танюха Богатыревы, а он Орлов.

— Таня сейчас тоже Орлова.

Ярославль

— Два трупа, — говорил старший лейтенант ДПС. — Судя по водительскому удостоверению, машина принадлежит Дубовскому Роману Семеновичу. Тридцати пяти лет, из Питера. Квартиру он снял три дня назад. Хозяйка отзывается о нем хорошо. Соседи ничего сказать не могут. Они видели Дубовского несколько раз у подъезда. У Дубовского был гость. Кто такой, установить не удалось. Трупы и документы сгорели. Водительское удостоверение уцелело, потому что было в козырьке от солнца со стороны водителя, козырек оторвало взрывом и выкинуло...

— Что в квартире нашли? — перебил его майор милиции.

— Ничего, — сообщил старлей. — Все прибрано, полы вымыты. Все вещи на месте. У хозяйки претензий нет. В общем, надо установить личность гостя, — подвел он итог.

— Слышь, начальник, — заискивающе говорил небритый бомж, — но я же тебе в натуре говорю...

— Сдернул отсюда! — заорал старший сержант. — У тебя минута. Будешь выступать, в камеру отправлю!

— Вот так всегда, — поспешно пошел от стоящей напротив ларька милицейской машины бомж. — Мужиков, может быть...

— Бегом, — заорал милиционер.

— Ты чего, Петров, визжишь? — вышел из ларька прапорщик милиции. В руках он держал два пакета. — Пивом разжился, — подмигнул он напарнику. — И палочек крабовых дали. Говорят, больше не подходят эти уроды, которых мы отшили. А чего этот-то хотел? — кивнул он на удалявшегося бомжа.

— Приятели его пропали, — усмехнулся старший сержант. — Вот и ходит. Говорит, наверное, скинхеды забили.

— Поехали, — открыв дверцу, сунул на заднее сиденье пакеты прапорщик.

Выселки

— Дойдешь один-то? — спросил Сергей.

— Конечно, дойдет, — усмехнулся Никита. — Здесь же народу хрен да немножко, и каждая собака всех знает. Конечно, бывает, приезжают сюда из Горловки, полтора километра до нее, но ведут себя тихо. Все нормально будет. Снег опять пошел, — поправил он наброшенную на плечи дубленку. — Пошли за стол. Кстати, Лида классная ба... женщина, — не договорив первое слово, засмеялся он. — Про такую, в натуре, не скажешь ба...

— Кстати, про твою Татьяну тоже не скажешь, — улыбнулся Белов. — И про Зинаиду. Я в деревне не жил и скажу честно, думал, все женщины деревенские крепкие, плотные и с косами, — рассмеялся он. — И ходят в душегрейках и валенках. А приехал, стыдно стало. Выглядят и Таня, и Зина отлично. В домах у вас не хуже, а то и получше, чем у многих в городских квартирах, и вода в домах есть, и ванна, и телевидение, и спутниковая антенна, что так не жить. Я тебе честно скажу, — понизил он голос. — Хочу дело крупное сделать и где-нибудь в деревне осесть. Трактор купить, грузовик, ну, в общем, фермером быть. У вас тут...

— А Лидка в курсе твоих планов? — перебил его Никита.

— Нет, конечно, — опустил голову Сергей. — Вот, увидел ее, и что-то дрогнуло в сердце. Как подумаю...

— Ааа! — раздался протяжный крик. Оба не сговариваясь бросились на помощь. Белов, поскользнувшись, упал. Вскочил и побежал за Никитой.

— Сука. — Парень в короткой меховой куртке сильно ударил Вениамина по голове рукояткой пистолета.

— Грузи и сваливаем, — сказал, поднимая потерявшего сознание Вениамина, второй. От дома бежал третий. На ходу вскинул руку.

— Ложись! — заорал рванувший за бегущим Никитой Сергей и, поймав его левую ступню, сильно дернул. Орлов грохнулся на снег.

— Ты чё?! — пытаясь подняться, заорал он.

— Из ствола бьют, — прижал его Белов.

— Но выстрелов не было! — крикнул Никита.

— Вспышка короткая была, ствол с глушителем, — ответил Сергей. И тут и Никита увидел короткую вспышку выстрела и услышал, как вжикнула пуля.

— Твою мать! — вжался он в снег. Взревев мотором, машина сорвалась с места.

— Веньку увезли, — вскакивая, заорал Никита. Побежал к дому. Белов, выхватив пистолет, вскинул, но, выматерившись, опустил руку с оружием. Бросился за забежавшим во двор Никитой. Тот кинулся к воротам гаража. — Ключ дома, — заорал он и побежал к крыльцу. — От дома ключ у Таньки! — зло вспомнил он.

— Уже не догоним, — переведя дыхание, сказал Белов. — Джип был. — Присев, включил фонарик на зажигалке. — А вот тут они хапнули Веньку, — посветил он левее. — Он кого-то укусил, — проговорил он. — Вот клок перчатки и кровь. А тут он упал. Их трое было, — пробормотал Сергей. — Один ходил к дому. Оттуда бежал. Надо звонить в милицию.

— Не надо, — глухо проговорил подошедший Никита. — Читай, — отдал он лист бумаги. — В замок вставили.

— «Не заявляйте никуда, — прочитал Белов. — Или он умрет. Что нам нужно, сообщим позже. Сделаете все как надо, парня вернем».

— А чего они хотят-то? — непонимающе спросил Никита. — Мы же...

— То, — перебил его Белов, — насчет чего Венька хотел говорить с Лидой. Пошли, — кивнул он.

— Погоди, — выдохнул Никита. — Что я Таньке скажу?

— Что тут у вас? — громко закричала запыхавшаяся Татьяна. За ней подбежали Лида с Ильей и, чуть приотстав, Зина.

Ярославль

— Живой этот сучонок? — прорычал рослый парень с перебинтованной ладонью. — Он, сука, мне перчатку прокусил. Кусок вырвал вместе...

— Жив сучонок, — выволок Вениамина крепкий парень.

— Давай его в гараж, — кивнул вышедший в накинутом на плечи полушубке невысокий мужчина. Богатырева потащили двое парней. — Не трогать его, — увидев, что один ударил парня коленом в живот, проорал невысокий. — Пальцем тронете, зубы повышибаю.

290

— Я понятия не имею, куда они поехали, — недовольно говорил ходивший по перекрестку Белов. — Скорее всего в город. По крайней мере сворачивал джип туда. В общем, надо возвращаться.

— И на кой хрен он им понадобился? — процедил Никита. — Если в натуре из-за этой хреновины на компьютере, я его вытащу и все зубы повышибаю. Наигрался хрен на скрипке.

— А он-то при каких? — усмехнулся стоявший возле машины Илья. — Хотел денег заработать. Надо с Лидкой поговорить, она-то все знает.

— Поехали домой, — подошел к «Ниве» Белов. — Я говорил, зря поехали. Значит, что-то серьезное он нарыл. Ладно, Лида объяснит.

— Дурак, — сердито бросила сидевшая за компьютером Лида. — Хотя его можно понять. Увлекся поисками, а на это послание вполне могли откликнуться. Вот и откликнулись, — вздохнула она. — Им нужно получить от него информацию, что он знает про амулет. Он так назвал камушек. Не алмаз, не камушек, а амулет. Так, посмотрим, что у тебя еще есть.

— Это он? — спросил невысокий худощавый мужчина в очках.

— Да, — кивнул длинноволосый.

— Гений, — засмеялся худощавый и подошел к сидевшему на табурете Вениамину, пристегнутому наручниками за левую руку к батарее. — Ну, зачем же вы так, — укоризненно сказал он. — Освободите парня. Ты Вениамин Петрович Богатырев?

— Я, — испуганно глядя на него, ответил тот. — А вы кто?

— Да у тебя кровь на шее, — заметил худой. — Отстегните его. Неужели нельзя было без грубости? — недовольно спросил он.

— Домой мы не попали, — ответил длинноволосый. — Они, видно, у соседей были. Он домой шел. Его взяли, а он орать начал и укусил...

— Понятно, — кивнул худощавый. — Ведите наверх, покажите врачу и дайте все, что пожелает. Ему успокоительное нужно. Пусть отоспится, а уж потом будем разговаривать. — Вытащил сотовый. Нажал вызов. — Гений у нас. Правда, без шума не получилось. Так вышло. Где она, не знаем. Пытаемся... — Замолчав, вслушался в голос абонента. — Хорошо, — после довольно продолжительной паузы кивнул худощавый. — Все сделаем, как говорите. А... — И снова замолчал. Двое парней, поддерживая Вениамина под руки, повели наверх. Он чуть пошатывался.

— Хорошо еще, у этого питерского родных нет никого, — зевнув, кивнул полный полковник. — Не надо опознание проводить. Со вторым трупом, правда, проблемы, не знаем, кто такой. Понятно только, что это молодой мужик. Будет заявление о пропаже кого, вот и подсунем этого, — усмехнулся он.

— Но надо, чтоб без экспертиз и прочих там генетических проб, — тоже зевая, заметил плотный подполковник.

Тула

— Ко мне? — спросил подполковник Дятин. — Ну что ж, давай сюда этого посланца, — усмехнулся он. Вернулся в кабинет и сел за столик. — Кофе принеси, — проговорил он в микрофон внутренней связи. — Коньячку плесни. Что-то знобит немного. — Он поежился. В кабинет двое парней ввели мужчину лет тридцати пяти.

— Добрый вечер, — улыбнулся он. — Я, наверное, не совсем вовремя. Но понимаете, дело не терпит отлагательств, — сказал он, усаживаясь в кресло. — Пусть принесут крепкий чай, — кивнул он подполковнику.

— Ты кто такой, чаелюб? — усмехнулся Дятин.

— Я? — улыбнулся он. — Да вам-то, собственно, это без разницы. Вот от кого и зачем, это другой вопрос. Но сначала чай, — напомнил он. Увидев кивок подполковника, к мужчине шагнули парни. — Вы только себе хуже делаете, — услышал Дятин. — Поверьте, Игорь Васильевич, — усмехнулся он. — Кстати, чуть не забыл. Вам большой привет от Федора Васильевича, — засмеялся он. Дятин остановил парней.

— Где он и что?..

— Проводите парнишек, — посоветовал мужчина. Дятин сел и кивнул телохранителям. Те вышли. — Вот, — вытащил из внутреннего кармана зимней куртки конверт мужчина, — посмотрите. — Подполковник взял конверт и, открыв, вытащил три фотографии. Вскочил. — Где Федор? — прошипел он.

— Он нам все отдал, — улыбнулся мужчина. — И если у меня будет хотя бы помята одежда, все это пойдет по адресу. Так просил передать Вадим Константинович Зудин. Ваш брат, Игорь Васильевич, приехал к Зудину и предложил сотрудничество. И сдал вас с потрохами, как говорится. Кроме снимков, которых уже хватит для возбуждения уголовного дела, есть видеокассета, как вы развлекаетесь с девочкой, которой было пятнадцать, и чей труп нашли три года назад...

— Чего хочет Зудин? — перебил его Дятин.

— Завтра утром вы поедете со мной в Москву, и он вам скажет, — улыбнулся мужчина. — Где я буду спать? — спросил он. — И где мой чай?

Бонн. ФРГ

— Немедленно отправьте туда людей, — процедил Гейдрих. — Черт бы вас побрал, умники, — добавил он. — Вы хоть что-то можете? Какой-то идиот преподносит вам на блюдечке местонахождение одного из камушков, а вы...

— Мы просматриваем новости в Интернете, — виновато ответил, не дав договорить ему, полный мужчина. — А тут просто...

— Заткнись, — бросил ему Гейдрих. — Берта, у тебя в России есть люди? — спросил он.

— Сейчас нет, — качнула она головой. — Мы вернули...

— Немедленно отправь туда людей, — повторил Гейдрих. — Кстати, Адольф просил работу, а он неплохо говорит по-русски, — вспомнил он. Дрожащими пальцами вытащил трубку. — Набери, — подвинул ее племяннице. — Старый стал и, когда нервничаю, пальцы дрожат. Вас расстрелять мало! — заорал он на троих стоявших у двери кабинета молодых мужчин. — Пошли вон, чтобы я вас не видел. И если подобное повторится, я вас самолично в бетон закатаю, — зло пообещал он.

Лондон. Англия

— Ты звал, дядя? — вошел в кабинет Квентин.

— Садись, племянник, — кивнул тот. Катая желваки, закурил.

— Что случилось? — настороженно спросил Квентин. Шонри подвинул ему большой распечатанный конверт. Непонимающе посмотрев на дядю, тот взял его. Вынул фотографии. Глянув на верхнюю, расширил глаза и начал быстро просматривать остальные.

— Как это могло быть? — растерянно спросил он.

— Я бы тоже очень хотел знать, — процедил дядя. — Ты понимаешь, что это для нас значит? — спросил он.

— Догадываюсь, — вздохнул племянник. — Но как это возможно? — непонимающе спросил он. — Получается, что нас...

— Именно так и получается, — кивнув, перебил его дядя. — Отправлено письмо в Лондоне вчера. И никакой приписки. Я догадываюсь и даже знаю, кто его отправил, — кивнул он. — Зудин, — уверенно бросил он. — Стасин сообщил нам о месте встречи, и мы думали, что взяли...

— Но тогда получается, он нас переиграл, — недовольно отметил Квентин. — И теперь мы у него в руках. Интересно, что он потребует?

— Дело не в этом, — возразил дядя. — А в том, что он будет держать нас на коротком поводке. А мне это очень и очень не нравится. Труп той женщины нашли в тот же день, мы видели это в передаче «Дорожный патруль», — напомнил он. — И хозяйку квартиры тоже. И это доказывает, по крайней мере, одно убийство точно, и русская полиция вполне может предположить, что и хозяйку убили мы. Надо что-то делать.

— Спасибо тебе, Шонри. — В комнату зашел Ричард. — И знаешь, это, может быть, удивительно, но папе стало легче. Спасибо. Но как тебе удалось...

— Чего не сделаешь ради друга, — с явным удивлением перебил его шотландец. Квентин уловил эти интонации в его голосе и усмехнулся.

«Черт, — мысленно вспомнил нечистую силу Шонри. — А может быть, Фаршух Шалим, сам того не зная, дал мне камень бессмертия? Черт», — снова упомянул он рабочего ада.

— Но где ты взял?..

— Где взял, там уже нет, — усмехнулся Шонри. — Просто, надеюсь, понимаешь, что он стоит не сто тысяч?

— Конечно, — кивнул Ричард.

— Да, — вздохнул, улыбаясь, сэр Уильямс. — Мне действительно легче. Я умоляю тебя, Марго, — он посмотрел слезившимися глазами на сидевшую рядом с кроватью дочь, — найди остальные. Я заплачу сколько нужно.

— Хорошо, папа, — положила она ему руку на лоб. — Успокойся. Мы сделаем это. — Но глаза говорили другое. «Дьявол тебя забери, Шонри Конрад, — думала Маргарет. — Где ты нашел этот камень? Лично я была уверена, что это просто великолепная подделка. Надо будет серьезно поговорить с Шонри. Очень серьезно. — Посмотрела на затихшего, закрывшего глаза с удовлетворенной улыбкой на сухих губах отца. — Неужели камень может действительно дать бессмертие? — удивленно подумала она. — Чушь какая-то. Но отцу действительно стало легче. Надо собрать все семь», — прошептала она. Снова посмотрела на уснувшего отца. Встала.

— Где он? — спросил Шонри.

— Его и всех его родных вырезали, — перебил его мужской голос на арабском. — Шалим прячется, боится, что и его убьют. И вот что еще, — проговорил собеседник. — В доме все перевернуто, убийцы что-то искали.

— Послушай, Фаршух, — перебил его шотландец. — Как я помню, он говорил, что у него не один такой камень. И где он их взял?

— А в чем дело, Шон?

— Отвечай, — прорычал Шонри. — Кажется, камень настоящий, — понизил голос Конрад.

— Может быть, и так, — услышал он. — Семья...

— Приезжай, — перебил его Шон и отключил телефон. В комнату быстро вошла Маргарет.

— Где ты взял камушек? — требовательно спросила она.

— В лавке на азиатском базаре, — ответил Шон.

— Я хочу видеть этого продавца, — заявила она.

— К сожалению, не получится, — спокойно ответил Шон. — Он уехал.

— Ты врешь, — резко перебила его она.

— Послушай, милашка, — усмехнулся Шон. — Ты не забыла, с кем разговариваешь? Я тебе не парень из бара, с которым ты...

— Вот что я тебе скажу, Шонри Конрад, — прервала его она. — Мне нужно знать правду, потому что отцу стало легче, — заявила она. — А значит, камень действительно...

— А теперь послушай меня, — раздраженно заговорил шотландец. — Повторяю: я выполнил вашу просьбу и подобрал на базаре подходящий по размеру и цвету, как мне показалось, камень. И все. Я сказал, что продавец уехал, потому что это действительно так. Я после разговора с Ричардом послал туда человека, он помнит, у кого я покупал камень, продавца там нет. Он уехал. Я понятно выразился?

— Извини, — вздохнула Маргарет. — Но камень настоящий и очень странно, что ты его купил...

— Подожди, — усмехнулся вошедший Квентин. — Неужели ты думаешь, что если бы мы знали, что камень настоящий, мы бы отдали его твоему отцу? Мы бы, может, сообщили об этом вам, — усмехнулся он снова. — Хотя, учитывая твой тон, я думаю, нам вообще следует расстаться. Я выразил и ваше мнение, дядя? — обратился он к Шонри.

— Точно, — кивнул тот. — Я хотел как раз сказать об этом. Кстати, — усмехнулся он, — надеюсь, вы нам доплатите девятьсот тысяч. Я беру в десять раз...

— Конечно, — перебил его Ричард. — Просто хотелось бы знать правду, где вы взяли...

— Да ты подумай своей безмозглой головой, — не выдержал Шон. — Если бы я знал, что камень настоящий, неужели бы я подарил его вам? — Брат и сестра переглянулись. — Я возьму и чек, — проворчал Шонри Конрад.

Париж. Франция

— Ты хорошо все обдумал? — спросил темнокожий толстяк.

— Конечно, — самодовольно заверил его Сантас. — Значит, предлагать продать или просто...

— А что говорит твой отец? — перебил его темнокожий.

— А мне все равно, что он говорит и что думает, — усмехнулся Сантас. — Да я и к тебе обратился потому, что в Европе я никогда не был, не знаю французского. Ты поможешь мне? — спросил он. Темнокожий молчал.

— Отвечай, Хун, — нетерпеливо потребовал Сантас.

— И чем же я могу тебе помочь? — спросил Хун.

— Людьми, — ответил Сантас. — И надо делать это как можно скорее.

— Ты в своем уме? — оборвал его Хун. — Ты подумай...

— Я плачу хорошие деньги, — перебил его Сантас. — Кроме того, ты должен отцу и я списываю твой долг, — заявил он. — Если ты поможешь, то отцу ты ничего не должен.

— Ты серьезно? — нахмурился Хун.

— Вполне, — кивнул Сантас. — Я могу подписать тебе бумагу, в которой будет отмечено, что ты дал мне деньги в счет полной суммы своего долга моему отцу. Договорились?

— Хорошо, — кивнул Хун. — Но сначала я вызову адвоката, и мы напишем то, о чем ты говорил.

Лион

— Что?! — взревев, Эндрю схватил плотного молодого мужчину за грудки и отшвырнул его в сторону. — Что ты сказал?

— Собственно, зачем ему что-то говорить, — усмехнулась вошедшая Энель. — Ты почитай газету и поймешь, что он прав. В Тель-Авиве убили недавно переехавшего из России Пуршко и членов его семьи, — прочитав, она отдала ему газету. — На месте преступления захвачены трое подданных Франции. Они оказали вооруженное сопротивление полиции и были убиты.

— Что?! — заорал Эндрю. — Как это произошло? — Он взглянул на поднявшегося плотного.

— Мы подъехали по адресу, — вздохнув, начал тот. — Азиат и еще двое парней пошли наверх, в дом. Я остался на улице, в машине. И тут неожиданно налетели полицейские и солдаты. И сразу началась стрельба. Как я понял, кто-то позвонил и сообщил, что боевики...

— Так, — посмотрел на Энель Эндрю. — Надо позвонить Ку...

— Он убит в Турции, — усмехнулась она. — Ты же имеешь в виду того сотрудника таможни, кото...

— Как убит? — вытаращил он глаза.

— Выстрелом из пистолета. — Она протянула ему другую газету. — Просто читай иногда прессу.

— Не может быть! — воскликнул он. — Как это все получилось? Кто мог знать про это?! — заорал он.

— Успокойся, Эндрю, — попросила Энель. — Как видишь, ничего не получается. Ты уже начал терять своих людей. Кто-то умней и хитрей тебя...

— И ты считаешь меня идиотом, — катая желваки, проговорил Эндрю. — Я найду этого умника и сотру его в порошок.

— Эндрю, — вздохнула Энель. — Я боюсь, пойми ты меня наконец. Этот камень появился у нас двенадцать лет назад. Тогда еще никто не знал ни о легенде, ни о бессмертии, которое якобы дают сложенные в какую-то фигуру камни. А тут неожиданно появились публикации о легенде, назвали имя того, кто нашел эти камни, приблизительное время, когда были найдены камни этим персом. Точнее...

— Ахас ба Ванунга говорил всем и везде, что он перс, — кивнул Эндрю, — хотя...

— Начались поиски, — продолжила она. — Потом последовало убийство профессора с его сотрудниками в Монголии, письма и звонки с угрозами мне и моей дочери. А ты продолжаешь...

— И я найду все семь, — резко проговорил Эндрю. — Найду, — кивнул он. — Просто я никак не могу понять, кто мог узнать о поездке моих людей. Их подставили, — уверенно заключил он. — И не зря сообщили о террористах, только в этом случае израильская полиция не ведет переговоров, а стреляет сразу на поражение. Но тут ничего не сказано про камень. Его нашли или...

— Камня не было, — несмело вмешался плотный. — Я говорил с родственниками убитого, и они заявили, что пропал только один алмаз, то есть фамильная реликвия...

— И они тебе так легко сказали? — подозрительно уставился на него Эндрю.

— Мне сказал брат жены убитого, — продолжил плотный. — Они, когда их вызвали, были даже рады, но про камень полиции не сообщили. Потому что камень был ввезен с помощью...

— Верю, — кивнул Эндрю. — А еще такой камень у них есть?

— Нет, — ответил плотный. — Именно из-за этого камня у них и были натянутые отношения. Они и перетащили Пуршко...

— Понятно, — кивнул Эндрю. — Чтобы продать камень. Но как вышли на таможенника? — непонимающе спросил он. — Хотя если он так легко сказал одному, то другому тоже мог сказать запросто.

— Я разговаривал с женой инспектора таможни, — перебил его плотный. — Ее мужу заплатили за то, чтобы он как бы случайно рассказал Лазарю о камне...

— Даже так? — удивился Эндрю. — Интересно, кто...

— Она не знает, — проговорил плотный. — Муж рассказал ей, когда принес деньги.

— Кто-то стоит за всем этим, — процедил Эндрю. — И пока ему везет. Как ты думаешь, Поль, — спросил он плотного, — кто это может быть?

— Я не могу сказать точно, — нерешительно ответил тот. — Но жена таможенника упоминала какого-то русского.

— Ты и с женой таможенника говорил? — уставился на него Эндрю.

— Я решил узнать все, что можно, — виновато ответил тот.

— Извини, — буркнул Эндрю. — Ты сделал все правильно. А что еще она сказала? — тут же спросил он. — Жена...

— Больше ничего, — перебил его Поль. — Мне это обошлось в...

— Она могла и солгать, — высказала предположение Энель.

— Нет, — возразил Эндрю. — Так все и было. Разговор о камнях бессмертия завел сам израильтянин. И теперь понятно, что для того, чтобы навести на Пуршко. И он знал, с кем разговаривает. Довольно ловко кто-то все устроил, — покачал он головой. — Но кто? Для чего, понятно. Забрали камень и заодно погибли виновные в гибели русского еврея и его родных. Но получается, что они все это спланировали и просто...

— Извините, полковник, — несмело заговорил Поль, — но у нас было такое ощущение по прибытии в Тель-Авив, что за нами наблюдают. Но...

— Понятно, — кивнул Эндрю. — Хотелось бы знать, кто этот умник, — процедил он.

— Но ты понимаешь, — нервно заговорила Энель, — что следующей жертвой могу быть я или Марсия. И если Марсию...

— Успокойся, — рявкнул Эндрю. — Все будет нормально. Вы в полной безопасности. Надо найти этого умника, — пробормотал он. — Жена таможенника ничего не говорила о том, с кем?..

— Нет, — не дослушав его, возразил Поль.

— Ладно, — вздохнул Эндрю. — Скорее всего он сам обратится к нам. Что у нас насчет русского? — посмотрел он на Энель.

— Ничего, — ответила она.

— Скоро он обязательно обратится к нам с просьбой о продаже. И на этот счет есть идея, как узнать, есть ли у того, кто просит о продаже, камень. Дважды я проверял это и понял, что камней у них нет. Именно поэтому, собственно, как я понял, и началось освещение легенды про перса и камни бессмертия.

— Вот она, — кивнул смуглый парень. — Она здесь, кстати, часто бывает, — кивнул он.

— Точно? — спросил среднего роста мулат.

— Точно, — подтвердил смуглый.

Вашингтон. США

— Ты идиот, — сказал Джино. — Ты знаешь, кто это? — Он сунул под нос Оушу фотографию.

— Этого парня нанял Лео. С ним и разговаривай. А я не при делах. — Тот пожал плечами. — А кто это?

— Где Лео? — спросил Джино.

— Послушай, — усмехнулся Оуш. — Ведь уже во всем разобрались, и если кто-то и виноват, то только Пунцель. Он нашел для Лео...

— Это Койот, — процедил Джино. — Отто Торман. Наемный убийца, похититель людей, готовый за деньги отца родного зарезать. Именно его Пунцель посоветовал... — и замолчал. — Подожди, — оживился он. — Значит, все это было спланировано. Знали, что профессор Товасон едет в Монголию и...

— Но никто не предполагал, — вмешалась Джина, — что он найдет там камень. Знаешь, — усмехнулась она, — у меня в последнее время появилась мысль, что все это кто-то затеял специально. Ведь никто ничего не знал об этих камнях, да и про легенду тоже ничего не было написано. И вдруг как будто по заказу все это началось. И вот что еще интересно, — продолжала она. — Как профессор Товасон мог определить, что нашел именно один из семи камней? Послушай, Джино, — сказала его жена. — Может, хватит? Тебе не надоело все это? Ты зачем-то прикончил парня из Германии. Ледена твои придурки взять не смогли, и теперь наверняка немцы будут мстить. Вот о чем надо думать.

— Ледена очень скоро найдут и кончат, — самоуверенно заявил Джино. — А насчет немца, ты же слышала...

— А ты не подумал, что если твой Адмирал узнает, кто нанял профессору Товасону для охраны...

— Вот об этом я как раз и думал, — зло перебил ее Джино. — Знаешь, мне не хочется, чтобы мной занялся Интерпол. Если Адмирал узнает о том, что...

— Но Леден наверняка уже сообщил ему, — перебила его Джина. — Так что надо ждать или людей Адмирала, или фэбээровцев.

— Я не думаю, что Ледяной сообщил что-то Адмиралу, — качнул головой Джино. — Зачем ему портить свою репутацию? В первую очередь будет виноват он.

— А Лис тебе зачем? — спросила она.

— Он поможет нам выйти на камушек, — подмигнул ей он. — Я, конечно, не верю в эти сказки о бессмертии, но стоят эти камни очень и очень прилично. И я совсем не против, если один из них будет у нас. Надеюсь, ты тоже не возражаешь.

— Знаешь, милый, — проговорила она, — я почитала последние сообщения и, признаюсь, испугалась. В Монголии профессору и его спутникам отрубили головы. И после этого было еще около десяти трупов. Эта мадам Леберти, у которой точно есть один алмаз, усилила охрану и вообще не показывается на людях. Кстати, — вспомнила она, — в Израиле вырезана семья Пуршко, муж, жена и ребенок, и тоже, по мнению газетчиков, из-за этих алмазов. Знаешь, почему они так думают? — спросила она. — Потому что через час после этой трагедии в Турции был убит сотрудник таможни, знакомый с Пуршко.

— Вот уж никогда бы не подумал, — усмехнулся он, — что моя жена может испугаться. Ты действительно...

— Действительно, — кивнула Джина. — И на это у меня есть веская причина, — вздохнула она. — Я беременна.

— Что? — помолчав, тихо спросил он. — Ты беременна?

— А почему тебя это удивляет? — усмехнулась она. — Я что, не могу быть мамой?

— Погоди, — шагнул он к ней. — Ты серьезно говоришь или шутишь? — уставился он на нее.

— Разве этим шутят? — усмехнулась она.

— Погоди, — тряхнул головой Джино. — А почему ты не сказала раньше?

— Ты как маленький ребенок, — рассмеялась она. — Я только сегодня точно узнала об этом. Была у врача и...

— А кто будет? — перебил ее муж. Она рассмеялась.

— Этого не узнаешь сразу.

— Сын будет! — заорал Джино. — Будет маленький Баретти. Ура! — заорал он.

— Подожди, — улыбнулась она. — Но, может, у нас будет дочь. Тогда ты не так будешь радоваться?

— Будет сын, — уверенно проговорил он. — Но если родится дочь, я тоже буду рад. Но первым будет сын, — обхватив ее, приподнял. — Ура! — кружась с женой на руках, прокричал он.

— Не урони, — попросила Джина.

304

— Ой, — опомнился он. — Тебе же, наверное, нельзя уже...

— Да пока можно, — с лукавой улыбкой возразила Джина. — Просто как-то я себя начала чувствовать иначе. Мне уже тридцать, и это случилось со мной впервые. Наверное, и волнуюсь поэтому. Например, ты знаешь, как я люблю кататься на лошадях. Но сейчас нет никакого желания садиться на лошадь, — смущенно улыбнулась она.

— И правильно, — кивнул Джино. — Не надо, а то вдруг что-то случится. Потерпи, — вздохнул он. — Зато потом нас будет трое. Ты, я и сын.

— Джино, — уже сердито начала она. — А если будет дочь?

— Какая, собственно, разница, — поцеловал ее он. — Главное, это будет наш ребенок. Конечно, я, как, наверное, большинство мужчин, хочу сына, но если родится дочь, расстраиваться не стану, — засмеялся он.

— Вот поэтому я и не хочу никаких поисков этих камней, — пояснила она.

— Значит, ничего искать не будем, — улыбнулся он. — А будем ждать ребенка.

— Тебя ищут люди Баретти, — сообщил плотный негр. — Были у...

— Знаю, — кивнул Леден. — Он хочет ей смерти. Но я не собираюсь подыгрывать ему в этом. Думаю, Джино самому недолго осталось, — усмехнулся он. — Адмирал не прощает гибели своих людей.

— Какой адмирал? — непонимающе спросил негр.

— Да, собственно, зачем тебе это? — усмехнулся Ледяной. — Лишняя головная боль, — вздохнул он. — Не говори никому, где я, — попросил он.

— Разумеется, не скажу, — заверил его негр. — Если бы я хотел тебя сдать, я бы уже сделал это.

— А я тебя, собственно, вот почему позвал, — перешел Леден к делу. — Надо отправить письмо в Европу с человеком. И желательно побыстрее.

— Куда именно? — уточнил негр.

— Лонг не звонил? — спросил полковник, войдя в комнату.

— Если бы звонил, — подняв голову от журнала, посмотрела на него Жаклин, — я бы тебе сразу сообщила. Лонг объявится, когда появится конкретная информация, — улыбнулась она. — Он не любит говорить попусту.

— Ты права, — кивнул Дональд. — Но, с другой стороны, хотелось бы быть уверенным в том, что он в порядке.

— А что с ним может случиться? — улыбнулась Жаклин. — Лонг сильный и опытный солдат. Я уверена, что он выполнит поставленную перед ним задачу. Только знаешь, Дональд, — вздохнула Жаклин, — я начинаю бояться. Из-за этих камней начали убивать. Тогда, в Монголии, был убит профессор с сотрудниками. Сейчас по телевизору сообщили об убийстве семьи переехавшего в Израиль россиянина. И есть версия, по крайней мере ее высказывают журналисты, что убийство совершено из-за...

— Читал, — кивнул полковник. — И даже уверен, что это именно так. И знаешь почему? — спросил он. — Из дома, по словам родственников, ничего не пропало. Но явно они чего-то недоговаривали. И еще одно, — продолжил он. — В Турции убит сотрудник таможни, а он был хорошо знаком с убитым. И знаешь, Жаклин, — вздохнул Дональд, — это только начало. Сейчас на поиски этих семи камней ринулись авантюристы, бандиты. Также богатые родственники тяжелобольных людей. И никого не остановит ни крик ребенка, ни плач женщин. Но постарайся понять, дорогая, — произнес полковник, — я буду искать эти алмазы. Потому что это очень большие деньги.

— И тебе не жаль меня? — спросила Жаклин.

Он удивленно посмотрел на нее.

— Ты серьезно спрашиваешь?

Жаклин весело рассмеялась.

— Как ни странно это звучит, — ответил Дональд. — Но я в какую-то секунду подумал, что ты действительно боишься.

— Если говорить честно, — улыбнулась она, — я просто горю желанием заполучить эти камни. И даже не для того, чтобы продать, а чтобы увидеть, прикоснуться к ним. Представляешь, как это здорово, — вздохнула она, — прикоснуться к тому, что было сделано несколько веков назад и обладает необыкновенной силой. Надеюсь, владельцы камней вполне могут договориться между собой и проверить, насколько верна легенда о бессмертии.

— Кстати, о Товасоне! — воскликнул полковник. — Мои люди ведут наблюдение за его домом с того дня, как стало известно о его убийстве. И знаешь, что странно, — усмехнулся Дональд. — Никто не приезжал к его вдове и не пытался просмотреть документы профессора. Ведь...

— Милый, — улыбнулась она, — профессор Товасон не держал никаких рабочих документов дома. Это раз. Во-вторых, Товасон работал в Англии и...

— Последнее время, года два-три, профессор работал, так сказать, по найму. Его даже несколько раз привлекали в Индии, Китае и Австралии за попытку присвоить себе найденные ценности, — улыбнулся Дональд.

— Вернулся профессор Чейз, — вспомнила она. — И он ведет себя как-то странно. Они с Товасоном в Монголии находились в одно время, но он ничего не говорит об этом и никак не комментирует. А ведь известно, что он и Товасон были не только коллегами, но и друзьями.

— А нет ничего странного, — отозвался полковник. — Чейз просто боится. Вот и все.

Чикаго

— Что? — вскочил с телефоном в руке Том. — Вы...

— Вы Том Чейз? — спросил молодой мужчина.

— Да, это я, — подтвердил он. — А вы...

— Ваш брат погиб, — сообщил мужчина. — Убит у себя в загородном доме. Я агент Кольски. — Он показал удостоверение.

— Как убили? — округлил глаза Том.

— По всей видимости, сначала пытали, — проговорила стоявшая рядом с агентом женщина-полицейский. — Его и жену. Затем зарезали.

Элен и Том переглянулись.

— Но, я надеюсь, преступников задержали? — нервно спросил он.

— Пока нет, — сообщил Кольски. — И именно поэтому я приехал к вам. Есть несколько вопросов.

— Я не знаю, чем мы можем вам помочь, — ответил Том. — Мы братья с...

— Он вам звонил, — перебил его Кольски. — Что говорил?

— Позвонил и напросился в гости, — вздохнул он. — Я так понял, что он желает восстановить отношения. Мы братья, но... общались редко.

— Значит, теперь наследство, оставшееся от ваших родителей, достанется вам, — усмехнулась женщина-полицейский.

— Вы на что намекаете? — посмотрел на нее Том. — Как вы можете...

— Послушайте, — вмешалась Элен, — но если мы решили убить, чтобы получить наследство, то зачем нам пытать?

— Вас никто ни в чем не обвиняет, — проговорил Кольски. — А вы подождите в машине, — выпроводил он женщину-полицейского. Та, недовольно взглянув на него, вышла. — А теперь по существу. Что вам известно о камне бессмертия? — Том и Элен снова переглянулись.

— А почему вы спросили? — в свою очередь, спросил Том.

— Ваш брат находился в Монголии, когда был убит профессор Товасон, — начал Кольски. — И судя по всему, Товасон сообщил вашему брату о найденном алмазе. Товасон был...

— Я ничего об этом не знаю и знать не хочу, — резко ответил Том. — Так что извините, агент, но помочь вам не смогу. И если вас не затруднит, оставьте нас.

— Дело ваше, — усмехнулся Кольски. — Но вы можете быть следующими, — заключил он и вышел.

— Ты что-нибудь понимаешь? — спросила Элен.

— Только одно, — вздохнул Том. — Похоже, мой братик знал кое-что об этих камушках. А значит, как-то участвовал в этом. Теперь я, кажется, понимаю его неожиданное предложение повидаться.

— Да ничего он не знает, — говорил в телефон Кольски. — И видно, что не опечален гибелью брата, а скорее наоборот. В общем, это пустой номер. И зря мы...

— Возвращайся, — требовательно проговорил собеседник.

Барранкилья. Колумбия

— Он сдурел, что ли?! — орал в телефон Мигель. — Вот что! — так же громко прокричал он. — Ни в коем случае не позволяй ему это делать! Запри его, посади в яму в наручниках, но чтобы Сантас не наделал глупостей. Мы вылетаем немедленно.

— А что там произошло? — взволнованно спросила Эдельмира.

— Сантас решил похитить дочь мадам Леберти, — процедил Мигель. — Щенок, — сплюнул он. — Кем он себя возомнил?! Собирайся, мы летим во Францию!

— Послушайте, Зудин, — усмехнулся подполковник, — какого черта, что это значит? Вы показываете мне какой-то фотомонтаж и...

— Довольно, Игорь Васильевич, — спокойно проговорил Вадим Константинович. — Вы же сами прекрасно знаете, что все это действительно было. Иначе вы бы не приехали. Кроме этих фотографий, на которых изнасилованная вами девочка, которая была найдена убитой...

— Что ты хочешь? — процедил подполковник.

— Расскажи все, что ты знаешь о камнях бессмертия, — спокойно ответил Зудин. — Для начала ответь на один вопрос. На кого ты работаешь?

— Не понял, — уставился на него Дятин.

— Тогда посмотри еще это, — спокойно проговорил Зудин и положил перед ним фотографию. Подполковник привстал. — Не волнуйся, — улыбнулся Зудин. — Все, что у него было против тебя, теперь у меня. И ты получишь все, если будешь со мной откровенным. — Дятин, сглотнув липкую слюну, опустил голову.

— Собственно, я не знаю, кто надо мной стоит, — пробормотал он. — Два года назад мы с Удавом, он был...

— Знаю, — кивнул Зудин.

— И кто-то начал меня шантажировать, — поморщился Дятин. — А кто убил Федора? — взглянув на фотографию, спросил он.

— Сначала я думал, что ты, — ответил Вадим Константинович. — Но потом понял, что не ты, — усмехнулся он. — Именно поэтому я и пригласил тебя, — добавил Зудин. — Потому что ты был бы следующим. Вот, — улыбнулся он и положил перед Дятиным еще одну фотографию.

— Твою мать, — вновь вскочил Дятин. — Это...

— Через два часа после того, как тебя увез Лущин, — договорил за него Зудин. — Видно, думали, что ты собрался ехать. Так что ты обязан мне жизнью, — усмехнулся он. — Поэтому давай пооткровенничаем. Точнее, откровенно будешь говорить ты. Собственно, я мог бы тебя заставить, но, надеюсь, ты все скажешь сам. Но предупреждаю, без брехни.

— Повторяю, я не знаю, на кого я работал, — опустил голову Дятин. — Он просто...

— Значит, говорить откровенно не желаешь, — покачал головой Зудин. — Зря. Придется...

— Да я правду говорю, — перебил его Дятин. — Потом мне посоветовал этот...

— Кто этот? — перебил его Зудин.

— Приезжал один мужик, — помолчав, ответил Дятин. — Представился как Иванов. Перед этим мне позвонили и сказали, что он приедет, ну Иванов. Так вот, — продолжил Дятин, — Иванов и сказал, чтобы я отправил Федьку во Францию к Леберти. Потом Иванов звонил, велел узнать про алмаз. — Он вздохнул. — Ну, есть у вас этот камень или нет. А я Удаву велел найти кого-нибудь из ваших и узнать. Он и сказал про Тайку. В общем...

— Зачем ты хотел убрать их? — перебил его Зудин.

— Удав начал наглеть, — вздохнул Дятин. — Ну а Тайка много знала про меня.

— Иванов еще приходил к тебе? — снова спросил Зудин.

— Последнее время нет, — ответил Дятин. — Собственно, и не звонит больше никто.

— Видимо, решили, что ты больше не нужен, — усмехнулся Зудин. — Значит, ты ничего существенного не знаешь, — пробормотал он. — Но тогда почему тебя хотели убить? — Он посмотрел в глаза Дятину. — Твоего братца хлопнули, — кивнул он на первую фотографию. — И тебя приговорили. Почему?

— А когда Федьку убили?

— Вчера, — ответил Зудин. — Он уехал от меня в гостиницу и возле нее его и убили. Но почему тебя решили

311

убрать. Почему, если ты ничего не знаешь? — уставился он на Дятина.

— Просто если бы бумаги Федьки попали в милицию, — вздохнул Игорь, — меня бы взяли и я бы раскололся. Собственно, я говорил Иванову, что у брата на меня есть компромат, — признался он. — Вот и...

— Понятно, — кивнул Зудин. — Точнее, вообще ничего не понятно. Убивают Федора, зная, что на тебя после его смерти в ментовку попадет компромат, а ты паренек хлипкий и сдашь и этого любителя камушков. Ладно, — усмехнулся он. — Что намерен делать?

— Не знаю, — нахмурился Дятин. — Конечно, если ты обещаешь, что...

— А как же Иванов? — перебил его Зудин. — Компромат у них на тебя ведь есть?

— Но они убили Федьку, — усмехнулся Игорь, — и думают, что...

— Но пытались убрать и тебя? — показал на фотографию со сгоревшим «мерседесом» Зудин.

— Я тогда не знаю, что делать, — опустил голову Дятин.

— А ты мне правду скажи, — усмехнулся Вадим Константинович. — И тогда ты будешь в безопасности.

— Точно? — помолчав, спросил тот.

— Конечно, — кивнул Зудин. — Для всех ты труп. — Он поднял фото со сгоревшим «мерседесом». — В машине три трупа. Водителя, твоего охранника старшего лейтенанта и твой, — подмигнул он. — Труп опознали твои жена и дочь. И...

— Но Вера знает, что я жив? — спросил Дятин. — Или...

— Разумеется, знает, — улыбнулся Зудин. — Но ей объяснили, что лучше, если ты будешь считаться мертвым. Ты так не думаешь?

— Тяжело жить, числясь мертвым, — усмехнулся Игорь.

— Когда все это закончится, — улыбнулся Зудин, — ты сможешь выбрать: или ты оживешь, но тогда к тебе появятся вопросы у твоих коллег, или с большими деньгами ты покинешь Россию и уедешь в Израиль. И разумеется, ты предоставишь милиции доказательства преступления, совершенного тем, кто тебя использовал. Пойдет такой вариант или ты?..

— Ты сейчас понял, что сказал? — усмехнулся Дятин. — То есть...

— Ладно, — нажал кнопку Зудин. — Ты умнее, чем я думал. В общем, так, подполковник, — кивнул он на двух вошедших крепких парней, — выбор за тобой. Или ты мне говоришь все, что знаешь, или тебя будут убивать очень медленно. Столько времени потерял с тобой, — качнул он головой.

— Значит, Федора тоже ты, — понял Игорь. — И машину ты взорвал. А Верка жива?

— Пока да, — усмехнулся Зудин. — Кто велел тебе узнать про алмаз? — спросил он.

— Я не знаю, — с тоской ответил Дятин. — Я просто...

— Ну, никак ты не хочешь говорить честно, — сказал Зудин. — Он ваш, — кивнул он парням. Вскочившего Дятина сбили с ног и потащили из кабинета. Прозвучал вызов сотового. — И что там удалось? — взяв телефон, спросил Зудин.

— Она сказала, что какой-то Вождь, — услышал он голос Фантома. — Она его не видела, просто слышала, как муж говорил с Вождем по телефону.

— Понятно, — кивнул Зудин. — Значит, Вождь. Не уголовник, — заметил он. — Что она еще знает?

— Да вроде больше ничего, — ответил Фантом. — Просит, чтоб мужика ее живым не оставляли, — усмехнулся он. — Та еще стервоза, — добавил он.

— Надеюсь, ты понимаешь, что надо делать? — вздохнул Зудин.

— Догадываюсь, — усмехнулся Фантом.

Тула

— Хорошо, — с улыбкой проговорила миловидная стройная женщина, — что его больше не будет. Он мне... — За дверью комнаты раздался короткий вскрик. Фантом, развернувшись, выхватил ТТ. Дверь распахнулась, и пуля из пистолета с глушителем в руке мужчины в телогрейке и натянутой до подбородка шапочке-маске попала ему в лоб.

— На кой черт маску-то натянул? — насмешливо спросил Тарасюк. Женщина испуганно замерла. — Что ты ему сказала?

— Ничего, — прошептала та. — Он ни о чем...

— Что ты ему сказала? — повторил вопрос Михаил. Женщина испуганно смотрела на него и молчала. Тарасюк усмехнулся и кивнул. Рослый парень затащил в комнату девочку лет пятнадцати, зажимая ей левой ладонью рот и обхватив правой за талию. — Если не скажешь правду, — спокойно проговорил Михаил, — ее на твоих глазах изнасилуют четверо. Что ты ему говорила?

— Про Вождя, — всхлипнула она. — И больше ничего.

— Понятно, — кивнул Михаил и посмотрел на парня в маске. Тот выстрелил женщине в лоб. — Кончайте ее, — кивнул на девочку Тарасюк. — Откройте газ, а здесь включите утюг и закройте дверь. По крайней мере у нас будет часа три, пока разберутся, что к чему.

— Слышь, Бульба, — обратился к нему рослый. — Можно я ее трахну? — Михаил резко ударил его носком левой ноги между ног и кивнул парню в маске. Тот выстрелил вырвавшейся из рук рослого девочке в затылок. — Не забудь маску снять, клоун, — недовольно проговорил Тарасюк. Вытащил сотовый. Нажал кнопку вызова. — Он у Зудина. Она сказала человеку Зудина про Вождя. Ее и дочь убрали.

— Полина Константиновна, — говорил в сотовый высокий бородач, — в Ярославле сделали все, как вы просили, но...

— Кубинец, — усмехнулась женщина, — ты же знаешь, что я не люблю этих «но». Перед тобой поставлена задача, и ты должен доложить о ее выполнении. А ты мне нокаешь. Если об этом узнает Вождь, он тебя отправит в бессрочный отпуск. Теперь говори, может, я и не сообщу Вождю. Что там не так?

— Мы могли бы встретиться? — несмело спросил он.

— А ты где? — спросила она.

— В Москве, — ответил Кубинец. — Я кое-что привез. И хотел бы...

— Приезжай на ВВЦ, — услышал он, — через два часа.

— Он дома? — спросила Настю крепкая, стройная молодая женщина.

— Работает, — помогая снять ей шубу, ответила горничная.

— Интересно, над чем? — усмехнулась женщина. Сняла сапоги и пошла через коридор к двери кабинета и постучала.

— Мне ничего не надо, Настенька, — услышала она голос Аркадия Владимировича.

— Это я, — открыла дверь женщина. — А у вас, папа, роман с горничной, — входя, усмехнулась она. — Настенька, — рассмеялась женщина.

— Господи, — покачал он головой. — Явилась. Ну почему в Москве столько ДТП, а ты все жива и здорова. Я же просил тебя, Людмила, — напомнил он, — избавь меня от своих визитов. Деньги я буду передавать...

— А я просто хочу видеть вас, папа, — насмешливо проговорила она.

— А вот за это обращение я и желаю тебе смерти, — кивнул профессор. — И если бы ты не была матерью моего внука, я бы взял грех на душу и заказал тебя киллеру. Ты сгубила моего сына и пытаешься сократить отпущенное мне Господом Богом время. Чего тебе надо, Лапина?

— Я не меняла фамилию покойного мужа на свою, — усмехнулась Люда.

— Для меня ты всегда будешь Лапиной, — перебил ее он. — И что тебя привело сюда?

— Просто проведать, — улыбнулась Людмила.

— Никогда не поверю в твое бескорыстие, — резко проговорил Аркадий Владимирович. — Сколько тебе надо на сей раз?

— У вас, папа, все упирается в деньги, — рассмеялась Людмила. — Мне действительно просто захотелось вас увидеть. Настя! — громко проговорила она. — Принеси мне кофе с молоком.

— Кстати, насчет Насти, — сказал он. — Еще раз услышу, что ты угрожаешь выгнать ее, ты здесь больше не появишься. Надеюсь, я ясно выразился?

— Помните, Аркадий Владимирович, — усевшись в кресло, Людмила закинула ногу на ногу, — вы привезли из Афганистана алмаз, он еще у вас?

— А почему тебя это интересует? — сухо спросил он.

— Вы знаете меня, папа, — вздохнула Людмила, — я никогда не читаю газет и не смотрю новости...

— Давай о том, почему ты пришла, — перебил ее профессор.

— Один мой знакомый, — спокойно продолжила Людмила, — случайно упомянул о неком камушке, о таком небольшом алмазе, который...

— Пошла вон, — сдержанно проговорил профессор. — И никогда больше не появляйся.

— Даже так, — усмехнулась она. — Значит, мне сказали правду. Ладно, — поднялась она. — Просто тебе бы, папа, предложили очень хорошую сумму. А ты зачем-то бережешь его.

— Я давно продал алмаз, — сдержанно ответил профессор. — Иначе на что бы я купил загородный дом, джип твоему сыну и постоянно давал бы тебе деньги, — вздохнул он. — Увы, но на мою пенсию всего бы этого не было. Так что извините меня, Людмила Павловна, — улыбнулся он, — но вы зря пообещали своему любовнику...

— Я никому ничего не обещала, — перебила его Люда. — Просто он начал говорить о камне бессмертия, и я вспомнила о твоем камне, папа. Поэтому и пришла. Я знаю, что ты одержим разного рода...

— Я продал алмаз полтора года назад, — перебил ее он. — Сначала жалел, потом понял, что поступил правильно. Именно на эти деньги я и купил Славе машину, а себе загородный дом. Еще год-полтора и я оставлю квартиру внуку и перееду в Подмосковье. И буду доживать свой век там, — закончил профессор.

— Жаль, — вздохнула Людмила. — А я рассчитывала на хороший процент. Ладно, тогда до свидания, — недовольно проговорила она и вышла.

— Да, — вздохнул профессор. — Сейчас про эти камни начали много говорить, — заметил он. — Значит, у нее есть знакомый, который интересуется камнями жизни. Надеюсь, Славик не ступит на эту опасную тропу. Она до добра не доведет, — вздохнул он.

— Он говорит, что продал, — садясь машину, размышляла Людмила. — И я ему верю. Он действительно не смог бы прожить, финансируя меня и Славку, на пенсию. Он перестал читать лекции и не занимается платными уроками. Значит, продал, — кивнула она. Завела машину и включила обогрев. — Жаль, а какие открывались перспективы.

* * *

— Да, дельце было, — говорил сидевший на заднем сиденье джипа Тарасюк. — А у тебя как дела? Вождь недоволен, — предупредил он. — Ты чего там...

— Никак не могу попасть в Волчье, — услышал он недовольный голос Натальи. — Тут метели сильные. Но синоптики обещают, что завтра погода наладится, и я полечу. Женька договорился насчет вертолета. Так что...

— Наладит тебя старик, — усмехнулся Тарасюк. — И тогда не завидую я тебе, — покачал он головой. — Представляешь, что с тобой Вождь сделает? Кстати, все-таки может нужна помощь? — спросил он. — А то...

— Не забывай, что там мой отец, — перебила его она. — Какой бы он ни был, он мой отец. А ваша помощь — это труп. Так что я сделаю все сама.

— Как знаешь, — усмехнулся Михаил.

В стоявший на перекрестке «рено» сзади на полной скорости врезался джип и вытолкнул его под проходивший перекресток на скорости «опель-кадет». Раздался грохот столкнувшихся машин. «Опель» с помятым передом крутнуло, «рено» со вмятым левым боком, дважды перевернувшись, угодил под «татру» с прицепом.

— Значит, даже так, — удивилась стройная женщина в шубе. — И что решили?

— Я поэтому и приехал, — кивнул Кубинец, — чтобы узнать, что делать. Ведь...

— Подожди, — усмехнулась она. — А что изменилось? Почему вы не сделали то, что должны были сделать?

— Пришлось выбирать что-то одно, — процедил он. — Как бы ты поступила на нашем месте? Убей мы их, не захватили бы...

— Вообще-то да, — усмехнулась она. — Ладно. Я поговорю с Вождем и сообщу его решение. А что говорит этот умник?

— С ним пока не работали, — усмехнулся Кубинец. — Он перепуган до смерти, да и по черепушке его прилично саданули. Он одному парню чуть руку не откусил. И там его родственники появились. Вот и попало умнику, — засмеялся он. — А так...

— Горелов там? — спросила Полина.

— Конечно, — кивнул Кубинец. — Но что нам делать...

— Возвращайся, и Вождь сам позвонит, — решила она.

— Так я собственно здесь, — усмехнулся Кубинец, чтобы поговорить с ним и...

— Возвращайся, — повторила Полина. — Нужна информация от умника. Понятно?

— Неа, — качнул он головой. — Я собственно приехал...

— Позвонить не мог? — усмехнулась она.

— Пробовал несколько раз, — недовольно вспомнил он. — Но у тебя телефон постоянно недоступен. Вот я и...

— Возвращайся, — довольно резко проговорила она. — У нас сейчас дела. Серьезные дела, — подчеркнула она. — Вождь вам позвонит.

— Ладно, — посмотрел он на часы. — Самолет через час. Я уехал. Но запомни, — кивнул он, — я...

— Я скажу Вождю.

Ярославль

— Вот тут она живет, — кивнул на большой частный дом Никита. — И он у нее, — уверенно добавил он. — Я видел...

— И что делать? — спросил Илья.

— Не пойдем же мы штурмовать этот особняк, — усмехнулся Бурин.

— Я пойду, — открыл дверцу Белов. — Ну, придумаю что-нибудь, чтобы войти и посмотреть, что там и как.

— А дальше что? — снова спросил Илья. — Надо как-то вытащить этого пса из хаты и прижать, чтоб раскололся, где Венька.

— А как его вытащить, если он там не один? — проговорил Бурин.

— Вот он, — кивнул на вышедшего коренастого мужчину без шапки, в коричневой дубленке.

— Я за ним, — вылез Белов. — Вы на связи. И вообще, старайтесь держаться в поле видимости. — И он быстро пошел за коренастым.

— Да не знаю я ничего, — плача, говорил Вениамин. — Просто написал в Интернет, ну, прикололся вроде как, — всхлипнул он. — Вот и...

— Слушай меня, парень, — улыбнулся худой. — Ты просто скажи адрес, и все. Получишь бабки и живи спокойно. Ты написал, что знаешь, где камень алмаз. Один из семи. Где?

— Я просто прикололся, — повторил Вениамин.

— Жаль! — воскликнул худой. — А все могло быть по-хорошему. Зря ты так, умник, — усмехнулся он. — Последний раз по-хорошему спрашиваю. Где камушек?

— Не знаю я, — снова заплакал Вениамин.

— Ну, значит, скажешь по-плохому, — проговорил худой.

— Горелов, — заглянул в комнату рябой парень, — Вождь на проводе.

— Ты подумай, — посоветовал Вениамину Горелов и вышел. Богатырев встал и метнулся к окну. И всхлипнув, вернулся на кровать. На окне была решетка.

— Я думал, — произнес в трубку Горелов, — что...

— Ты меньше думай, — недовольно посоветовала Полина. — Он у вас, и надо вытрясти из него информацию, а ты зачем-то оставляешь записку его родным. Узнавай у него адрес, и все, — требовательно проговорила она. — А там решим, как с ним быть. Понял?

— Да он плачет, как ребенок, — криво улыбнулся Горелов. — И говорит, что просто пошутил. А если его под пресс пустить, он крякнет. Так что...

— Нужен адрес, — перебила его Полина. — И чем быстрее у тебя это выйдет, тем лучше. И для тебя тоже. — И телефон с той стороны отключился. Горелов выматерился.

— Где он? — спросил севшего в машину Белова Бурин.

— Давай прямо, — кивнул Сергей. — «Вольво» синего цвета. Догоним.

— Хорошо, — кивнул коренастый небритый мужчина в куртке. — Так и сделаем. Но...

— Ты плохо понял? — прервал его шипящий мужской голос.

— Извините, Вождь, — поспешно проговорил коренастый. — Я все понял, и мы сделаем все, как вы сказали.

— Слушай, щенок, — ухватив Вениамина за волосы, процедил Горелов. — Или ты скажешь нам адрес, или тебе будет очень больно. Ты написал, что знаешь адрес. Назови его и получишь три тысячи евро. И все, — отпустил он волосы парня. — Ну?

— Я не знаю, — плача, проговорил Веня. — Честное слово, не знаю. Я просто...

— Вот что, придурок, — шлепнул его по левой щеке ладонью Горелов, — у тебя час на раздумье. Через час, если я не услышу адреса, тебе будет очень и очень больно. Я думал, ты все-таки умнее, и мы сумеем договориться по-хорошему. Но выходит, что нет. Я вот чего не пойму, — покачал головой Горелов, — какого хрена ты из себя героя строишь? Мы же тебя придавим малехо, и запоешь соловьем. Короче, думай, парень, — уже по-доброму посоветовал он. — Может, хочешь чего? Так говори, — кивнул Горелов. — Принесут все, что скажешь. Ну...

— Я домой хочу, — всхлипнул Веня.

— Знаешь, — усмехнулся Горелов. — Тебе двадцать пять лет, а ты словно пацаненок маленький. У тебя красный диплом...

— Отпустите меня, — попросил Богатырев. — Я, честное слово, ничего не знаю. Я просто пытался камни найти и подумал, что нужно сообщить, как будто я знаю, где есть такой камушек и обязательно кто-то отзовется. Ведь наверняка кто-то что-то знает об этом. Вот я и...

— Под дурака косишь, — усмехнулся Горелов. — Ну ладно. Через час запоешь по-другому.

Коренастый вылез из белой «десятки» и, кивнув водителю, пошел к дому. «Десятка» тронулась. Напротив дома остановилась «Нива». Из нее выскочили Белов и Бурин и бросились к дому. «Нива» рванулась вперед.

Коренастый подошел к крыльцу и, услышав скрип снега под ногами бегущих, развернулся. Увидел двоих мужчин.

— Чего вам? — Он сунул руку в боковой карман дубленки.

— Ты чего, Петька?! — весело закричал Белов. — Мы ж из Тулы прикатили. Ты...

— Чего надо? — вытащил руку коренастый.

— Не на улице же говорить, — подошли к нему Белов с Буриным. Петр, отскочив, снова сунул руку в карман. Удар ноги в лоб сбил его на снег.

— Ловко у тебя это, — отметил Белов. — Узнал он нас, — подскочил он к лежащему.

— Вы кто? — открыв дверь, испуганно спросила полная женщина. — Я милицию вызову.

— Да не дури ты, Светка, — остановил ее Белов. — Перебрал твой Петруха. Давай в дом его.

— А вы кто? — непонимающе спросила она.

— Из Тулы, — поднимая Петра с помощью Александра, ответил Белов. — Куда нести-то?

— А что у него на лбу? — шагнула ближе женщина. — У него... — Бурин коротко рубанул ребром левой ладони ей по шее и подхватил падающее тело.

— Жива? — затаскивая Петра в дом, спросил Белов.

— А как же, — подхватив ее на руки, поднялся по ступенькам Александр. Сергей заволок не приходящего в сознание Петра на кухню. Туда же Александр занес женщину.

— Фуу, — выдохнул он. — Тяжелая свиноматка. И что дальше?

— Сейчас узнаем, в какие игры они играют, — связывая руки Петра его же ремнем, кивнул Белов. Бурин заклеил рот женщине скотчем.

— А если у нее насморк? — спросил Белов.

— Нет у нее никакого насморка, — возразил Бурин.

— Кто вы? — промычал Петр.

— Слушай меня внимательно, дух, — присел рядом Белов. — Твои придурки увели из Выселок парня. И не говори, что ты не в курсе, — предупредил он. — Иначе будет больно. Мы тебя замучаем, но просто так не уйдем. Где Венька Богатырев? — спросил он. — И почему не позвонили насчет компьютера? Зачем вам парень?

— Какой парень? — промычал Петр.

— Слушай, Грушин, — усмехнулся Белов, — я умею заставлять людей говорить правду. У тебя время подумать, пока я курю. Потом тебе будет больно, — пообещал он и, вытащив сигарету, прикурил. Поднес горящий конец к носу Петра. — Думай, дух, — посоветовал он. Александр, посмотрев на женщину, увидел ее расширенные от страха глаза.

— А ты знаешь, где Богатырев? — спросил он. Она отрицательно покачала головой. — Значит, ты не нужна, — вытащил пистолет Бурин. Она несколько раз быстро кивнула.

— К Нураеву заехал, — кивнул остановивший «Ниву» напротив ларька Никита. — Алик та еще сучара, — усмехнулся он. — Что делать будем?
— Назад поехали, — сказал Илья.

— Да их какой-то мужик позвал, — говорил небритый бомж. — Вроде помочь надо было. И нам два пузыря и блок сигарет с закуской оставил. И все, пропали мои кореша, — вздохнул он. — Я уж и в ментовку ходил, так чуть самого не упрятали, — махнул он рукой.
— Да мы уже никто и зовут нас никак, — вздохнул сутулый, пожилой в рваной телогрейке и солдатской шапке бомж. — Кому мы нужны на этом свете. Порой так прихватит, что и думаешь: не пора ли самому себя на тот свет отправить. А ты чё, Гоша? — дернул он небритого за рукав потрепанной фуфайки. — Ты...
— Да вон тот мужик, — кивнул Гоша вслед рослому молодому мужчине в зимней кожаной куртке. — Он тогда кентов моих увел. Эй! Погоди, мужик! — И быстро пошел вперед.
— Ох и дурень ты, Гоша, — проговорил пожилой. — Разве ж можно самому себе приговор подписывать!

— Похоже, узнал бомжара, — остановившись у ларька, усмехнулся Дубовский.
— Иди в парк, — взяв пачку сигарет, пробормотал Заветов. — Жаль, конечно, но выхода нет.

— Слышь, мужик, — уже бежал Гоша. — Ты не помнишь меня? — подбежал к остановившемуся Роману Гоша. И вздрогнув, шатнулся. Дубовский, поймав падающее тело, потащил его к занесенному снегом мосту. Подскочивший Иветов помог ему спрятать тело бомжа под мостом. Сняв шапки, они, пятясь, замели следы. Осмотревшись, быстро пошли дальше.

— Вот память у этого бухарика, — недовольно отметил вслух Роман. — Если бы не должок Доринову, из Ярославля надо было бы уходить. Но нет желания оставлять все на волю Божью.

— А я думаю, не Параконова ли нас приговорила? — вздохнул Алексей. — Хотя, собственно, надо и с теми, и с этим расчет произвести.

— А я все спросить хотел, — усмехнулся Роман. — Ты действительно частный детектив или просто так, любитель...

— Любитель, — в тон ему ответил Алексей. — Просто пару раз вышло неплохо, вот меня с этой гадиной и свели. Кстати, темная лошадка. Мне ее представили как Полину. Полину Андреевну, а я слышал, как ее Полиной Константиновной называли. Возможно, и фамилия у нее другая. Главное, где найти ее, я знаю. А там не буду уточнять ни отчества, ни фамилии, — криво улыбнулся он. — А Доринов тоже по полной получит.

— Но не террористический акт или диверсия, — предупредил Роман. — А просто гоп-стоп с мокрухой. То есть вооруженное ограбление с убийством.

— А ты в курсе, где у него бабки?

— Видел, — кивнул Роман.

— Говори, сучара! — избивая ногами валявшегося на грязном полу в разорванной рубашке Вениамина, орал Горелов. Ему помогал невысокий парень. — Ну? — присев, Горелов схватил за волосы Богатырева, приподняв его окровавленное лицо от пола. — Адрес?! — Вениамин молчал. Горелов дважды сильно ударил его лицом об пол.

— Тормози, Горелый, — усмехнулся куривший в кресле здоровяк. — Он уже не дышит. По крайней мере, если визжал вначале, то сейчас молчит.

— Врача! — проверив пульс окровавленного парня, заорал Горелов.

— Здесь, — остановил «Ниву» Никита.

— Сколько их там? — пробормотал Бурин. — Тачек три. Это как минимум девять человек. Плюс кто-то живет в доме. Надо было узнать количество.

— Не подумали, — криво улыбнулся Белов. — Работаем, — вытащив ТТ, подмигнул он Бурину.

— Вперед, десантура, — тоже достал пистолет тот.

— А мы с монтировками? — хмуро спросил Казаков.

— Ну, зачем инструмент портить, — вытащил из кармана наган Орлов. — Умеешь пользоваться?

— Револьвер системы наган, — сказал тот и взял оружие. — Калибр семь шестьдесят два. Семь патронов. Образец тридцать седьмого года. Самовзвод.

— И у меня такой же, — достал наган Никита.

Выселки

— Перестань, Зина, — вздохнула Лида. — Плач обычно приводит к неприятностям для тех, кого заранее оплакивают. Нам с Таней тоже нелегко, — проговорила она. — И тем не менее мы не льем слезы.

— Просто боюсь я, — всхлипнула Зина. — Попадут они в тюрьму и что тогда?! — не сдержавшись, она в голос зарыдала.

— Ну тебя, Зинка! — тоже всхлипнула Орлова. — Накаркаешь беду, — и тоже заплакала.

— Да хватит вам! — воскликнула Лида. — Все будет нормально, — убедительно проговорила она.

— Да живой он, — проговорил невысокий мужчина. — Просто без сознания. Досталось мужичку, — усмехнулся он. — Еще немного такого массажа и он труп, — заявил он.

— Слышь, коновал, — указал на Вениамина Горелов. — Делай что хочешь, но мне он живой нужен. Вроде слабак, — заметил он. — Плакал, — усмехнулся Горелов. — А тут, блин, ни слова. Молчит, как будто боится Родину предать, — усмехнулся он. Поднялся и шагнул к окну. К нему подошел рослый парень с АКМ.

— Дай закурить. — Горелов, вытащив пачку, протянул ему.

— А это кто? — передернул затвор автомата рослый.

— Да это те, с Выселок, — узнал Казакова и Орлова подскочивший плотный. — Мы их на вокзале...

— Сейчас я их урою, — поднял он автомат. С громким протяжным криком Вениамин, вскочив, бросился к ним.

Раздалась длинная автоматная очередь. Белов и остальные упали на покрытый снегом бетон. Со второго этажа с осколками стекла и обломками рамы вылетели четверо. Их общий вопль прервало падение на груду кирпичных обломков. Первым к ним подбежал Никита. Белов впрыгнул в окно первого этажа и выстрелом уложил вскинувшего пистолет парня. Бурин держал под прицелом два окна на втором этаже. Казаков ударом ноги вышиб дверь и проник внутрь здания. Прозвучали выстрелы.

— Я ничего, — открыв глаза, окровавленными губами пробормотал Вениамин, — не сказал. Люди. — Он вздрогнул и закашлялся. Из его рта поползла по подбородку кровавая слюна.

— Руки вверх! — раздался громкий крик.

— «Скорую» вызови! — развернувшись, заорал Никита. Его сбили на снег подскочившие омоновцы.

— Все, мужики! — крикнул Белов. — Органы работают. Ложитесь и руки на затылок! — Ему в спину ткнул стволом автомата подскочивший омоновец.

— Твою мать, — зло прохрипел сбитый на пол Бурин. — Если б не старлей, я б вам устроил один против троих.

— Молчать! — двинул его прикладом автомата меж лопаток один из омоновцев.

— Все, мужики! — подняв руки, кивнул Казаков. — Я ваш. Не сопротив... — Удар ноги в живот согнул его.

На втором этаже простучала автоматная очередь. Хлопнул пистолетный выстрел.

— Меня изнасиловали! — визгливо кричала полная женщина. — Трое их было! Они сначала Петю...

— И кто на эту корову позарился, — усмехнулся худощавый опер. — Что-то не то вы нам говорите, — громче заговорил он. — Тебя, Грушин, запросто можно за незаконное хранение огнестрельного оружия привлечь. И наркотики, — подмигнул он глядевшему на него Петру. — А ты нам тут заливаешь про какой-то налет. В общем, вот что, — кивнул он. — Давайте-ка чистосердечное напишите, все поменьше дадут.

— Ты сдурел, Гусев! — взвизгнула женщина. — Да я...

— А вы, гражданка Никина, помолчите, — остановил ее он. — Тебя, тварь, вообще давно надо было на пожизненное определить. Сколько паспортов, сучка...

— Тормози, Гусев, — остановил его майор. — Тут в десятом районе бойня какая-то. Взяли семерых, готовь номера, — подмигнул он дежурному.

— Вот он, родной, — усмехнулся смотревший в бинокль Дубовский. — Снегом обтирается, — покачал он головой. — Похоже, все, у кого большие деньги, очень о здоровье пекутся. Но ему это не поможет, — криво улыбнулся он.

Выселки

— Как арестовали? — всплеснула руками Зина.

— С оружием в руках, — усмехнулся старший лейтенант. — У Орловых опера шмон наводят. А эти к вам, — кивнул он на троих оперов. — Твой муженек в банде состоит. И...

— Да ты с ума сошел, Табанков! — закричала Зина. — Какая банда?! Да вы что...

— Спокойно, гражданка, — загородил собой старшего лейтенанта плотный мужчина. — Сейчас мы будем производить у вас...

— Так, — шагнула вперед Лида. — Покажите постановление на обыск. — Плотный оглянулся на своих коллег.

— Это, — посмотрел он на Лиду. — А вы кто...

— Я буду жаловаться в службу собственной безопасности УВД, — спокойно проговорила она. — И если не будут приняты меры, подключу министерство. Будьте столь любезны и...

— А вы кто такая? — шагнул вперед участковый. — Я тебя тут не...

— Не ты, а вы, — осадила его она. — Это раз. Второе. Я приехала со своим знакомым к его однополчанам. А теперь я хочу знать, что там произошло и за что задержаны мой знакомый и его товарищи?

Ярославль

— Я уже в третий раз говорю, — спокойно начал Белов. — Мы подобрали оружие там, во дворе, когда пытались освободить нашего товарища, точнее, родственника нашего знакомого. Оружие не наше. Стрелять, мы стреляли, в целях самозащиты. И вот что, товарищ полковник, — вздохнул он. — Я бы хотел позвонить. Кажется, я имею право на один телефонный звонок.

— Насмотрелись западных боевиков, — с укором сказал милиционер. — Ты мне лучше вот что скажи, — вздохнул он. — Ты в Чечне когда был?

— Я спасал брата жены! — орал Никита. — Пушки мы там подобрали! Нас из автомата чуток не угрохали. Их Венька из окна вышиб, а мы что, снежками отбиваться должны были?

— Слушай, майор, — усмехнулся Казаков. — Похоже, ты мне одни несчастья приносишь. Тогда твои коллеги меня на триста тысяч кинули, а сейчас нас убивали, мы и взяли оружие тех, кто из окна выпал, а тут и ваши...

— Хватит, Казаков, — покачал головой капитан. — Просто скажите, что нашли стволы, хотели сдать, а тут так вышло, что вашего приятеля...

— Да иди ты, — отмахнулся Илья. — Я тебе правду говорю, а ты мне врать советуешь. Точно, деньги мои ты с ними поделил, — кивнул он.

— А твои приятели говорят, что вы оружие купили, — подался вперед капитан милиции. — И...

— Да пусть говорят, что хотят, — пожал плечами Бурин. — Я тебе говорю, как есть. Мы искали родственника соседа и вышли на этот дом. Подсказали нам, — кивнул он. — Зашли, а по нам из автомата. И тут Венька из окна вместе с бандитами выпал. Мы увидели оружие и похва-

330

тали его. Стрелять умеем, — кивнул он, — из любого вида оружия. Вот и...

— Воевал? — спросил капитан.

— Было такое в моей жизни, — кивнул Александр.

— Я могу видеть сотрудника, который мне скажет, за что именно задержаны мой друг и его друзья? — спросила Лида.

— Вот баба! — воскликнул старлей. — Прямо за горло, можно сказать, ухватила. Мы с мужиками из райотдела узнали, что взяли этих мужиков, ну, решили вроде как обыск провести. Танька Орлова ничего, да и Зинка Казакова тоже, а эта на дыбы. В общем, если б не привез ее сюда, точно бы жалобу накатала.

— Господи, — плача, причитала Таня. — Да зачем же все тебе это надо-то? Ну, чего тебе не хватало? Зачем тебе этот компьютер сдался? Я выброшу его...

— Где Лида? — со стоном спросил Веня.

— В милицию поехала, — всхлипнула Таня. — Ведь мужиков-то арестовали. И говорят, мол, банда вооруженная. Ваших могут и отпустить, а моему-то точно срок дадут. Он же...

— Скажи ей, они про адрес спрашивали, — простонал Веня. — Адрес в Европу я посылал. В России только знаю, где... — Он закрыл глаза.

— Сестра! — закричала сидевшая молча Зина. В палату в белом халате вошла Березина. Посторонилась, пропуская медсестру. Зинаида и Татьяна, чтобы не мешать медсестре и подбежавшему врачу, отошли от кровати.

— Давайте выйдем, — тихо позвала Лида.

— Венька про какой-то адрес говорил, — всхлипнула Таня. — Мол, в Европе знают, а тут он просто ляпнул, что знает какой-то адрес. И его спрашивали об этом адресе.

— Я так и думала, — прищурилась Лидия. — Вы тут будете? — спросила она.

— А ты куда? — всхлипнула Зина.

— Я быстро вернусь, — пообещала Березина.

Бонн. ФРГ

— Я все сделала, как вы говорили, — кивнула Берта. — Адольф Фунгено выехал с группой Меченосца. Пять человек, все неплохо говорят по-русски. У всех документы граждан Латвии, что вполне объяснит небольшой акцент, — добавила она. — Оружие им даст Хольт. Он встретит их в Москве.

— Отлично, — довольно улыбнулся Гейдрих. — Надеюсь, это не шутка русского гения, — засмеялся он. Посмотрел на Капута. — А что у нас с мадам Леберти?

— Она ни с кем не ведет никаких переговоров, — сообщил тот. — Найти человека из ее окружения невозможно. Безопасность мадам Леберти обеспечивает некто Эндрю Фуш. И делает это весьма профессионально. О нем, к сожалению, ничего неизвестно.

— А это значит, вы плохо работаете, — недовольно отметил Гейдрих. — Есть имя и фамилия, и этого достаточно, чтобы узнать, что именно любит пить поутру этот человек.

— Понял, Адмирал, — виновато проговорил Капут. — Мы займемся этим.

— Собственно, меня интересует не столько сама мадам Леберти, — признался Адмирал, — а количество камней, которые у нее есть. Один есть, точно. И неплохо было бы получить такой камень и нам. Как ты думаешь, — спросил он племянницу, — этот русский действительно?..

— Мы это проверим, дядя, — спокойно перебила его Берта.

— Вот у кого учитесь, — гордо проговорил Гейдрих. — Берта умеет принимать правильные решения.

— В конце концов, — улыбнулась она, — если по указанному адресу камушка не окажется, мы возьмем этого русского, и он будет работать на нас. Собственно, выходить на него нужно будет в любом случае, — добавила она. — Если алмаз там, надо узнать, как он сумел вычислить это. Если нет, то почему он считал, что камень там? Он молод, ему двадцать один год. Получил два высших образования. Техническое связано с программированием…

— Все это потом, — остановил ее Гейдрих. — В данном случае я могу сказать одно: да поможет нам Бог.

Лион. Франция

— Щенок, — зло выкрикнул Мигель и ударом кулака отправил Сантаса на пол. — Ты хочешь нашей крови?! Ты хочешь, чтобы нас сожгли на нашей земле? Чтобы Интерпол назвал Мигеля Фаренду организатором похищения? Щенок! — плюнул он в сторону испуганно сжавшегося на полу сына. — Благодари маму, — кивнул он на молча стоявшую Эдельмиру. — Иначе бы я распял тебя на сведенных ветвях бамбука, — кивнул он. — И дикие пчелы устроили бы тебе ад при жизни. Полтора часа, и человек умирает от их яда в адских муках. Щенок! — Снова плюнул он в сторону сына. — Хорошо еще Фернандо понял, что может произойти. Похитить дочь мадам Леберти и потребовать взамен на освобождение девки алмаз. Небеса, — вскинул он вверх руки и поднял голову, — за что вы наказываете меня? При получении паспорта этот несчастный потерял остатки ума. Так лучше пусть он будет круглым идиотом, — посмотрел он на сына.

* * *

— Значит, ничего нового по убийству русской семьи в Тель-Авиве нет? — недовольно спросил Эндрю.

— Считается, что те, кто убит полицией, и есть убийцы, — ответил невысокий полный мужчина.

— Тупоголовые мулы, — зло проговорил Эндрю. — Хотя, может, так оно и лучше. Но очень хотелось бы знать, кто забрал камушек у этого русского еврея.

— Мама, — вздохнув, проговорила Марсия, — я чувствую себя заключенной. Мне не дают и шагу ступить.

— Потерпи, дочь, — вздохнула Энель. — Некоторое время тебе необходимо побыть под надежной охраной. Когда я узнала, что ты несколько раз одна ездила в ночной клуб «Жазелье», я чуть с ума не сошла. Ты не представляешь...

— Мамочка, — прижалась к ней дочь, — но ведь на мне не написано, что я дочь мадам Леберти. Многие мои знакомые даже не догадываются, что Энель Жунавье — знаменитая теперь уже на весь мир мадам Леберти.

— Те, кто хочет получить камень, знают мою дочь в лицо, — вздохнула Энель. — И поэтому я прошу тебя: потерпи немного. В конце концов, ты можешь съездить куда-нибудь. Разумеется, с телохранителями...

— И как ты себе представляешь мою поездку? — усмехнулась Марсия. — Прежде чем зайти в туалет, телохранители будут проверять его. Мне понравится молодой человек, а без разрешения начальника охраны я не смогу с ним встречаться. И это ты называешь съездить отдохнуть? — насмешливо спросила она. — Спасибо за предложение. — Поднявшись, она ушла к себе в комнату и, давая понять, что разговор закончен, закрыла за собой дверь.

— Я понимаю тебя, — вздохнула Энель. — Но я боюсь за тебя, доченька. Я и за себя боюсь, — призналась мадам Леберти.

— Где Марсия? — вошел в комнату Эндрю.

— У себя, — вздохнула Энель. — Она сердита, и я ее понимаю. Может...

— Ее хотели похитить, — перебил он ее. — И это не сказка, если ты так думаешь. Позови Марсию, — попросил он. — И она поймет, насколько все серьезно. Марсия! — громко позвал он. — Выйди, пожалуйста.

— Ну что еще? — через дверь спросила девушка. — Мне нельзя ходить в туалет без охраны? — насмешливо спросила она.

— Выйди, Марсия, — требовательно повторил Эндрю.

— Вот я. — Девушка открыла дверь. — И что дальше?

— Пошли, — кивнул Эндрю.

— Куда? — усмехнулась она.

— Пошли, — ухватив ее за руку, шагнул к двери Фуш.

— Что ты меня хватаешь? — рассердилась девушка. — Мама, — обратилась она к неподвижно стоявшей Энель, — в чем дело?

— Видишь, — показал Эндрю на стоявшего внизу между двумя рослыми охранниками парня. — Говори, — требовательно бросил Эндрю.

— Меня просили показать Марсию, — поднял голову парень. — И...

— Луи, — узнала его Марсия. — Ты...

— Прости, Марсия, — снова опустил он голову. — Мне предложили много денег. Приехал парень из Колумбии, — вздохнув, продолжил он, — и мы с ним познакомились. Я немного говорю по-испански, и мы сумели...

— Как вы узнали об этом? — посмотрела на Эндрю Марсия.

— Бармен сообщил, — улыбнулся тот. — Он понимает по-испански и услышал разговор Луи и того колумбийца. Вот и...

— И что с ним будет? — посмотрела на парня Марсия.

— А что ты предлагаешь? — усмехнулся Эндрю. — Решать тебе, — кивнул он.

— Убейте его, — процедила Марсия и вернулась назад. Энель удивленно смотрела ей вслед.

— Она моя дочь, — довольно улыбнулся Эндрю. — Кстати, когда она узнает...

— Ты хочешь, чтобы у нее появились подозрения в твоей причастности к гибели того, кого она считала своим папой? — тихо спросила она.

— Вообще-то ты права, — недовольно сказал Эндрю. — Его убейте, — кивнул он парням.

Бонн. ФРГ

— Ну что ж, — процедил Гейдрих. — Убийство своих людей я никогда не оставлял безнаказанным.

— А ты уверен, что Леден не провоцирует тебя? — спросила Берта.

— Я верю Ледену, — кивнул он. — Кроме того, есть и другие источники. Баретти убил Брута. И он ответит за это, — закончил он. — Наши добрались до Латвии? — спросил он.

Лондон. Англия

— Умер, — усмехнулся Шон. — Значит, действительно не тот камень. Но ты же говорил, ему полегче стало, — напомнил он. — А тут вдруг...

— Думаю, на короткий период времени ему помогло самовнушение. Он же был уверен, что камушек исцелит его.

— А если это все-таки один из семи? — предположил Ричард. — Но один камушек помогает только при несерьезных болезнях. Ведь в Монголии лаборантка вылечилась

336

от простуды благодаря одному камню. Просто его не с чем сравнить, — недовольно проговорил он. — А ты чему улыбаешься? — спросил он Шона.

— Все-таки наконец-то Уильямс отправился на небеса, — вздохнул тот. — И я надеюсь, ты не забыл о причитающихся мне деньгах вашего папочки. И не советую пытаться кинуть меня, — усмехнулся он. — Могу рассердиться. Когда я получу свои деньги?

— Я думал, мы команда, — процедил Ричард.

— Знаешь, приятель, — усмехнулся Шонри, — команда, это когда люди...

— Значит, расстаемся, — усмехнулась Маргарет. — Собственно, это ваше желание и я не буду пытаться вас уговаривать. Но хотелось бы знать, почему?

— Надоело гоняться за призраком, — ответил Шонри. — Устал. Кроме того, я получу приличную сумму и мне вполне этого хватит, чтоб жить ни в чем себе не отказывая.

— И еще, — вмешался Квентин. — Наш камушек. Деньги мы за него не получили и поэтому вы должны вернуть его.

— Он стоит примерно сто тысяч, — усмехнулась Маргарет. — И поэтому мы в расчете.

— Я так не думаю, — возразил Квентин и одновременно с Маргарет выхватил пистолет. Отскочив, Ричард тоже вырвал из кобуры пистолет.

— Эй! — встав между Маргарет и племянником, воскликнул Шонри. — Хватит. Неужели вы готовы перестрелять друг друга из-за камня? Но племянник прав, — посмотрев на Маргарет, кивнул он. — Мы договаривались с вами за миллион. Хотя Уильямс хотел отдать мадам Леберти...

— У нее настоящий камушек, — проговорил Ричард. — Тогда как ваш...

— Тем более, — усмехнулся Шон. — Ведь ни вы, ни мы не знаем, настоящий это алмаз или ненастоящий. Это раз, — кивнул он. — И во-вторых, согласитесь, Квентин прав, мы нашли камень. Поэтому миллион или камень. Сто тысяч я вам верну из полученных из состояния Уильямса, — улыбнулся он. Квентин, от которого дядя закрыл собой Маргарет, перевел оружие на также направившего на него ствол пистолета Ричарда.

— А что мешает нам продолжить поиск остальных камней? — опустив руку с пистолетом, спросила Маргарет.

— Хотя бы то, — усмехнулся Шонри, — что вы считаете себя выше нас. Именно поэтому и не может быть команды, — заметил он. — А сейчас давайте обсудим денежные вопросы, — улыбнулся он. — Не вынуждайте и меня взяться за оружие, потому что я всегда соблюдаю правило солдата. Пистолет не игрушка, достал — стреляй. Уберите пистолеты, — требовательно проговорил он. Маргарет кивнула брату. Ричард, опустив руку с оружием, вздохнул. — Надо думать о похоронах Уильямса, — проворчал Шон. — А мы решили поиграть в ковбоев. Хорошо еще, не начали стрелять. Я был бы просто вынужден убить вас, — кивнул он. — Давайте успокоимся, — предложил он. — Хватит покойников. Хотя бы потому, что вмешается полиция, а это не нужно ни живым, ни убитым. Собственно, какого черта я несу, — покачал он головой. — Надо решать вопросы о деньгах и камушке.

Чикаго. США

— Знаешь, — сказал Том, — мне начинает казаться, что идея заняться поиском камней бессмертия не совсем удачна. И яркий пример тому мой брат, который так и не успел познакомить меня со своей женой. Хотя меня это не особо расстроило, — весело отметил он. — В конце концов, мы стали богаче на полтора миллиона долларов, которые мертвым грузом лежали в банке Мальком-Сити. Сейчас они будут нашими, — подмигнул он жене.

— А кто и почему убил твоего брата? — спросила Элен.

— Даже не догадываюсь, — ответил Том. — Хотя предположение есть, — улыбнулся он. — Именно поэтому я и принял решение прекратить поиск камней бессмертия. Хотя, разумеется, сие не означает, что я не буду искать их в дальнейшем, — усмехнулся он. — Просто в данное время я считаю, что не стоит рисковать. Брата убили из-за этих самых камней. Он что-то знал, — кивнул Том. — И мне кажется, именно поэтому и вышел на меня. Значит, я должен быть благодарен тому обстоятельству, что мой брат решил заняться поиском камней бессмертия и в итоге нашел свою смерть.

— Я понимаю тебя, — улыбнулась Элен. — Но буду откровенна, — вздохнула она. — Не хочется отступать. Но ты прав. Это становится опасным.

Вашингтон

— Значит, ты говоришь, что все это бессмысленно, — вздохнул Дональд. — Но я думал, что...

— К мадам Леберти не подступиться, — убежденно сказал Лонг. — Я, разумеется, оставил там двоих, и если появится малейшая возможность, мы немедленно узнаем об этом.

— Хорошо, — помолчав, кивнул полковник. — Умеющий ждать иногда получает больше, чем нетерпеливый, — улыбнулся он.

— Ты что? — успел спросить Джино. Оуш дважды выстрелил в него из пистолета. Обе пули попали в грудь рухнувшему на спину Баретти. Оуш, сделав вперед два шага, выстрелил ему в голову. Из комнаты слева вышла Джина. Посмотрев на лежавшего в луже крови мужа, усмехнулась.

— И он поверил, что ребенок будет от него, — пробормотала она.

— Ну что, дорогая, — вошел в большую комнату рослый блондин в темных очках, — ты уже вдова? — весело улыбнулся он. — Боже правый, — перекрестился он, — на ком я хочу жениться. Но я просто вынужден это сделать, — засмеялся он. — Хотя бы из-за ребенка. Интересно вот что, — хохотнул блондин. — Как он поверил в то, что ребенок его? Ведь он просто не...

— Он этого не знал, — грустно сказала Джина. — Я все узнала втайне от него. Анализ у него взяли, когда он вырезал аппендицит. Представляешь, каково было мне, когда я узнала, что он не может иметь детей. Я была просто в ярости. Но после знакомства с тобой я поняла, что не все потеряно. А тут такой удачный случай. Он убил человека Адмирала и, по сути, был обречен. Но он окружил себя охраной и подобраться к нему было бы очень и очень сложно. И тогда с помощью него, — кивнула она на Оуша, — мы и придумали этот вариант. Привезли? — спросила она.

— Да, хозяйка, — кивнул один из двух парней, которые затаскивали в комнату глупо улыбающегося Ледена.

— Что с ним? — присев, помахал перед глазами Ледена ладонью блондин.

— Наркотики, — усмехнулся Оуш. Вложил в руку Ледена рукоятку пистолета. — Поставьте его сюда, — указал он место, откуда начал стрелять. — Передвиньте сюда, — указал он место последнего выстрела. — Крикну, отскакивайте в сторону, — кивнул Оуш. Белобрысый с интересом смотрел на него. Оуш отошел к двери. Вытащил из кобуры револьвер. — Отскакивайте, — выкрикнул он. Державшие продолжавшего улыбаться Ледена парни отскочили. Хлопнул выстрел. Леден с пулей в затылке рухнул ничком. — Вот так все и было, — усмехнулся Оуш. — Леден ворвался и начал стрелять. Я заскочил и расправился с убийцей. Разрешение на оружие у меня имеется, — улыбнулся он.

— Великолепно, — засмеялся блондин. — Просто великолепно, — повторил он.

— Вот так, Мартин, — улыбнулась Джина. — Оуш у нас все делает хорошо.

— Ну я, собственно, для всех друг Джино, — улыбнулся Мартин. — Ну а потом, разумеется, влюблюсь во вдову и женюсь на ней. Ребенка запишу на себя, — поцеловал он Джину. — И будем мы счастливой семейной парой с ребенком.

Барранкилья. Колумбия

— Послушай меня, — процедил Мигель. — Отныне ты всегда будешь делать только то, что скажу я. И еще, — кивнул он. — Больше ничего сам делать не будешь. И один никуда не выходи. Кончилась твоя свободная жизнь, — заявил он. — И молись всем святым, чтобы семья Феленго не узнала правды о гибели сына. Зачем ты убил его?

— Не я, — испуганно ответил сын. — Я просто...

— Зачем? — повторил вопрос отец.

— Я ему все рассказал о камушках, — робко пролепетал Сантас. — И побоялся, что он кому-то...

— Болван! — заорал Мигель. — Зачем небо дало мне сына-идиота? — воздел он руки. — Не умеет ничего. Учиться не желает. Все, — кивнул он, — кончилась твоя вольная жизнь. Денег не получишь, про машину забудь.

— Правильно отец говорит, — сердито проговорила Эдельмира.

Москва. Россия

— Погоди, — сказал Тарасюк. — Я что-то не пойму, про что это ты. А ты где, кстати...

— Мишка, — услышал он голос Лиды, — ты все прекрасно понял. Это ваши люди, я в этом уверена. Я дам

341

тебе адрес, где находится камень. Вы же его ищете. Но я назову адрес только после того, как выпустят всех задержанных, которые дрались с вашими людьми. Ты меня знаешь, Тарасюк, я всегда делаю то, о чем говорю. У вас сутки. Если ничего не будет сделано, я пойду в прокуратуру и все расскажу о тебе и Вожде. Не думаю, что Вождю это понравится. Ты меня понял?

— Да понять-то понял, — услышала она. — Но не пойму...

— Думай, Мишенька, думай, — перебила она его и отключила телефон.

— Сучка, — зло бросил он. — Хотя она говорила про адрес. А врать она не умеет. Собственно, Вождь пусть решает, — кивнул он и набрал номер.

— Что у тебя? — услышал он голос Параконовой.

— Да тут предложение поступило, — вздохнул Михаил. — В общем, адрес можно получить, где камушек. Ну, в Ярославле...

— И что? — спросила она.

— Надо отмазать тех деревенских и их приятелей, — проговорил он. — Собственно, нам самим это небезопасно. Ведь похищение...

— Приезжай, — перебила его она, — обсудим это вместе. Позвони Вождю, — добавила Полина, — и ко мне.

— Но Вождь вроде как не любит...

— Просто позвони и скажи то, что сообщил мне, — перебила его она. — Я свяжусь с ним чуть позже.

— Годится, — кивнул Тарасюк. — Но я скажу, что ты...

— Я ему потом все поясню, — прервала его Полина.

— Я через полчасика подскочу, — пообещал Тарасюк и, отключив телефон, по памяти набрал номер.

— Говори, — просипел мужской голос.

— Это я, Тарасюк. Мне...

— Говори о деле, — просипел голос.

— Мне звонила Лидка Березина, — начал Михаил.

342

— Вот он, родной, — разглядывая играющий цветами камушек, вздохнул Зудин. — Ну и каша заварилась из-за тебя. Собственно, я уже хотел было все прекратить, — кивнул он. — А тут мент нашел в Интернете про то, что подобный камень есть в России. Даже два, — кивнул он. — Мы, конечно, не поверили в это, но в Израиле убили одного из Сибири, и похоже, из-за камня. По крайней мере три газеты выдвигают такую версию. И полиция Израиля не подтверждает, но и не опровергает этого. А тут еще в Ярославле след появился. Найду я тебе пару, — кивнул он и, закрыв коробочку, осторожно взял ее и положил в сейф.

— Вадим Константинович, — заглянула в кабинет Рената, — вам звонит какой-то Вожин.

— Какой еще Вожин? — удивленно спросил он.

— Он так назвался, — пожала плечами она. — Говорит, что этот разговор в первую очередь важен для вас.

— Даже так, — усмехнулся Зудин. — Ну, соедини, — решил он.

— И что делать? — лежа на тахте с бутылкой пива, размышлял Дятин. — Домой мне нельзя, вопросов у моих коллег будет довольно много. А ответить я не смогу. Кроме того, и женушка моя, похоже, довольна тем, что я буду числиться мертвым. И что делать? — снова спросил он себя. — Ответ у Зудина. Вот с кем надо было договариваться, — вздохнул он. — А сейчас я у него в лапах. И он меня не выпустит. Точнее, будет использовать. Хотел бы убить, давно бы уже это сделал. Как с Федькой, например. А вот интересно, — усмехнулся Дятин. — Менты тульские поверили, что в тачке был я? — Он допил пиво и поставил бутылку на пол.

— Вас зовут, — бесшумно открыв дверь, проговорил худощавый парень.

343

— И что вы решили? — спросила Полина.

— Согласен, — услышала она. — Отправь в Питер Ляховского. Он сумеет все уладить. Что с Зудиным? — спросил сиплый.

— Пока ничего не выходит, — недовольно призналась Полина. — Но мы пытаемся...

— Надо работать, а не пытаться, — просипел абонент. — Его секретаря обработали?

— Нет, — ответила она. — Про...

— Займитесь Ромовой, — требовательно просипел голос.

— Значит, поедешь в Ярославль, — усмехнулся Зудин. — Я вспомнил, ты говорил, у тебя там знакомая есть. В паспортном столе вроде работает?

— Работала, — уточнил подполковник. — Сейчас так, просто помогает иногда. Есть у нее там люди, — заметил он. — Только я не особо доверяю ей. Мне кажется, она с кем-то из уголовников связалась. А это рано или поздно раскроется. Уголовники люди ненадежные, по себе понял, — кивнул он. — И в Ярославль мне ехать опасно, — вздохнул он. — Я там работал участковым, а потом...

— Но послать можешь кого-нибудь для прикрытия Фантома?

— Фантома в Ярославль... — засомневался Дятин. — Я бы не делал этого, — покачал он головой. — Антон, так его зовут, кажется, ненавидит тебя и с тобой только потому, что деваться некуда. Но это тот случай, когда он просто ждет момента или предложения от кого-то, чтобы всадить нож в спину. Я знаю таких людей, — заверил он Зудина. — И будет лучше, если ты поверишь мне.

— А кого послать? — раздраженно спросил Зудин. — У меня, собственно, нет никого, кто бы мог договориться с тем парнем.

— Сначала надо выяснить, не просто ли это чья-то игра или даже попытка выманить как раз тебя. Ведь камень у тебя есть, — кивнул он. — И поэтому я бы на твоем месте был очень и очень осторожен. Тем более что делом об убийстве профессора и его помощников в Монголии занимается Интерпол. И ты невольно становишься если не организатором, то соучастником точно.

— Ты прав, — подумав, нехотя признал Зудин. — И что делать? — вздохнул он. — Как выйти на этого парня из Ярославля? Знаешь, почему я поверил в это? — проговорил он. — Он не назвал место, где может быть камень. То есть хочет поторговаться.

— Собственно, он просто зашифровал адрес, — поправил его Дятин. — И я не уверен, что он действительно его знает. Вполне может быть, просто предполагает. В общем, надо послать к нему человека на переговоры, — предложил он. — Он наверняка будет просить денег, и надо отправить к нему твоего адвоката, — закончил он.

— А что? — подумав, кивнул Зудин. — Это, пожалуй, правильное решение. Но почему он написал об этом? — непонимающе спросил он. — Почему...

— Молод, — усмехнулся Дятин. — Меня лично удивляет то, что он вообще заявил об этом. Неужели не понимает, что за такие вещи в наше время ему могут оторвать голову, предварительно, разумеется, узнав адрес. Собственно, я бы так и сделал, — кивнул он.

— А кто шантажировал тебя? — спросил Зудин. — И...

— Я уже говорил, — напомнил Дятин. — Я не знаю, кто это. Приезжали дважды, но не тот, у кого было на меня досье с компроматом. Сейчас это уже не играет роли. Просто я чем больше думаю, тем меньше понимаю, зачем тебе все это? Я пешка, которая уже никогда не будет ферзем или хотя бы ладьей. К тому же на меня наверняка охотятся.

— Я сделаю все, что обещал, — успокоил его Вадим. — Но вот было бы лучше, если бы ты был со мной откровеннее. Тебя на коротком поводке держал полковник Гладкин, — улыбнулся он. — И ты избавился от него одновременно с Удавом. Довольно ловко инсценировал ДТП. Впрочем, это я так, чтобы ты понял, что я не конченый идиот, — засмеялся он.

— Я это понял, когда ты убил Федьку, — кивнул Дятин.

Минск. Белоруссия

— Я думал, что Белоруссия страна нищая, — усмехнулся рослый парень. — А тут...

— Говори по-русски, — одернул его краснолицый здоровяк. — Не забывай, мы...

— Да все путем, Алик, — сказал парень по-русски. — Но если тебя Адольфом называть, могут и прибить, — усмехнулся он. — Для русских Адольф это...

— Сейчас в России есть последователи Гитлера...

— Скинхеды, — усмехнулся третий. — Но нам до России еще добраться надо, — вздохнул он. — Где этот чертов Муха? — посмотрел он на часы. — Обещал прийти в двенадцать, сейчас уже час, а его нет. Может, он просто получил бабки и исчез?

— Не может такого быть, — возразил Адольф. — Он придет. С Капутом шутки не шутят, это кончается пулей в лоб. Придет, — повторил он.

— Вот это да, — усмехнулся парень в куртке. — Самолет в Индии разбился. Должен был лететь в Бонн. И...

— Да плевать нам на это, — процедил Адольф.

— А по-моему, тебе это будет как раз интересно, — уверенно сказал парень. — Никого не узнаешь? — спросил он. Адольф, повернувшись, взглянул на экран и шагнул к телевизору.

— ...просят сообщить данные этого человека, — проговорила диктор. — Документов не обнаружено, тело сильно обгорело, найдена табакерка, вот она. — На весь экран показали табакерку с оскаленной волчьей мордой. — Власти Дели просят всех, кто узнал этого человека, связаться...

— Койот, — усмехнулся Адольф. — Значит, ты был в Непале у Дипломата и он тебя переправил через Индию. Но самолеты иногда разбиваются, — засмеялся он.

— Я же говорил, что это тебя заинтересует, — заметил парень.

— Пришел, — кивнул рослый. — Интересно, когда мы в Россию попадем? Я говорю по-русски, а в России не был ни разу. А хотелось.

— Сейчас Россия не та, что была, — проговорил крепкий мужчина. — Раньше при коммунистах было все иначе. И народу жилось лучше. Не было такого разгула преступности, наркомании, и все вроде были довольны жизнью. А сейчас все не так. Москва напоминает Берлин после объединения Германии, — сравнил он. — В плане преступности. В России сейчас власть денег.

— Завтра будете в России, — заверил шестерых немцев вошедший в комнату невысокий плотный мужчина.

Бонн. ФРГ

— Значит, Койот сумел выбраться из Монголии, — задумчиво произнесла Берта. — Это точно он? — спросила она.

— Труп обгорел до неузнаваемости, — ответил сидевший в кресле полный невысокий мужчина в штатском. — Но если фрейлейн помнит, у Койота был серебряный медальон на груди. Так вот, — кивнул он, — расплавленный медальон нашли на теле пассажира сгоревшего самолета. По документам он англичанин, прилетел в Индию из Непала. Но документы скорее всего подделка. По крайней мере человек с таким именем, как в паспорте...

347

— Очень жаль, что он погиб, — качнула головой Берта. — Я бы с огромным удовольствием лично пристрелила его. Благодарю вас, инспектор, — она положила на стол конверт, — за подробное сообщение и впредь рассчитываю на наше сотрудничество, — улыбнулась она.

— Что-то не верится мне, что Торман так просто ушел из жизни, — сказал Гейдрих. — Хотя тут он был бессилен. С другой стороны, именно этим путем мог он выбраться из Монголии. Через Непал. У него там есть хороший знакомый. А жаль, что мы не встретились, — процедил он. — Так бы легко из жизни он не ушел.

— Дядя, — вошла в кабинет Берта. — Это Отто. И еще, — не давая говорить тому, продолжила она, — Баретти убит. Леден тоже. Ледяной сумел проникнуть в дом и застрелил Джино, а Ледена убили люди Баретти. Так что...

— Странно, — удивленно сказал Гейдрих. — Ледяной не солдат и не авантюрист. Я думал, он наймет кого-то. Обычно сам он не работает. Странно, — еще раз повторил он.

— По крайней мере, так сообщили, — сказала Берта. — Адольф с группой уже в России. В Москве будут завтра, их там встретит Карлик и доведет до места. Правда, там сейчас по метеосводкам погода нелетная. Если добираться поездом, это как минимум дня три-четыре. А как добраться до поселка, он далеко от Красноярска, в тайге, я не...

— В Красноярске их тоже встретят, — перебил ее Капут. — Там есть наш человек. Правда, он там по делу, но поможет. Только я думаю вот что, — вздохнул он. — А не бред ли больного это? Почему он в России ничего...

— Алмаз находится там, — перебил его Гейдрих. — Я в этом абсолютно уверен. В Тель-Авиве убит выходец из России и тоже из Красноярского края. Убит из-за камушка. Кстати, этот молодой гений всего лишь навсего, как он пишет, констатировал исторический факт. Хотелось бы увидеться с ним и выяснить, что это за исторический факт. Но пока не стоит беспокоить его, потому как я уверен, на него обратили внимание и Зудин, и тем более Доринов. Я правильно назвал фамилию того, к кому приехал курьер? — посмотрел он на Берту.

— Да, — кивнула она.

— Надеюсь, они не убьют это юное дарование, — улыбнулся Гейдрих.

— Это сделаем мы, — усмехнулась Берта. — Если окажется, что он пошутил с нами. Одного не пойму: если он уверен, что камушек там, почему сам не возьмет его? — Она посмотрела на дядю. — Почему его родственники или...

— Берта, — улыбнулся Гейдрих, — ты забыла, что совсем недавно там были у власти коммунисты. И родители этого гения жили в то время. Поэтому он наверняка даже не подумал о том, чтобы поехать и забрать камушек. А Зудин и Доринов скорее всего не поверили ему и к тому же лишний раз опасаются проявить свой интерес к алмазу. И еще, — продолжил он, — может быть, в России он и не сообщил адрес. А отправил сообщение адресно в Центральную Европу. Я думаю так, — кивнул Гейдрих.

— Надеюсь, что это не шутка молодого дарования, — пробормотал Капут.

— Меня убедило убийство эмигранта из России, — кивнул Гейдрих. — Амулет там, в Сибири. Я покопался в истории, опять-таки благодаря этому русскому, — улыбнулся он. — И понял, что вполне могли два камушка, а то и больше, осесть в России, и именно в Сибири. В общем, надо будет говорить с этим молодым гением. Что удалось узнать о нем?

— Двадцать один год, — ответил Капут. — Два высших образования, изучал электронику и историю. Школу окончил в пятнадцать лет. Вундеркинд, — усмехнулся он. — Живет недалеко от Ярославля с сестрой и ее мужем. Сестра, Татьяна Орлова, фамилия мужа, учитель начальных классов. В данное время не работает. Школу в поселке закрыли. Вениамин Богатырев, это имя и фамилия гения, пытался стать предпринимателем, как говорят в России, то есть заняться малым бизнесом, но не получилось. Как и почему он занялся поиском камней бессмертия, мы не знаем. Но я уверен, что...

— Меня не интересует твое мнение, — сказал Гейдрих. — Я печенкой чувствую, что прав русский.

Лондон. Англия

— Значит, на этом и остановимся, — улыбнулся Шонри. — Как только что-то более или менее прояснится, тогда...

— Знаешь, Шон, — усмехнулась Маргарет, — лично я вообще не думала про эти камни. Потому что не верю в их силу. Просто я боялась, что Койот, если его задержат, сдаст нас. А сейчас он мертв и нам ничего не угрожает. Буду наслаждаться жизнью, — весело заявила она. — В конце концов, мне пора выходить замуж, — рассмеялась Маргарет, — рожать детей. Отец умер, и я не буду скрывать, что рада этому, — призналась она. — Что касается камня, то мы решили, что он будет общим. И если вдруг появится возможность получить ещё один, мы объединимся. Но признайся, что ты тоже не веришь в то, что это один из семи камней бессмертия, — вздохнула она. — Но тем не менее он наш, общий, неприкосновенный валютный резерв.

— Договорились, — кивнул Квентин. — Правильно, дядя?

— Верно, племянник, — согласился Шон.

Париж. Франция

— Знаете, — качнула головой Энель, — я не понимаю вас. По крайней мере я ничего не собираюсь продавать или, как вы говорите, давать напрокат, — усмехнулась она. — И вообще, я не работаю на отдыхе. Так что извините, но продолжать разговор — пустое занятие.

— Ну что ж, — улыбнулся загорелый мужчина. — Как хотите. Просто мы посчитали, что вам утомительно быть в постоянном напряжении и даже страхе и именно поэтому желали выкупить у вас за весьма...

— Ты что, не расслышал, что сказала мадам? — подошел к нему Эндрю. — Разговор окончен.

— Извините, — спокойно улыбнулся загорелый. — Но надеюсь...

— Убирайся, — процедил Эндрю.

— Хорошо, — кивнул тот. — Извините, — посмотрел на Эндрю и поспешно отошел.

— Похоже, это проклятие на всю жизнь, — проворчал Эндрю. — Возвращаемся домой, и я надеюсь, Марсия узнает правду о своем отце.

— Не сейчас, Эндрю, — вздохнула Энель. — Давай через год, когда мы поженимся. И очень прошу, давай прекратим искать эти камни. Поверь, мне вполне хватает одного, — вздохнула она.

— Значит, все будет в порядке? — по-французски спросил Иволгин.

— Конечно, — заверил его врач. — Внуку вашему будет гораздо лучше. Мы подготовим его к операции, и когда...

— Но тут, надеюсь, уже оговорена сумма полностью, — перебил его Иван.

— Кризис, — виновато улыбнулся врач. — Поэтому вполне возможно, что придется доплачивать. Но это будет немногим больше двух-трех тысяч. Производители лекарств тоже...

— Понимаю, — кивнул Иволгин. Посмотрел на сидевшую рядом молоденькую женщину. — Все будет хорошо, Ира, — вздохнул он. — С Антошкой все будет хорошо.

— Оказывается, у него болен внук, — усмехнулся плотный мужчина. — А говорили...

— Кода будем приглашать? — спросил рослый парень.

— Команды не было, — отозвался мужчина.

Каир. Египет

— Виновен, — дружно проговорили сидевшие полукругом темнокожие мужчины в белых накидках.

— Ты отдал иноземцу талисман рода Фаушех, — плюнул на голову стоявшего на коленях темнокожего мужчины бритоголовый, с блестящим обручем на голове пожилой африканец, — и умрешь на глазах своего народа, который ты предал, — закончил он. Окровавленного, связанного мужчину схватили двое воинов и потащили к большому камню, по бокам которого были вбиты два бетонных столба. От столбов тянулись привязанные цепи с оковами на концах. Положив несчастного на камень, ему на руки и ноги надели оковы, укрепленные на концах цепей. Все поочередно ударили его, плюнули и вернулись назад. — Никто не должен оказывать ему помощь, — проговорил бритоголовый. — И с цепей его можно снять, только когда появится другой предатель. — Сидевшие, приложив ладонь правой руки к сердцу, в один голос проговорили.

— Да будет так.

— Надо найти человека, кому отдали талисман, — проговорил невысокий пожилой, с кольцом в носу африканец. — И вернуть...

— Нет, — возразил бритоголовый. — Дар не отнимается.

352

— Ляховский уехал, — говорила в сотовый Полина. — И он уверен, что сумеет прекратить дело. Конечно, наших людей...

— Они люди Петухова, — просипел голос. — И его надо убирать. Потому что только он может вывести на нас, если его сдадут.

— Все сделаем, — заверила его Параконова.

— Ну, что там у тебя? — зло спросил Тарасюк.

— Да ничего, — тем же тоном отозвалась Наталья. — Даже аэропорт не принимает. Я попробовала по дороге, но даже из города выехать не смогла. Попала в ДТП. Но я дождусь и...

— Что-то ты мудришь, подруга, — сказал Михаил. — Впрочем, так даже лучше. Делить придется не на троих, а на двоих. Вождь платит только за работу, — усмехнулся он.

— Ты почему замолчал? — спросила Наталья.

— Боюсь, начну просить тебя поскорее вернуться, — ответил он. — Я ужасно по тебе соскучился.

— Я должна добраться до отца, — проговорила она. — Я уверена, что у него есть этот камень.

— Но не рискуй зря, — посоветовал он. «Дура, — подумал Тарасюк. — Может, тебя там прибьет кто-нибудь».

— Поедешь в Ярославль, — говорил худощавому молодому мужчине в очках Зудин. — Найдешь...

— Я знаю, куда вы меня посылаете, Вадим Константинович, — спокойно проговорил тот. — И все сделаю как надо. Я сумею разговорить этого парня.

— Молодец, — усмехнулся Зудин. — Значит, я не ошибся в выборе, — подмигнул он Дятину. — Там тебя встретят, — вздохнув, кивнул тот, — и помогут, если что-то...

— А вы ничего не слышали? — усмехнулся худощавый. — В Ярославле задержана группа бандитов за похищение человека. У них найдены наркотики, оружие. И кстати, их подельница работала в паспортом столе. — Зудин быстро посмотрел на Дятина. Тот выматерился. — Я обойдусь без помощи, — улыбнулся худощавый. — И в Ярославле есть люди, которые помогут во всем.

— Я не ошибся в выборе, Монета, — подмигнул ему Зудин. — Это тебе, так сказать, дорожные. — Он вытащил из сейфа пачку долларов. — И получишь в десять раз больше, если вернешься с хорошими новостями. — Дятин взглянул на сейф, где в одной из ячеек лежал камушек. Катая желваки, опустил голову. Вадим Константинович краем глаза заметил это и усмехнулся.

— Мне можно ехать? — спросил его Монета.

— Как поедешь? — задал вопрос Зудин.

— На машине, — ответил Монета.

Лежавший на расстеленной дубленке на чердаке заброшенного дома молодой мужчина в солдатских валенках, в свитере и безрукавке, разглядывал в снайперский прицел особняк Зудина.

— Долго еще? — по-немецки спросил зябко кутавшийся в полушубок парень. — А то я замерз. Теперь я понимаю, почему вермахт проиграл войну, — вздохнул он.

— Нет, — проговорил снайпер. — Ничего не выйдет. Мы не сможем найти камень и уйти. Нам даже не войти туда.

— Задача номер один, — напомнил парень, — уничтожение документов и устранение Зудина. Об остальном...

— Ты знаешь, сколько стоит камень? — оглянулся снайпер. — Мы получим за него...

— Не будь идиотом, Чарльз, — качнул головой парень. — Надо выполнить то, что заказано. Поэтому остается искать вариант. Пошли, — поднялся он.

— Вариант пусть ищет Самурай, — поднимаясь, усмехнулся Чарльз. — А я бы совсем не против навестить логово этого русского медведя. У него камень, и я хочу его получить.

Красноярск

— Здесь вообще бывает хорошая погода? — сердито спросила Наталья.

— А ты вообще зажралась, — усмехнулся Евгений. — Только уехала отсюда, а уже...

— Не только, а шесть лет назад.

— Может, объяснишь, что это ты вдруг так по папе соскучилась? — спросил брат.

— А почему бы и нет, — усмехнулась Наталья. — И вообще, почему я должна тебе что-то объяснять?

— А что за камень ты хочешь у него забрать? — неожиданно спросил он.

— Отвяжись, Жека. — Она поморщилась. — Зачем тебе неприятности? Я уже не та, кого ты запросто мог ударить или...

— Значит, по-хорошему ты не хочешь, — усмехнулся Евгений. — Придется...

— Даже не думай, — спокойно перебила его она. — Случись что со мной, и ты сдохнешь. Понял?

— Значит, не просто так ты папаню желаешь навестить, — усмехнулся Евгений. — Давай по-родственному договоримся. Я же все-таки в городе живу. И телик гляжу, и газетки иногда почитываю. Неужели ты думаешь, что тот камушек, который пахану от деда достался, и есть один из семи камней бессмертия? — уже вполне серьезно спросил он.

— Ты даже это знаешь? — удивленно отметила Наташа. Вздохнула. — Да, — кивнула она. — По крайней мере за этот камень можно получить приличные деньги. Если бы я была уверена на все сто, что это именно тот камень, я бы ничего никому не говорила. Просто забрала бы его и продала за очень большие деньги.

— Скорее всего тебя бы просто убили, — усмехнулся он. — Зачем платить, если можно забрать бесплатно. А почему ты решила, что у бати как раз этот камень?

— Просто вспомнила, — вздохнула Наталья, — как он лечил нам насморк. А тут в Монголии тоже от простуды...

— Собственно, после этого я и заинтересовался тем, что пишут о камнях бессмертия. Кстати, ты помнишь Пуршко? — спросил он. — Он с батей мехами занимался. Помнишь?..

— И что? — непонимающе спросила она. — При чем тут...

— Его убили в Израиле, — услышала Наталья. — И есть предположение, что из-за камня. Помнишь, он что-то говорил.

— Мне было тогда десять, — напомнила Наташа, — а тебе пятнадцать. Так что...

— Значит, ты думаешь, камень у папаши тот, один из семи, — вздохнул Евгений.

— Да, — ответила она. — Я так думаю. А почему ты сразу не начал...

— Просто я не думал, что ты в это дело влезла, — усмехнулся он. — А тут сегодня услышал, как ты с Мишкой про камушек базаришь, и понял, на кой ты так к бате рвешься. И ты думаешь, он тебе его отдаст? — усмехнулся Евгений. — Он тебя скорее всего наладит по-мужски и все. И что тогда будешь делать?

— Я без камушка не уеду, — заявила Наталья. — Я на что хочешь пойду, но без камня не уеду.

«Во, блин, — удивленно думал глядевший на сестру Евгений. — А она, в натуре, изменилась. И, похоже, за ней крутые ребята стоят».

— Короче, вот что, сестренка, — начал он. — Я поеду с тобой и помогу тебе с камушком. Я помню, где его батя прятал. Но ты обещаешь мне, что поможешь переехать в центр и бабок дашь тысяч пятьдесят зеленью, хату и тачку путную? Я тебе тогда помогу.

— Ты получишь гораздо больше, чем просишь, — засмеялась она. — За этим камнем охотится человек, который заплатит столько, сколько тебе и не снилось. Поможешь и сразу со мной поедешь, — кивнула она. — И Элку свою с сыном заберешь. Но как туда добраться? — с досадой бросила она. — Синоптики эти...

— Да они вроде говорят, утихнет метель, а через час, мол, усиление ветра и понесло по новой. Но я Москву слушал, вроде завтра кончится тут эта хренотень. Тогда и поговорю с Летуном. За те бабки, которые ты обещала, он нас и туда и обратно доставит. Задерживаться там не будем, — предупредил он. — Часик и назад. Подождет Ле...

— Но я не думаю, что папу удастся за час уговорить, — качнула головой Наталья. — Он...

— Уговаривать будем минут пять, — усмехнулся Евгений. — Меня на большее не хватит. Потом я просто заберу камень и все, — твердо сказал он. — Помешает, шарахну разок его по бороде и пусть отдыхает. Его проклятий мы уже наслушались, и поэтому они на меня не действуют.

— А если он за ружье схватится? — помолчав, вздохнула Наталья.

— Пристрелю сразу, — спокойно проговорил Евгений. — Я не забыл, как он меня ментам сдал, когда мы рыбаков на уши поставили. Да и много чего еще есть ему предъявить, — криво улыбнулся Евгении.

«Ты помоги мне камень взять, — думала Наталья, — а уж с тобой-то я разобраться смогу».

Волчье

— Хотел сыну с дочерью и внукам оставить, — отпив из бокала чай, вздохнул Савелий Федотович. — Но хрен им чего вообще останется, — проворчал он. — Женька в бандиты подался. Натка голой задницей крутила и замуж за кого-то из бандюков выскочила. Вроде даже расписались, — усмехнулся он. — А я твердо решил, ничего не получат. Не таких я детей хотел иметь. Ладно бы там банки грабил или богатых каких. Так мужики из Новосибирска приехали тут к другу и на рыбалку поехали. А Жека с друганами и напал на них. Одного убили, ножом три раза ударили, двоих других побили сильно. Я как узнал, так милицию вызвал и на Жеку и указал. Сам бы прибил, да мужики не дали, — вздохнул он. — А до сих пор как напьется, так вспоминает. Мол, ты меня, батька, ментам сдал. Вот такие дела, значится, с детьми-то у меня. — Он допил чай. — А пироги ты очень вкусные печешь, — похвалил он сидевшую за столом Женю. — Молодец ты, девка, — кивнул он. — Только зазря ты в эту глушь приехала-то. Ведь придет время и замуж захочется. А здесь кого в мужья-то брать, — махнул он рукой. — Молодых мужиков немного, да и те все уже женатые. А те, кто остался... — Он махнул рукой снова. — Так уж лучше без мужа жить, чем с такими, как они.

— Знаете, Савелий Федотович, — вздохнула Женя, — я не очень-то хотела сюда, но уж лучше сюда, чем без работы сидеть. Я здесь поработаю еще года два-три, а там видно будет, что делать. Что касается мужа, — улыбнулась она. — Так об этом я пока и не думаю. А потом, если суждено, то где бы ты ни был, любовь тебя найдет. И человек хороший будет. Ну а если просто торопиться, мол, надо замуж, то и не получится ни жизни, ни счастья. Вот так я думаю.

— Это хорошо, коли ты взаправду так думаешь. Хотя не обижайся, ну что не особо верю. Ты вроде и брехать не умеешь, а я просто по привычке не верю до конца. Сейчас ведь мало кто про себя правду говорит, — вздохнул он. — Вот с метелью этой и хлебушка уже не купишь. Дороги замело насмерть. Но мука у меня имеется, а ты вроде как и хлебушко...

— Я тесто поставлю и испеку хлеб, — смущенно проговорила Женя.

— Ну и ладно, — повеселел он. — А ты, может, и баньку мне истопишь? — явно смущенно попросил он. — А то не люблю я ванну эту. Ляжешь, как в гроб, и пошевелиться боишься, чтоб воды не плеснуть. А в баньке и попариться...

— Хорошо, — улыбнулась Евгения. — Я истоплю в бане печь. И воды привезу на санках.

— Так чего возить-то, — кивнул он. — Из дома, вон там в горнице шланг лежит и кран, чтоб скотину поить. В кран вставишь шланг, раскатаешь и как раз до котла в баньке. А дрова там же, под навесом. Правда, надо тропинку прочистить, — вздохнул он. — Я, почитай, до бани уже месяц не ходил. По пояс снегу...

— Я сейчас почищу, — встала Женя. — Хотя, извините, мне надо уколы пятерым сделать, — посмотрев на часы, опомнилась она. — А потом...

— Понятное дело, потом, — улыбнулся он. — А я пока лопаткой-то малехо разомну корточки. Сколь смогу, а потом уж ты дочистишь.

— Только, пожалуйста, как почувствуете, что тяжело стало, прекратите, — попросила Женя.

Ярославль

— А ты за что хочешь с Дориновым поквитаться? — спросил Дубовский. — Я понятно, а ты...

— Да вроде с тобой заодно чуть было не погибли, — вздохнул Алексей. — Но я не особо верю, что Доринов нас хотел уделать. Он бы не стал машину минировать. Мне кажется, я знаю, кто нас подорвать хотел. Но с Дориновым все равно расчет произвести надо. И правду узнать. Потому что, если не он машину...

— А ты что, — усмехнулся Дубовский, — поговорить с ним хочешь? Так не получится, — проговорил он. — Нам его быстро делать надо, у него, сам видел, две машины с охраной. А парнишки вооружены. Да и не хотелось бы перестрелку устраивать, — качнул головой Березин. — Менты нарисуются и, считай, приплыли. А я хочу его убить. Хотя бы за то, что поверил я этой гниде, а он меня убрать...

— А если не тебя, а меня? — перебил его Алексей. — Ну а тебя заодно.

— Может, подорвали машину и другие, но Доринов тоже нас приговорил, — заметил он. — Это я точно знаю. Вот с ним разберемся и за твоих возьмемся. Я долги платить привык. А то все равно кто-то да узнает, что я жив, и начнется охота. Поэтому, пока мертвый, шанс есть разделаться со всеми заказчиками.

— Со всеми тяжело, — усмехнулся Заветов. — Но попробовать можно. А как ты хочешь с Дориновым расправиться?

— А вот тут козыри у тебя, — усмехнулся Березин. — Ты же пас его и знаешь его распорядок и точки, где он вылазит из своего броневика. «Мерин» у него бронированный, — заключил он.

— То-то я думаю, что странно он как-то выглядит, — усмехнулся Алексей. — А подловить Доринова можно у складов. Он ездит туда дважды в неделю. От машины до склада двести метров, — рассуждал он. — Ближе машине не подъехать. С ним идут четверо. Стрелять можно с двух сторон, — пояснил он. — С крыши старого угольного склада и из вагончика. В нем останавливаются электрики, когда что-то на линии происходит по их части. Поедем, я покажу, и оценишь.

— А ты прямо киллер, — усмехнулся Роман.

— Я частный детектив, — засмеялся Алексей. — И позиции выбираются одинаковые.

— Ну, положим, из оружия у нас пистолеты, — вздохнул Роман. — Поэтому позиция должна быть...

— А там метров двадцать шесть от склада, — перебил его Алексей. — И около тридцати пяти от вагончика. Один начнет из вагончика, охрана будет стрелять туда, а Доринов наверняка рванет к груде рельсов, за ними можно от пуль укрыться, и со склада его запросто снять можно будет, — кивнул Алексей. — Правда, рядом ЧОП, ну для железной дороги вооруженная охрана. Но если работать быстро, в течение трех-четырех минут, то уйти можно запросто. Поедем туда и я тебе все покажу.

— Такое чувство, — засмеялся Дубовский, — что ты по крайней мере пару раз выполнял подобную работу.

— Пока не приходилось, — улыбнулся Заветов.

— Значит, даже так, — задумчиво произнес Доринов. — В общем, как я понимаю, деньги мной потрачены зря. Ну что ж, — усмехнулся он. — Все-таки попробовал. А ты что делать будешь?

— Пока ничего, — ответил Кадич. — Хотелось бы получить все деньги. Тем более...

— Получишь, — кивнул Павел Игоревич. — Тут вот еще какое дело. Один знакомый просит найти человечка. Тот в Интернете выдал информацию о том, что по крайней мере один из камушков в России и он вроде как уверен, что знает, где это. Как ты на это смотришь?

— Как говорил мой дед, — улыбнулся Артур, — пустобрех. Все это...

— И тем не менее не мешало бы его проверить, — перебил Артура Доринов. И засмеялся. — Кстати, у тебя с Риммой всерьез или так, роман в командировке?

— Просто приятное времяпровождение, — ответил Артур. — А вы ревнуете или...

— Да нет, понятное дело, — вздохнул Доринов. — Просто зря ты это, — усмехнулся он. — Но дело твое. А насчет этого парня, ну, который в Интернете...

— Чушь все это, — стоял на своем Артур, — потому что...

— Римма, — сказал в микрофон. — Пусть войдет Алик.

— Напрасно стараетесь убедить меня, — усмехнулся Артур. — Я, кстати, уже об этом слышал, — кивнул он. — Я считаю это попыткой у какого-нибудь идиота выманить деньги и не более того.

В кабинет вошел Алик.

— Добрый день, — сказал он.

— Ты хотел что-то сообщить? — начал Доринов.

— Только то, что вполне возможно в скором времени обнаружение одного и даже двух камушков бессмертия. И вот почему, — увидев усмешку Артура, продолжил он.

— Да, — сказал полный лысый мужчина в очках. — Я вам вот что посоветую, милейший, — посмотрел он на стоявшего у двери мужчину в штатском. — Прикройте это дело насчет Белова, Бурина, Орлова и Казакова. Против них у вас абсолютно ничего нет. Им даже превышение пределов необходимой самообороны не пришьете. И мало того, милейший, — продолжил он, — я уверен, что им вынесут благодарность, а вполне возможно, и наградят за гражданское мужество. Факт похищения Богатырева не вызывает никаких сомнений. Почему они не заявили в милицию, это вопрос уже о доверии граждан к органам внутренних дел. Я внимательно просмотрел документы по делу, и даже учитывая то, что вы делали все, чтобы обвинить вышеназванных граждан в незаконном хранении огнестрельного оружия, не выйдет у вас ничего. Кстати, почему вы не допросили свидетелей, милейший? — улыбнулся полный. — Таковых, как только мне известно, трое. И все в один голос, ну, это я сказал образно, — улыбнулся он, — говорят одно и то же. То есть по показаниям двоих мужчин и женщины мои подзащитные подняли оружие с земли, — проговорил он. — То есть как бы подняли кирпич или палку для защиты от нападавших. И такое бывает. Трое из них бывшие военнослужащие, принимавшие участие в боевых действиях на территории Чеченской республики. Ну а четвертый тоже знаком с оружием, правда, немного по-другому. Он был судим за разбой. Вам понятен ход моих мыслей, милейший?

— Да перестаньте называть меня милейший, — недовольно заговорил мужчина. — Я...

— Извините, капитан, — вздохнул полный. — Просто я привык таким образом высказывать свое уважение к собеседнику. Извините ради бога, более подобного обращения не будет. Итак, на чем мы остановимся? — спросил он.

— Но вы же знаете, что решает все прокуратура, — вздохнул капитан. — Я просто начал это дело. Собственно, обвинение...

— Значит, я просто теряю время, пытаясь остановить вас, — улыбнулся полный. — Извините, капитан.

— Да не за что, — усмехнулся тот.

— Да, — кивнула державшая сотовый Лида, — я в Ярославле. Ты же прекрасно знаешь, где я. Я уехала из Выселок, чтобы не подвергать опасности...

— Перестань, Березина, — хмыкнул Тарасюк. — Я просто хочу напомнить о нашей договоренности, — усмехнулся он. — Твой друг и его приятели выйдут завтра-послезавтра. И надеюсь, ты тут же сообщишь мне адрес. Ведь ты не станешь меня обманывать.

— Я всегда делаю то, что обещаю, — перебила его она.

— Ну и отлично, — проговорил Михаил. — Но хочу предупредить. Надеюсь, ты понимаешь, что...

— Как только я увижу своих друзей, я немедленно позвоню тебе, — спокойно проговорила она. — А точнее, ты позвонишь, — передумала Лида.

— Хорошо, — усмехнулся Тарасюк. — Так даже удобнее.

* * *

— А кто говорит? — требовательно спросила женщина, старший лейтенант милиции, в телефонную трубку.

— Поторопитесь, барышня, — посоветовал мужской голос. — Эти люди вот-вот уйдут. И вполне может быть, совершено преступление и это будет на вашей совести. — И телефон с той стороны отключился.

— Сигнал о вооруженной группе в частном мотеле на Дорожников, — быстро сообщила женщина в оперативный отдел. — Пятеро вооруженных мужчин.

— Значит, на поезде, — недовольно проговорил по-немецки рыжеволосый верзила. — Ехать среди...

— Три купе СВ, — улыбнулся Адольф. — Где же он? — посмотрел он на часы.

— Точно, — услышал в наушниках сидевший в микроавтобусе командир группы спецназа. — Пятеро и оружие. По крайней мере трое укладывали в спортивные сумки автоматы. У всех пистолеты, — добавил он.

— Работаем, — кивнул командир. — Пятеро вооружены. У каждого пистолет, в сумках автоматы и, возможно, взрывчатка.

— Отставить, — влез в автобус мужчина в норковой шапке. — Они кого-то ждут. Значит, будут выходить, раз собирают вещи. Берем на выходе.

— А знаешь, — сказал Дубовский, — все очень удобно, по крайней мере мне так кажется. Теперь надо выбрать, кто где сядет. Ты как стреляешь?

— Неважно, — признался Заветов. — Попадаю иногда, но тут еще надо учитывать, что нервы будут на пределе.

— Ты будешь в вагончике, — решил Роман. — Доринов мой.

— Пятеро, — говорил в сотовый майор. — Пять автоматов и шесть пистолетов. Того, кто к ним пришел, взять не удалось. Застрелился. Остальные покладистые мужики, — с усмешкой сказал он. — Даже рыпаться не стали. Очень интересно, кто их сдал, — продолжил он. — Собственно, не поверили сразу. Снайпера посадили на крышу соседнего дома, и он увидел, что есть оружие.

— Это что-то новенькое, — проговорил абонент.

Красноярск

— Ну, вот и все. Завтра утром летим. Так что, видимо, погода ждала, пока мы с тобой не договоримся, — засмеялся Евгений.

— Серьезно? — вскочила с кресла Наталья.

— Вполне, — подтвердил ее брат. — Я на всякий пожарный с собой пару ребятишек взял. Мало ли что там и как. Соседи, сама знаешь, как мушкетеры, один за всех и все за одного.

— Правильно сделал, — одобрила она. — Но хочу предупредить, если что-то со мной...

— А ты как была дурой, — усмехнулся Евгений, — так ей и осталась. Без тебя я ничего не смогу сделать. Только вот что, — криво улыбнулся он. — Нас там не пришьют? А то, как говорится...

— Исключено, — заверила его Наталья.

Волчье

— А ты, сосед, вроде как и выглядеть лучше стал. Тут уж соседки меж собой говорят, уж не завел ли Медведев любовь с молоденькой врачихой, — улыбнулся Иван Демьянович.

— Да они чего там, сороки старые, языком-то трещат, — разозлился Медведев. — Метут как помелом поганым. А ты чё, на разведку пришел? — исподлобья посмотрел он на соседа.

— Ты мели, да меру знай, — обидчиво отозвался Иван.

— Извиняй, Демьяныч, — вздохнул Медведев. — Просто я про это думал, — кивнул он. — Знал, что народ трепаться начнет. Ну, мне-то все это шло и ехало, — отмахнулся он. — А вот Женьке-то каково. — Он выматерился. — Ведь ей всего-то хрен да немного и как ей жить, ежели ее вот так сейчас полоскать эти вороны старые начнут.

— Поздравляю, Савелий Федотович, — зашла в комнату Вера.

— Это еще с чем? — в один голос спросили старики.

— Ну как это с чем? — насмешливо улыбнулась Вера. — С удочерением медицинского работника. Теперь у вас свой семейный врач будет. Да и нам удобно.

— Пап, — раздался голос Жени. — Я пришла. — В комнату зашла Сиротина и виновато посмотрела на раскрывшего рот Медведева.

— А я тебя ждал, доченька, — кашлянув, кивнул тот. — А то гость ко мне зашел, приятель давний, а вот потчевать и нечем. Ты уж налей нам настоечки граммов по пятьдесят.

— Хорошо, папа, — весело ответила Евгения. Вера, фыркнув, вышла.

— Видал, как она всех обула, — тихо проговорил Иван.

— Это факт, — кивнул Савелий. — Молодец девчонка, — пробормотал он. Иван гулко рассмеялся.

— Ты что это, — непонимающе посмотрел на него Медведев, — Добрин, головой, что ль, тронулся?

— Да глаза Верки видел, — посмеиваясь, проговорил Иван. — И сейчас в поселке это тема номер один. Молодчина врач, — подмигнул он Медведеву.

— Точно, — вздохнул тот. — Надо вызвать начальство наше и пусть завещание заверят. Все дочери моей отпишу. Евгении Евгеньевне Сиротиной. Вот это вам фунт земли в лукошко с ягодами, — захохотал и он.

— Представляю, что там Женька и Наталка подумают, — засмеялся Дмитрий. — Он же их с носом оставил. Вот это детдомовка, — качнул он головой.

— А что у него кроме ружья да капканов есть-то? — усмехнулась Вера.

— Ой, не говори гоп, — прищурился Дмитрий. — У Медведева счет в банке приличный. Ну не то чтоб миллионы, но около ста тысяч лежит. Домище какой. Ему тут за него предлагали двухкомнатную квартиру в Северо-Енисейске и денег. Хотел какой-то новый русский купить. Ну, вроде как на охоту приезжать...

— И как ей это удалось? — удивленно сказала Вера. — Наверное...

— Да он сам, — перебил ее муж. — И правильно сделал. Пока все на словах, но пойдет в правление и перепишет все на Сиротину. И будет ее дочерью называть, а она его...

— Уже зовет, — перебила его Вера.

— Молодец старик, — кивнул Дмитрий. — Хотел бы я видеть морды Наталки и Жеки.

Тула

— Что? — расширив глаза, спросила мать Бурина.

— Погибли, — услышала она. — Они поехали встречать Алену в аэропорт. Встретили, и на кольцевой в их машину врезался джип. Обе машины загорелись. Погибли и Алена, и ее родители. Я звоню вот почему. Сына Дмитрия, ваш сын его отец будет...

— Да! — всхлипнув, крикнула она. — Конечно. Просто сейчас Саши нет, но...

— Мы привезем его завтра, — пообещали ей.

— Вот он, — улыбнулся Зудин. — И скоро к тебе, камушек, еще один присоединится. А дальше видно будет. И...

— Странная кличка у этого, — усмехнувшись, вспомнил Дятин. — Монета. Я...

— Фамилия такая, — улыбнулся Зудин. — Григорий Монета. Гришка верный и надежный человек, — кивнул он.

«Вот бы забрать этот камень, — думала выходившая из кабинета Рената. — Он стоит очень дорого. Но как? — вздохнула она. — Костя предлагал, мол, возьмешь камень и уедем. Ему-то, конечно, что, — закрывая дверь, подумала она. — Свалил и ищи ветра в поле. А меня бы Зудин быстро вычислил. Собственно, взять я бы могла запросто».

— Понятно, — проговорил бритоголовый. — Значит, так мы и сделаем. — Он посмотрел на троих мужчин, сидевших за столом.

— Ну, что говорят? — спросил снайпер.

— Торопят, — ответил бритоголовый. — Конечно, можно взорвать там все. Но я, например, хочу и камень забрать. Он почти всегда в семнадцать тридцать достает его из сейфа. И как раз в это время привозят вечернее молоко и продукты. Вот...

— Лучше в обед, — перебил его рыжий. — В двенадцать каждый день приезжает к нему человек. Видимо, привозит документы на подпись или отчитывается за предыдущий день. Машина заезжает в подземный гараж. Гараж находится под домом. Мы по дороге захватываем джип, там двое. Машину на въезде не проверяют. Просто, как видят, открывают ворота. Мы заезжаем в гараж. Там тех, кто есть, кончаем, и в кабинет. Забираем камушек и уходим. Ты, — он кивнул бледному, с непроницаемым лицом мужчине, — ставишь на пять минут взрывное устройство и уходишь. Через пять минут мы будем за воротами. Там должен быть ты с машиной, — кивнул он плотному мужчине. — Все должно быть организовано четко. Как только мы въедем в гараж, через пять минут ты должен будешь подъехать к воротам. Когда рванет в гараже, мы уедем. Осколки не достанут. Бросим машину и на автобусе. Он по времени как раз проходит остановку. Придется подождать минут пять-десять, но до приезда милиции и пожарных мы успеем в него сесть.

— Все отлично, — весело говорил в телефон Тарасюк. — Она мне назовет место, когда увидит...

— А ты уверен, что она знает, — перебил его сиплый голос, — это место?

— Уверен на все сто, — заверил абонента Михаил. — Лидка не умеет врать. Она, наверное, ни разу в жизни не соврала. Так что все будет путем.

— Черт возьми, Тарасюк, — недовольно просипел Вождь. — Ты забыл, что я не переношу уголовных выражений?

— Извини, Вождь, — пролепетал Тарасюк. — Все будет хорошо. Я подготовлю группу, и мы, как узнаем место, немедленно выедем туда.

— Но я надеюсь, ты понимаешь, что она не должна остаться живой? — спросил Вождь.

— Конечно, — усмехнулся Михаил. — За ней будут следить. Как только она увидит приятеля своего, мне сообщат. Я позвоню, и она мне скажет, где камушек. Сразу же после этого ее снимет снайпер. Я все продумал.

— Ладно, — просипел Вождь. — Но, надеюсь, ты понимаешь, если что-то будет не так, ты тоже умрешь. — И телефон с той стороны отключился.

— Все будет путем, — усмехнулся Тарасюк.

***

— Значит, в Ярославль, — вздохнула Полина. — Все-таки Зудин решил проверить и этот вариант. Получается, что сейчас всем нужен ярославский умник. А ты как думаешь, там действительно знают, где...

— По крайней мере, — усмехнулся Монета, — Алик говорит, что это вполне возможно. И в России могут быть камушки бессмертия. Он даже начал примеры приводить, что-то про Македонского, про Персию и...

— А что именно? — перебила его Полина.

— Да мне это надо? — усмехнулся Монета. — Но ты мне вот что разжуй, — вздохнул он. — Что я теперь буду говорить Зудину? Он же меня в порошок сотрет.

— Не успеет, — уверенно ответила Полина. — Мы...

— Полина Константиновна, — перебила ее вошедшая горничная, — к вам Вешин.

— Пусть подождет в кабинете, — проговорила Поля.

— Послушай, — усмехнулся Монета. — Как тебя по-настоящему зовут-то? Я вроде тебя знаю, как Полину Андреевну, а тут...

— Главное, что мое имя Полина, — рассмеялась она. — Кстати, покойный Заветов называл то Константиновной, то Андреевной, — вспомнив, весело рассмеялась она.

— А вот сам-то не спрашивал, почему ты ему так представлялась? — спросил Монета.

— Один раз, — улыбнулась Полина, — меня при нем назвали Константиновной. А он меня знал, как Андреевну. Но отреагировал нормально, — улыбнулась Полина. — И иногда называл Константиновной, иногда Андреевной. Я не поправляла его, — засмеялась Полина.

— А ты, Муравина, та еще Мата Хари, — усмехнулся Монета.

— Да уж такая я, — весело согласилась она. Он засмеялся. — А Ляховский молодец, — вспомнила Полина. — Сумел...

370

— Да если бы дело дошло до суда, — усмехнулся он, — их бы там и освободили. Им, если по делу, так медали давать надо. Ляховский смог доказать, что стволы они взяли на месте. Подкупил свидетелей, сейчас в стране кризис и купить можно кого хошь. К тому же мужики вроде как герои. Вооруженных бандитов не испугались. В общем, скорее бы их выпустили.

— А где твоя Наталья? — вспомнила Полина.

— К отцу никак не попадет, — усмехнулся он. — Чего-то ей от него надо, — счел правильным не говорить о камне Тарасюк.

— И когда вернется? — поинтересовалась Полина.

— Дня через два, — ответил он. — Товар же еще идет. Она партию мехов отослала. Так что придет скоро. А почему ты спросила?

— Да просто так, — усмехнулась Полина. — Удивляюсь, как она тебя одного оставила. Ведь ты тот еще гусь, — подмигнула Тарасюку Муравина.

— А я думал, отбить хочешь, — пошутил он.

— Ты не в моем вкусе, Тарасюк, — качнула головой Полина.

— Так сначала попробовать надо, а уже потом сравнивать.

— А я и так знаю, не мой ты тип мужчины, — улыбнулась Полина.

Лондон. Англия

— Что-то ты быстро накушался Родины, — усмехнулся молодой темнокожий мужчина.

— Просто по тебе соскучился, — усмехнулся Аверичев. — Да и поиздержался маленько. Через двадцать пять дней вернусь и...

— Нет, Славянин, — возразил темнокожий. — Договор минимум на три месяца. Пиратские базы в Сомали отслеживать будем. Правительство Сомали не справляется, а может, просто сами имеют процент в выкупе. Вот ООН и решила вплотную заняться этим вопросом. Мы будем сотрудничать, разумеется не за бесплатно, с НАТО.

— А если пираты больше предложат? — подмигнул ему Аверичев.

— В данном случае торгов не будет, — ответил темнокожий.

— Что-то они не торопятся, — недовольно проговорил вошедший в комнату Шон. — Все готовят, — криво улыбнулся он, — операцию. Как будто мы их наняли для убийства русского президента, — качнул он головой.

— Но надо не просто убрать Зудина, — напомнил Квентин, — но и забрать или уничтожить компромат на нас. Поэтому, наверное, и ищут подходы к его сейфу.

— А если Зудин что-то почувствует? — спросил Шон. — Тогда он запросто может сдать нас российским полицейским, а те Интерполу. И все, — поморщился он. — И какого черта я полез в эту Россию? — недовольно спросил он себя. — Думал, махом все решу. А получилось, сам на каленую сковороду сел, — процедил старый шотландец.

— Завтра похороны Уильямса, — напомнил Квентин.

— В последний путь проводить, это свято, — кивнул Шон. — Маргарет и Ричард желают сжечь его и пепел хранить дома. Я думаю, это идиотизм. Тело должно быть в семейном склепе или земле. А сжигать, как туземцы, не...

— Но в Индии тоже...

— В Индии население во много раз больше, — перебил его дядя. — И к тому же по вере у них так принято. А я не хочу, чтоб меня сжигали в крематории и мой прах стоял в какой-нибудь колбе.

— А желания поискать камни бессмертия больше нет? — улыбнулся Квентин.

— Пропало желание, — усмехнулся дядя. — Я, конечно, не ангел, но убивать женщину в России за то, что нам показалось, будто она следит? — Он качнул головой. — Более подобного делать не хочу. Да к тому же надо еще все решать с Зудиным, — напомнил он. — Мне не нравится, что про мои грехи знают не только на небе, но и на земле, — проворчал Шон.

— Ты чего на него уставился? — насмешливо спросила вошедшая в комнату Маргарет. — Бессмертием заряжаешься, — рассмеялась она.

— Знаешь, — глядя на переливающийся всполохами разных цветов камушек, вздохнул Ричард. — Может, нет бессмертия, а вот смерть эти камушки точно принесли. И я помню, как отец, когда увидел алмаз, как-то приободрился, повеселел и ему точно ведь тогда легче стало. И спал он без обычных в последнее время стонов. Врач говорил о самовнушении. Но, по-моему, как ты себе ни внушай, что камень поможет, легче не станет. Знаешь, — повернулся он к ней, — я как-то не то чтобы поверил, но, — Ричард вздохнул, — задумался, — нашел он верное определение. — Бессмертия, может, они и не дают, но какую-то силу имеют, — уверенно проговорил он. — Ведь легенда, любая, — подчеркнул он, — имеет под собой какую-то основу. Просто, знаешь, — он смущенно улыбнулся, — я представил эти семь камней и попытался сложить фигуру. И не выходит ничего, — признался Ричард.

— Не забивай себе голову, — посоветовала сестра. — Надо готовиться к похоронам.

— И это конец для всех, — заметил он. — Поэтому я и не люблю похороны и все, связанное с ними. Невольно думаешь, вполне возможно, очень скоро все это будет и с тобой.

— Как говорят, — засмеялась она, — все там будем. Но думать об этом постоянно нельзя. Говорят, приближаешь свой конец. Так что о смерти о своей лучше не говорить.

— Так что ты скажешь на предложение попробовать найти хотя бы еще один? — глядя на камушек-алмаз, спросил снова Ричард.

— Нет, — покачала она головой. — Хватит с меня. Кстати, надо бы выяснить, точно этот камушек один из семи или нет.

— А как? — снова, повернувшись, спросил он.

— Тоже вопрос, — усмехнулась она. — Я уже думала над этим, — призналась она. — Но, если честно, эта история меня пугает. Потом, может, что-нибудь придумаем, но не сейчас. Пусть страсти поутихнут.

— Тоже верно, — согласился брат.

Лион. Франция

— Подожди, — сказала Марсия и посмотрела на стоявшую у окна мать. — Это правда? — Энель, вздохнув, молча кивнула. — Вот, значит, как, — прошептала девушка. — А папа знал, что я не...

— Знал, — буркнул Эндрю. — Он не мог иметь детей. Но...

— Значит, ты меня на свет произвел, — усмехнулась Марсия. — И что ты хочешь? Чтобы я тебя папой звала? — вызывающе спросила она. — А ты, значит, изменяла папе, — бросила она взгляд на мать.

— Да если бы она не изменила, — сдержанно проговорил Эндрю, — тебя бы не было. Энель выходила замуж, когда уже была беременна тобой.

— Я вас видеть не могу! — вскочив с кресла, Марсия убежала в свою комнату и закрыла дверь.

— Я же говорила, — тихо проговорила Энель, — ничего хорошего из этого не...

— Главное, она знает, — перебил ее Эндрю. — И пройдет немного времени, все наладится.

Бонн. ФРГ

— Я не понимаю, — проговорил Гейдрих, — какое отношение это имеет ко мне?

— Это ваши люди, — спокойно ответил невысокий мужчина в очках. — По крайней мере мы это знаем точно. Их задержали с оружием. Пять автоматов АКМС, шесть пистолетов, три «вальтера», — посмотрел он на лист бумаги. — Два Шмидт-5 и русский ТТ. Также у них обнаружены билеты на поезд Москва — Хабаровск, станция назначения Красноярск. Вы не скажете, зачем ваши люди с оружием отправились в Россию и зачем им нужно в Красноярск?

— Я думаю, на охоту, — усмехнулся Вилли. — А что говорят они?

— Странное совпадение, — усмехнулся куривший трубку грузный мужчина. — Они заявили то же самое. Значит, вы утверждаете...

— А что бы вы говорили в подобной ситуации? — спокойно спросил Гейдрих.

— Значит, вы ничего не знали о...

— Я просто дал им отгул, — улыбнулся Гейдрих. — А где они и что делают, когда мне не нужны, я не интересуюсь. Они взрослые люди и сами решают, чем им заниматься. Еще вопросы ко мне есть?

— Вам не интересно, что с ними будет? — пыхнул дымом грузный.

— Нет, — качнул головой Гейдрих.

— Как держится, — прошептал стоявший рядом с дверью Капут. — Железные нервы. — Он посмотрел на Ганса.

— Это точно, — вытер тот вспотевший лоб. — Меня бы...

— Вы знаете, инспектор, — недовольно проговорила вошедшая Берта, — курительная комната на первом этаже. Будьте так добры, потушите трубку.

— Мы уже уходим, фрейлейн, — пыхнув дымом, грузный пошел к двери.

— Честь имею, — кивнул второй и тоже вышел.

— Грязные свиньи, — процедил Гейдрих. — Болваны. Для них будет большой удачей, если их осудят в России, — процедил он.

— Значит, поиск закончен? — спросила Берта.

— Ты хочешь, чтобы нас всех арестовали? — огрызнулся он. — Надо выждать. Тем более ничего конкретного у нас сейчас нет. Конечно, было бы неплохо выйти на этого гения, — вздохнул он. — Но это сейчас опасно. Идиоты, — зло проговорил он. — Все завалили. Вернутся, накажу. Очень серьезно накажу.

— Может, адвоката им послать в Россию? — нерешительно спросила Берта.

— Нет, — твердо ответил тот. — Хотя бы потому, что не хочу быть никоим образом причастным к этому делу.

Ярославль. Россия

— Ну, чего у тебя? — спросил вошедшего в камеру Белова лежавший на полу небритый верзила.

— Все так же, — сел на пол Сергей. Вытащил пачку сигарет и достал одну.

— Дай подымить, — подвинулся к нему длинноволосый парень.

— Собственно, еще сутки ждать, — тоже присев рядом с Беловым, взял у него из пачки сигарету худощавый блондин. — Если ничего не предъявят, выпустят. Скорее всего пойдешь на волю.

— Слышь, Орел, — войдя в камеру, усмехнулся плотный мужик. — Выйдешь на свободу, ходи и оглядывайся. Вы парнишек Конопли положили. Да и взяли еще...

— А мне один хрен, кого там положили, — зевнул Никита. — Собственно, в зону попадем, я им там устрою...

— Только если на дальняк, — усмехнулся невысокий мужик с татуированным крестом на левом плече. — В этих зонах они короли. А на дальняках, как страусы, голову под подушки прячут. Местные зоны местных козырными делают. Они тут стаями гуляют и там сбиваются. Дальняк другое дело. Там по понятиям срока мотают.

— Почему я не могу его увидеть? — сердито спросила Лида.

— В данное время он задержан по подозрению в совершении преступления, — недовольно ответил подполковник милиции. — И свидание не положено. Он находится в ИВС, то есть...

— Но я не нахожусь в ИВС, — перебила его Березина.

— Уважаемая, — подойдя, мягко взял ее за локоть адвокат, — не надо будить спящую собаку. Поверьте мне, уважаемая, ничего хорошего от этого ожидать не приходится. — Он улыбнулся. — Вы Лида?

— Да, — отдернула она руку. — А вы...

— Ляховский Андрей Яковлевич, — представился он. — Я представляю интересы ваших друзей и...

— Вот как! — воскликнула Лида. — Мои друзья сидят в тюрьме, — холодно проговорила она. — А вы...

— Именно поэтому я здесь, — улыбнулся Ляховский. — Не буду вам лгать, сударыня, я хороший адвокат и мои услуги, разумеется, стоят немало. Но в данном случае я, пожалуй, впервые за многие годы защищаю действительно невиновных. Завтра ваши друзья будут освобождены, — закончил он.

— Правда? — недоверчиво спросила она.

— Вашу недоверчивость извиняет ваша порядочность и красота, — улыбнулся Ляховский.

— Значит, они завтра выйдут, — весело улыбнулась она.

— Завтра их освободят за отсутствием доказательной базы состава преступления. Они повели себя правильно с самого начала, — добавил он. — И посему развалить дело не составило особого труда. Позволите вопрос, сударыня? — вздохнув, он улыбнулся. — Не считайте меня учителем начальных классов, но почему вы выбрали себе в близкие знакомые такого неприятного во всех отношениях человека, как Тарасюк?

Лида рассмеялась.

— А это он вам сказал, что он близкий мне человек?

— Извините, — улыбнулся Ляховский, — за столь нелепый вопрос. Просто я посчитал, что Тарасюк...

— А вы действительно ничего не знаете? — всмотрелась в его глаза Лида.

— А что я должен знать? — вполне естественно удивился он.

— Просто я считала, что вы хороший знакомый Тарасюка, — пояснила Лида.

— Боже упаси, уважаемая, — рассмеялся Ляховский. — Таких, как Тарасюк, я вижу и выслушиваю, когда таким, как он, нужна юридическая помощь. Да, — увидев, что она хочет что-то спросить, кивнул он. — Бывает очень противно защищать некоторых, но работа такая, и закон требует. А платят мне за результат. Этот случай, можно сказать, уникальный. Ваши друзья действительно не виновны. Ну, — он хитро улыбнулся, — за небольшим исключением. Впредь посоветуйте им, уважаемая, не ходить на подобные мероприятия со своим оружием.

— Куда это он? — спросил Дубовский.

— Да мало ли у него дел? — усмехнулся Заветов. — Я, когда наблюдал за ним, намотался. Кстати, ты ничего не говорил, откуда ты приехал тогда...

— Из Парижа прилетел, — вздохнул Дубовский. — Ты проверяешь или забыл? — усмехнулся он. — Я же тебе...

— Да просто машинально спросил, — смущенно пояснил Алексей. Тронул машину.

— А где ты каждый день новые машины берешь? — поинтересовался Дубовский.

— Две мои, — улыбнулся Алексей. — «Десятка» и «двенадцатая». Эту у одного мужика взял. Ему покрасоваться на «двенадцатой» захотелось. Вот и все. Куда это он? — притормозив, качнул головой Заветов. — Уж не на склады ли?

— Посмотрим, — усмехнулся Дубовский.

— Я вам повторяю, инспектор, — по-немецки сказал Адольф, — мы приехали в Россию с туристической целью. Так сказать, наобум, — по-русски добавил он. — Пистолеты у нас зарегистрированы в Германии, то есть мы имеем право на их ношение и хранение. Учитывая криминогенную обстановку в вашей стране, оружие решили не сдавать вашим властям. Автоматы нам принес человек, которого убили при нашем аресте ваши агенты. Он нам принес автоматы, хотя мы просили охотничьи ружья. Мы, посовещавшись, решили сдать автоматы в полицию, но не успели. Ваши агенты нас задержали. Тот человек, — кивнул Адольф, — мы его не знаем, он сдал нам квартиру и вместо охотничьих ружей принес автоматы. Вот это есть правда, господин инспектор, — по-русски повторил он.

— Все одно и то же поют, — недовольно проворчал подполковник ФСБ. — И скорее всего придется их отсылать в Германию. Пистолеты на них действительно зарегистрированы, — кивнул он. — А Зонин, очень жаль, что его убили, торговал оружием, но с поличным его не брали ни разу. Так что, скорее всего фашисты эти врут, но в один голос, и скорее всего их просто депортируют в Германию. Вроде обещают судить их там, но это просто так говорят, мать их, — сплюнул он. — Вот попади наши у них в такую историю, все, — кивнул он. — Родные бы их лет десять, а то и больше не увидели бы. А мы строим демократию и поощряем преступность во всех ее видах. Бандитов плодим, проституток. Недавно по телевизору передача была, ну полная агитация, идите девки в проститутки, — возмутился он. — У одной такой девицы мужа показали, таксиста. Его, козла, спрашивают, как вы относитесь к профессии своей жены, а он так спокойно: «Каждый зарабатывает деньги, как может». Я бы его, козла, — процедил он, — под каток положил. В общем, куда катимся, один Господь Бог знает, разумеется, при условии, что он есть, — усмехнулся фэээсбэшник.

— Она встречалась с Ляховским, — говорил в сотовый молодой мужчина среднего роста. — Живет на съемной квартире. Эти, из деревни, не приезжают. Что делать дальше?

— Пасти, — услышал он голос Тарасюка. — А этот гений жив?

— В больнице, — кивнул мужчина. — Собственно, мы за ним...

— Он пока на хрен не нужен, — перебил его Тарасюк. — А с этой, сами знаете, что делать. Надеюсь, не забыл?

— Нет, — усмехнулся мужчина. — Надеюсь, валить ее надо не сразу, как она позвонит?

— Слушай, Тур, — зло ответил Михаил. — Ты, похоже, на игле всю память оставил. Я ей должен позвонить. Когда они встретятся, ну, она и этот Белов, звонить буду, и как увидите, она телефон отключила, бейте на поражение.

— Ляховского тоже, — просипел голос Вождя. — И разумеется, Березина должна умереть в любом случае. Не подведи, Гурон.

— Все будет путем, Вождь, — спокойно проговорил по-спортивному подтянутый молодой мужчина. — Ее уберет Очкарик. Я его попозже, а...

— Убирать надо сразу, — перебил его Вождь. — Ляховского желательно тоже быстрее. Он может запаниковать после убийства Березиной и наделать глупостей. Ясно?

— Хорошо, — кивнул Гурон. — Мавр и Черный займутся этим.

Выселки

— Да хватит тебе, — сказала Зина. — Живой он, и врачи говорят, лучше стало. И мужики наши скоро выйдут. Как хорошо, что Белов с Лидой приехали, — вздохнула она. — Если бы не они, что было бы, один Бог знает, — перекрестилась она. — А ты своему братику скажи, чтоб не лез в компьютер этот. А то снова что-нибудь случится. Завтра поедем мужиков встречать и в больницу к Веньке все вместе сходим.

— Лидке спасибо, — вытирая слезы, проговорила Татьяна. — За мужиков горой стояла. Молодец баба, — вздохнула Орлова и улыбнулась. — Никита удивлялся, когда Белов попросил не называть Лидку бабой. Она женщина. Никита и меня уже в разговоре с чужими так не зовет.

— Хорошо, что они приехали, — повторила Зина. — А то бы посадили наших и Веньку бы убили. Да и не нашли бы Никита с Ильей Веньку.

Красноярск

— Сегодня едем к отцу, — говорила в телефон Наталья. — И думаю, ты потом уже не будешь злиться. Удивлю я вас всех, Мишка, — усмехнулась она.

— Интересно, чем? — спросил Тарасюк. — Как бы тебе самой не удивиться, — проговорил он. — Ты особо не задерживайся, — посоветовал он. — А то пролетишь мимо бабок, как фанера над Парижем. Ты...

— Я-то не пролечу, — уверенно проговорила Наталья. — Собственно, завтра уже выезжаю и через...

— А самолетом чего не летишь? — поинтересовался Тарасюк.

— Боюсь, опять непогода начнется, — пояснила она. — Поездом надежнее. Да и опасаюсь летать.

— Ты, в натуре, самолета боишься, что ли? — удивился Евгений.

— А ты думаешь, пропустят алмаз? — положив сотовый в сумочку, спросила она. — Поездом поедем.

— Хотя, в натуре, так надежнее, — согласился Евгений. Посмотрел на часы. — Через полчаса машина придет, и покатим к Летуну. Короче, он нас там ждать будет, — кивнул Евгений. — Придем в дом, пахана за горло и...

— Не надо, — возразила Наталья. — Я поговорю с ним. Брать силой нельзя, он может участкового вызвать и заявление напишет. Если уж за сына знакомых тебя милиции выдал, то...

— Да не отдаст он, — уверенно проговорил Евгений. — Он, собственно, может и в дом-то нас не пустить. Ты же знаешь батю, — усмехнулся он.

— Пустит, — улыбнулась она. — В общем, не спеши. Я приеду будто бы его пригласить на день рождения внука, в его честь Савелием названного. Он...

— Тормози, — уставился на нее Евгений. — Какой, на хрен, внук? Ведь...

— Нет, конечно, внука, — усмехнулась Наталья. — Но он-то не знает, как я жила. Поверит, — кивнула она. — И отдаст алмаз этот. Помнишь, он говорил, что если будет внук...

— Попробуй, — махнул рукой Евгений. — Только ни хрена не выйдет. Батяня тот еще зверь, он брехню нутром чует.

— Посмотрим, — прекратила разговор Наталья.

— А как он к вам попал? — спросила Женя.

— От бати, — ответил Медведев. — Тому тоже от отца. Так и передавался камушек из рода в род. А мне вот и отдать некому, — вздохнул он. — Сын, гад последний, хуже волка, — проговорил он. — Дочь шлюха. Вот ежели живым буду, когда у тебя сын родится, ему и отдам. Я тебе, Женька, благодарен, что не один теперь, — вздохнул Савелий Федотович. — Ты мне сейчас роднее всех родных. Ты уж, конечно, извиняй меня старого, что говорю все это тебе, просто три года один, да один. Порой уж выть хотелось, как волку на луну, — усмехнулся Медведев. — А сейчас вот приболел и вообще караульное дело. Хоть в гроб живым ложись. Но вроде как рановато еще. Ты в меня жизнь вдохнула. Да, собственно, все тебе тут благодарны, — вздохнул он. — До тебя у нас и не было медиков-то. Так, наедут раз в год. Ну, там флюорографию сделают, давление померяют, ну и все. А добираться до района далеко все же. Летом ладно еще. И автобус ходит каждый день, зимой тоже, но как заметет, так неделями нет. А тут ты появилась, и хоронить меньше стали. Бабки уж на тебя как на святую глядят. Мол, Бог ее прислал. А как ты им рты-то позаткнуть сумела, — улыбнулся он. — Это ж надо такую чушь пороть, что, мол... — не договорив, махнул рукой и выматерился.

— Просто я зашла к бабушке Лукерье, — улыбнулась Женя. — Она мне и говорит. Мол, Клашка тут в магазине бабам трещала, что ты вроде как старого Медведя соблазняешь. Бабы-то не верят, мол. Клашка та еще сорока, но ты к нему перешла. Ну, я и сказала, что взяла над вами шефство и что вы меня дочерью зовете, а я вас папой, — смущенно проговорила она и, покраснев, опустила голову.

— Верно ты им заявила, — улыбнулся Савелий. — И враз рты позакрывали. А этот камушек, — кивнул он на положенный в небольшую деревянную шкатулку играющий всеми цветами алмаз, — дорогого стоит. И ежели попадет к Натке или Женьке, сыну, они его зараз продадут, — кивнул он. — А мне батя говорил, что как камень продадут, почитай, род наш закончился. Но думается мне, что все, кончились Медведевы, — снова вздохнув, пробормотал Савелий Федотович.

— Может, помиритесь и все будет хорошо, — нерешительно проговорила Сиротина.

— Ничего хорошего уже не будет, — заявил он. — Давай есть, — вздохнув, проговорил он. — А на эту тему и говорить нечего.

— Короче, вы нас ждите, — орал Евгений, чтобы его услышал вертолетчик. — Мы часа через полтора, самое большее, нарисуемся.

— Годится, — крикнул тот. — Но бабки как договорились...

— Да путем все будет, Летун, — заверил его Евгений.

— А снегу-то прилично намело, — сказал один из троих парней, стоявших рядом с Натальей.

— Дойдем, не завязнем, — успокоил он.

— Тут протоптана тропинка, — ответила Наталья. — Пацаны тут каток делают, а летом футбольное поле. Видите, расчищено там, иначе бы вертолет не сел.

— Вертушка где хошь сядет, — усмехнулся другой парень.

— Ну, кого еще принесло? — проворчал Савелий Федотович. Сунув ноги в шлепки, пошел к двери. На кухне Женя жарила блины. — И чего долбишь? — открыв дверь, спросил Медведев.

— Это, Федотыч, — торопливо заговорил бородатый мужчина. — Там вертолет сел, а из него твои вылезли. Ну, Жека и Натка, — кивнул он. — И видать, не с добром, — добавил он. — С ними трое мордатых парнишек, ну чистые бандюки, — заметил он. — Я вперед их и рванул. И вертолет там остался. Значится, так думаю, назад быстренько улетят. Ты ежели что, пальни, мы враз с мужиками...

— Да перестань, Тимоха, — усмехнулся Медведев. — Дети же они мои. Благодарствую, что сообщил.

— Ну, ежели вдруг что, зови, — кивнув, Тимофей отошел от двери.

— И какого им надобно? — пробормотал Медведев. — Точно, — буркнул он. — Женя! — громко позвал он.

— Сейчас, Савелий Фе...

— Поди сюда! — требовательно позвал он.

— Зазря приехали, — усмехнулся отгребавший от калитки снег плотный мужчина в телогрейке. — Ваш батяня себе молодуху завел. Так что ничего вам там не светит.

— Ты про что это? — спросил Евгений. — Какую молодуху, кто нашел?

— Да батяня ваш, — усмехнулся мужчина.

— Ничего не понимаю, — поеживаясь, оглянулась на дом Евгения. — Все как-то странно. — Быстро пошла по тропинке.

— Значит, прав был Дмитрий, — вздохнул Савелий Федотович. — Хотя непонятно, чего это они вдруг решили наведаться. Неужели прав был Дмитрий? — повторил он.

— Батя! — вслед за короткой дробью в стекло раздался голос Евгения. — Ты живой?!

— Хрен дождетесь, чтоб помер, — проворчал Савелий Федотович.

— Папа! — звонко выкрикнула вошедшая Наталья. — Ты где?

— Да тут я, — вышел он из спальни. — Чего заявились-то?

— Ну вот, — снимая шубу, усмехнулась она. — Только приехали, а он уже...

— Знаешь что, — перебил ее отец, — шли бы вы отсель, пока я вас не наладил по-нашему, по-сибирски. Чего заявились?

— Я же говорил, — усмехнулся вошедший Евгений. — Не пролезет ни хрена твой внук. Вот что, батя, — шагнул он вперед. — Мы, собственно, по делу прилетели. Камушек нужен. Ну, тот, что у тебя есть. Ты уже старый, вот-вот помрешь. Так что отдай камушек. Я же вроде как наследник по мужской линии. Я, собственно, говорить много не буду, мне нужен камушек.

— Вот оно как, — отозвался Савелий. — Значит, если не отдам, отнимешь?!

— Верно мыслишь, — подтвердил Евгений.

— Знал я, что ты гнида, — процедил Савелий Федотович. — Что святого у тебя нету ничего. Но не думал, что настолько. А если не дам, бить будешь? — усмехнулся он.

— Отдашь, — засмеялся сын. — Собственно, я тебе просто сказал, чтоб ты не парился. И не вздумай мужиков кликать. Положим мы их. Лучше дай камушек, и уйдем мы. По-хорошему отдай.

— Да хрен ты угадал, сукин ты сын! — взревел Савелий Федотович и, нагнувшись, схватил двустволку. Щелкнул курками и вскинул ружье к плечу. — Убирайтесь, — процедил он. — Иначе, видит Бог, картечью накормлю.

— Да хорош тебе, батя, — шагнул вперед Евгений. — Неужто ты в сына пальнешь? Бери камушек и уходим, — повернулся он к сестре.

— Извини, папуля, — усмехнулась Наталья и пошла на кухню.

— Пальну, ей-богу, — предупредил отец.

— Да хорош тебе, — махнул рукой сын. — Мы тебе тут кое-что из хавки привезли, фруктов малость, конфет и баранок. Ты же баранки любишь. Так что жуй и не лайся.

— Женька, — вышла из кухни Наталья, — нет камушка. Куда ты его дел? — посмотрела она на отца.

— Ох и детей народили, — качнул головой тот. — Надо было вас как котят в луже потопить. Нет камушка и не будет. А теперича вон пошли, — требовательно проговорил он.

— Ну уж, батяня, хрен ты угадал, — шагнул вперед Евгений. — Без камня мы не уйдем. Куда ты его заныкал? — подойдя вплотную, он ногой выбил ружье из рук отца. Двустволка, отлетев, ударилась об пол. Ударил двойной выстрел. Картечь кучно вошла в тонкую дверь ванной. — Слышь, старый, — ухватив отца за ворот, сдавил пальцы сын. — Где камень? Говори по-хорошему, — тряхнул он отца. Тот смачно плюнул ему в лицо.

— Ну, ты уговаривай его, — насмешливо проговорила Наталья, — а я яичницу пожарю, — и вернулась на кухню.

— Слышь, батя, — процедил Евгений, — отдай камень. По-хорошему прошу. Отдай, а то придется тебя... — И повернувшись в сторону двери ванной, втянул воздух. — Газом пахнет, — кивнул он и, отпустив отца, шагнул к ванной. — Твою мать! — открыв пробитую картечью дверь, заорал он. — Шланг от баллона перебит! Не зажи...

— Печь горит, — успел услышать он голос отца. Повернулся к нему. Савелий Федотович подняв ружье, вытащил гильзы, вставил два новых патрона.

— Ты чё, батя?! — бросился к нему сын.

— Не Тарас Бульба я, чтоб сына убить, — успел услышать. Из кухни выскочила Наталья. Заряд картечи попал в газовую, с горящей конфоркой, плиту. Ахнул мощный взрыв.

— Аааа! — вылетел из двери объятый пламенем парень. И тут снова раздался взрыв. К объятому пламенем дому бежали люди.

— Сматываемся, — кивнул Летун. — Это дом Медведевых.

* * *

— Савелий Федотович! — отчаянно кричала, пытаясь вырваться из рук двух державших ее мужчин, Сиротина.

— Подальше отходите! — орал выбежавший из дома напротив Иван Демьянович. — В пристройке бочка бензина и керосин! Он же с запасом жил! Сейчас жахнет.

— Все, — отпустив обмякшую, заплаканную Сиротину, буркнул мужчина — Вот и все, что осталось от семьи Медведевых. Под корень всех выжгло.

— Да вы чё, мужики? — испуганно кричал Летун. — Я же просто за бабки его с сеструхой доставил. Они за каким-то камнем к отцу прилетели! Я тут вообще не при делах.

— Мордой в снег, сукин сын, — угрожающе проговорил плотный бородач. — А то обоих нулевкой угощу.

— Звони Прохорову, — кивнул парню с мелкашкой Тимоха. — Пусть мент едет. Тут что-то не так. Сначала дуплетом пальнули, затем еще раз из дробовика шарахнули и взрыв. Говорил же я Федотычу, — покачал он головой, — ежели что, зови. Твою...

— У этого пистолет, — крикнул один из тушивших одежду на парне мужиков. — Вязать его, сучонка, надо.

— Вот почему он меня выгнал, — всхлипнув, прошептала Евгения. — Савелий Федотович знал, что все плохо кончится. Неужели это все из-за того, что он меня...

— Да перестань ты, Сиротина, — услышав ее бормотание, остановил Женю Дмитрий. — Видно, эта парочка за камнем приехала. Я ж говорил Федотовичу, что камень скорее всего дорого стоит, и, возможно, он даже, может, один из тех камней бессмертия, которые сейчас по всему миру ищут. Я читал об этом, — кивнул он. Зоя опустила голову.

— Вещи там твои погорели, — подойдя, проговорил Белкин. — Но мы всем селом скажем, что он тебя своей дочерью считал, так что все, что у него на сберкнижке...

— Как вы можете говорить такое, — вздохнула Евгения. — Мне ничего не надо. Я всю жизнь была одна и никому не нужна. А Савелий Федотович назвал меня дочерью, и я впервые в жизни сказала человеку «папа». Вам просто не понять этого. — И Евгения заплакала.

— Понятно, — кивнул подъехавшей на «Буране» мужчина в тулупе, на плечах которого были погоны капитана милиции. — Значит, с тобой они прилетели. Документы.
— Да, вертолет мой, — кивнул Летун. — Вот ксива и...
— Сколько сидел? — перебил его участковый.
— Ни разу, — усмехнулся Летун. — Ксива сказал, потому что круг общения такой был и кое-что...
— Оружие есть? — перебил его милиционер.

— Пойдем к нам, — позвал Иван Демьянович. — Чаю...
— Я к себе, — тихо проговорила Сиротина. — Я вещи не перенесла еще. Так, только тапочки и... — не договорив, медленно пошла по тропинке.

— Тут что-то непонятное было, — произнес в телефонную трубку участковый. — В доме стреляли, потом тишина, и снова выстрел и взрыв. Один, потом другой. А там в пристройке, по словам соседей, бочка с бензином стояла и пара канистр с керосином. Ну и шарахнуло еще. Хорошо, соседние дома огонь не прихватил, — вздохнул он.
— Выезжаем, — услышал он. — Часа через два будем.

Москва

— Ну, как дела у тебя? — услышал в трубке Тарасюк сиплый голос.
— Сегодня все узнаем, — уверенно ответил Михаил. — И все будет ясно. А их всех...
— Где твоя Наталья? — спросил Вождь.

— В Красноярске, — ответил Тарасюк. — Товар она отправила и через дня два-три будет здесь. Поездом едет, — усмехнулся он. — Боится самолета.

— Понятно, — просипел Вождь. — Ну, смотри, Тарасюк. — В голосе послышалась угроза. — Если что не так сложится, ты умрешь. Я вижу, ты уверен в Березиной?

— Да она не умеет врать! Вообще, — хмыкнул Михаил. — К тому же она сама попросила. И...

— Надеюсь, что все получится, — перебил его Вождь.

— Ты думаешь, что, — нахмурилась Полина, — за ним...

— По крайней мере я подумал именно так, — перебил ее голос в сотовом. — Светиться сам не стал, но тебя не предупредить не мог. Так что ты свой мобильник отключи и на всякий случай затаись на время.

— Подожди, Гарри, — проговорила Полина, — но...

— Мой совет, не нокай, а ложись на дно, — прервал ее он. — Если я прав, то все может закончиться плачевно для всех.

— А Вождь? — спросила она. — Он...

— Он знает, — снова прервал ее Гарри. — Но будет доводить дело до конца. Вдруг действительно я ошибся. Он рискует меньше других, а вот ты запросто можешь попасть под гребенку. Собственно, выход на тебя есть только у Тарасюка. В общем, прими мой совет. И не связывайся с Вождем. Если я прав...

— Ладно, — кивнула Полина. — Я на это время лягу на дно, как ты говоришь.

— Ты куда, Рената? — спросил встретивший Ренату Зудин.

— Я вам вчера говорила, — напомнила она. — У меня талон к врачу.

— Помню, — кивнул он. — Приедешь сегодня или нет?

— Если буду нужна, вызовете, — вздохнула она. — Я сама позвоню, когда от врача выйду.

— Посмотрим, — увидев Дятина, кивнул Зудин. Рената зашла в лифт.

— Ну, чего звали? — спросил Дятин.

— Монета пропал, — недовольно проговорил Вадим Константинович. — Его нет нигде, и я пытался звонить несколько раз, телефон не отвечает.

Рената подъехала на «рено» к воротам. Ворота как раз сдвигались влево, пропуская микроавтобус, привозивший продукты. Рената проводила взглядом проехавший «форд». И тронула машину.

Микроавтобус подъехал к спуску в подземный гараж. Дважды просигналил. Ворота гаража открылись. Водитель тронул машину.

— Молодец, — усмехнулся сидевший рядом мужчина. Парень дернул углом рта. Он боялся сделать лишнее движение, к боку его был приставлен пистолет.

— Вы меня не убъете? — прошипел водитель.

— Если все так, как ты говоришь, нет.

— Я же говорил, — заезжая в гараж, ответил водитель, — трое. Двое машину ремонтируют и охранник на воротах. Меня не останавливают, вы же видели на въезде...

— Останови как всегда, — перебил его мужчина. Микроавтобус остановился. Рослый парень с кобурой ПМ на ремне нажал кнопку закрытия ворот. Пуля вошла ему в затылок. Выскочившие из микроавтобуса четверо парней расстреляли из пистолетов двоих стоявших возле джипа без колес мужчин.

— Где лифт? — спросил мужчина.

— Вон там, — показал испуганный водитель. Пуля пробила ему печень и прошла через позвоночник.

— Через восемь минут уходим! — крикнул бледнолицый блондин. И четверо побежали к лифту. Неожиданно от входа в гараж с первого этажа по ним начали стрелять трое. Ворота неожиданно начали открываться.

— Что такое? — заорал блондин. — Почему они начали...

— Кто их знает! — орал, стреляя с двух рук, верзила.

Бледнолицый, прикурив от зажигалки, глубоко затянулся. Он сидел в салоне микроавтобуса на трех положенных друг на друга ящиках. По его губам скользнула едкая усмешка. Левой рукой из кармана он вытащил лимонку. Увидел, что из его подельников в живых остался только блондин. Выпустив дым, снова затянулся и сорвал чеку с лимонки.

— Что такое? — орал Зудин. — Почему в гараже перестрелка?

— Чужие на микроавтобусе для продуктов проникли в гараж! — услышал он голос телохранителя. — Парни сейчас уничтожат!

— Черт бы вас побрал! — заорал Зудин. — Сейчас на выстрелы милиция нагрянет! Уходим, — кивнув Дятину, Зудин вскочил. Открыл сейф и протянул руку к бархатной коробочке. Грохнул мощный взрыв. Обломки мебели, стекол, кусков выбитого потолка и крыши разлетелись в разные стороны.

— Ого, — остановив машину, повернулась назад Рената. — Вот это да. Все-таки Зудина достали, кажется. — Вздохнув, вытащила из сумочки сотовый. — В Абрамцево взорвался дом, — услышав «милиция», быстро проговорила она. — И были слышны выстрелы. Я Рената Альбертовна Ромова, секретарь Зудина Вадима Константиновича. Мне, кажется, именно его коттедж и взорвался.

Прижимая окровавленную ладонь левой руки к животу, длинноволосый парень, открыв дверцу, вывалился из джипа на снег. Учащенно дыша, открыв рот, жад-

392

но лизнул снег. Вытащил правой рукой сотовый. Нажал номер.

— Я убит, — услышав «слушаю», на-английском простонал он. — Остальные тоже. Зу... — Не договорив, ткнулся лицом в снег.

— Алло, — говорил голос по-английски. — Алло.

— Ни хрена себе, — качнул головой старший лейтенант ДПС. Открыв дверцу, вылез с пистолетом в руке. Водитель вышел вслед за ним. Развалины правой половины большого двухэтажного особняка дымились. Больше всего пострадало правое крыло здания.

— Трое, — увидел валявшихся людей водитель. — Кажется, один живой, — подошел он к ним.

— Вызывай оперов, — приказал старлей.

— Убит он! — повернувшись, крикнул молодой мужчина в меховой безрукавке. — Звони в мен...

— Да покатили, Сашка! — заорал водитель КамАЗа. — На кой хрен эти дела нужны? Поехали!

— У меня талон к врачу, — всхлипнула Рената. — Я сказала Вадиму Константиновичу и уехала. Возле ворот встретился микроавтобус. Вечером он продукты свежие привозит. За рулем сидел водитель, которого я видела раньше, — вздохнула она. — И охрана узнала и, не проверив, пропустила.

— По крайней мере килограммов тридцать взрывчатки, — говорил среднего роста мужчина в зимней камуфлированной куртке. — И что-то от взрыва еще сдетонировало, — кивнул он на правое крыло разрушенного особняка. — А там, видно, бензин был, — показал он рукой. — Или несколько машин в подземном гараже. Ну, плюс газ, и вот результат. Вам тут разбирать трудно будет. — Молодой мужчина в форме МЧС выматерился.

— Значит, все-таки до него добрались, — просипел голос Вождя. — Зудин точно там был?

— Его секретарь утверждает, что он как раз приехал с неким Кадичем, — ответил невысокий мужчина в зимней куртке. — Так что...

— Вот что, майор, — перебил его Вождь, — мне нужны подробности. Звони в любое время.

— Да я к маме поеду, — говорила Полина. — Вернусь дня через два. Приболела она. Передай Вождю. У меня билет, я через двадцать минут вылетаю, а дозвониться не могу.

— Хорошо, — услышала она женский голос. — Надеюсь, ты, Пантера, не права. Хотя, с другой стороны, рано или поздно это должно было случиться.

— Да где ты, сучка, есть? — зло говорил Тарасюк, в которой раз пытаясь дозвониться до Натальи. «Может в этом поселке связи нет?» — подумал он.

Волчье. Красноярский край

— Дочь и сын Медведева, — уверенно проговорил мужчина в белом халате. — И еще двое. Третьего взрывом вышвырнуло, он в реанимации. Жить будет, — кивнул он. — Через пару недель сможете забрать. Просто обожгло его здорово. А какие у вас к нему вопросы, полковник?

— Такие имеются, — заверил среднего роста мужчина в штатском. — У всех найдены пистолеты. У него тоже. Нам необходимо узнать, что там произошло. Эксперты предполагают, что взорвались газовые баллоны. Ну и бочка бензина взорвалась, плюс две или три канистры с керосином. Люди старшего возраста с запасом живут, — улыбнулся он. — Но как такое могло случиться, если в доме были люди? Кроме того, трое утверждают, что в доме был слышен выстрел ружья. Потом спустя некоторое время второй взрыв. Так что нам этот обожженный очень нужен, — заключил он.

Волчье

— Да куда же ты поедешь, — сказал Иван Демьянович. — Живи, работай. Тебе вон домик дали. Мужики молодые помогут обустроиться. Твоей вины в том, что произошло, нет. Видно, почуял Савелий, что не просто проведать его детишки, задницей их на сковородку, — процедил он, — прилетели, с ними ведь еще трое были, и наладил тебя. Не дури, Евгения, — покачал он головой. — Народ тебя всем миром просит остаться. Что там старые сороки стрекотали, так они прощения все просят. Не уезжай, девонька, — вздохнул он. — А то ведь тут, почитай, более половины моего возраста, и помощь завсегда почти нужна. А ты и сердобольная, и делаешь все очень хорошо, — кивнул он. — А мы тебе завсегда всем поможем. Вот домик тебе зараз в божеский вид приведут, дров привезем и все остальное сделаем.

— Хорошо, — всхлипнув, опустила голову Сиротина. — Но...

— Хватит, Женька, — обнял ее старик. — Всякое в жизни случается. Понятное дело, это очень страшно, когда дети отца убивают. Ведь так оно там и вышло. Никто не знает, на кой хрен они появились, но с чужими, у которых оружие имелось, к отцу не ездят. Скорее всего они за камнем родовым Медведевых прилетели, — кивнул он. — По крайней мере мы тут кумекали, и к этому все пришли.

Красноярск

— Говорила я этому козлу, — зло бормотала крепкая симпатичная женщина, — не дури, Женька. Он что-то про какой-то алмаз говорил, — вспомнила она. — От сестры своей узнал, кажется. Точнее, про алмаз он прочитал где-то, а тут эта дрянь появилась, Натка. Ну и решили они папаню своего на уши поставить. Вроде как у него камень такой есть. Вот и поставили, — усмехнулась она. — А я вот чего спросить хотела, товарищ майор, — тут же перескочила на другое она. — Там у отца Женькиного деньги на сберкнижке лежат. Могу я их забрать? Все-таки я жена его сына...

— Это не ко мне, — прервал ее майор. — Значит, говоришь, за камнем каким-то они полетели?

— Погоди, начальник, — сказал Летун. — Я-то при каких тут? Мне кто платит, того и доставляю, куда скажет. Я без понятия, зачем они туда летели. Вроде как отца проведать и камушек какой-то забрать. Я краем уха разговор их слышал. Правда, удивился, когда Медведь, ну, Жека Медведев, троих парнишек привел с собой. На кой хрен, думаю, нужны. Ну, потом опять-таки дело не мое, — покачал он головой. — Может, враги у Жеки там имеются, а может, эти ребята типа грузчиков. В общем, не вешай на меня, начальник. Я тут не при делах. На вертушку у меня и документы в порядке, и лицензия на право перевозки по краю есть, и документы на право...

— Значит, камень, говоришь, — вздохнул капитан милиции.

— Слышал, что-то говорили меж собой Жека и Натка, — кивнул Летун.

Лондон. Англия

— Все отлично, — довольно улыбаясь, бормотал Шонри. — Теперь-то точно на нас уже никто никогда не выйдет. Молодец, Стрелок, — кивнул он. — Конечно, жалко парней, но на войне погибают. Молодцы, — повторил он. — Зудин теперь на небесах, — подмигнул он Квентину. — Так что можно жить спокойно.

— Не думаю, что такого подонка, как Зудин, примут небеса, — усмехнулся тот. — Он скорее всего в ад попадет.

— Значит, я с ним увижусь, — подмигнул племяннику дядя. — Мое место там давно ждет старика Шона. Кстати, деньги получу, — улыбнулся он. — Маргарет и Ричард вроде как не хотели, чтобы денежки ушли со счета Уильямса, но адвокаты добились. Хорошо, я сохранил документы о договоре и они были оформлены как полагается.

— Я так понимаю, что поиск камней бессмертия прекращен? — спросил Квентин.

— Пока да, — ответил дядя. — Искать черную кошку в темной комнате невозможно. Хотя и знаешь, что она там. В данном случае кошка есть, но своего местонахождения не выдает. И поэтому просто шарить руками, надеясь на удачу, не хочу. Можно сильно пораниться или даже погибнуть, потому что в темноте наверняка будет еще кто-то искать.

— Витиевато, но предельно ясно, — засмеялся Квентин.

— Все-таки два миллиона триста пятьдесят тысяч Шонри заберет, — недовольно говорила Маргарет.

— Он имеет на это полное право, — кивнул Ричард. — Есть документ, подтверждающий его право на процент от заработанных папой денег. Например, я отношусь к этому совершенно спокойно, — улыбнулся он. — Но я вот что хотел спросить, — вздохнул Ричард. — Ты не собираешься продолжить?..

— Пока нет, — не дала договорить ему Маргарет. — У нас нет ни одной зацепки. Знакомого Шона, который отдал ему камень, убили, и я не собираюсь выходить в Интернет с просьбой помочь найти камень, потому что один из семи у нас есть. К тому же нет твердой уверенности, что это именно он. Поэтому пока лично я перестаю заниматься этим. А ты решай сам, — кивнула она.

— Но если Шон захочет забрать камень, придется отдать, — кивнул Ричард.

— Мы же договорились, — напомнила она, — что он общий, и если найдется покупатель, деньги делим пополам.

— Не думаю, что Шон и Квентин согласятся на это, когда дело дойдет до продажи, — усмехнулся Ричард.

— Все равно какой-то процент мы получим, — засмеялась Маргарет.

Лион. Франция

— Мадам Леберти, — спросил журналист, — почему вы выставили алмаз в музее? Действительно ли это камушек один из семи...

— Мадам Леберти сегодня вечером ответит на все ваши вопросы, — оттолкнув его, заявил Эндрю. — В шесть часов состоится пресс-конференция, посвященная как раз легенде о семи камнях бессмертия.

Бонн. ФРГ

— Надо бы съездить, — усмехнулась Берта. — Интересно, что она будет там говорить. Кстати, Зудин убит, — кивнула она. — Мне позвонили из Москвы и сообщили. Его дом взорван со всеми, кто там находился. Сколько было преступников и кто они, неизвестно, — закончила Берта. — Есть новости и из Ярославля, — продолжила она. — Похоже, наших людей отпустят и отправят на родину. И что вы будете?..

— Скальпы сниму со всех, — процедил Гейдрих. — Идиоты, — вздохнул он. — И все-таки камень был в Красноярском крае, — кивнул он. — Там сын и дочь попытались забрать его у своего отца, некоего Медведева Савелия Федотовича, — прочитал он по листку. — Но не вышло. Там стреляли, в доме, — уточнил он. — И дом сгорел дотла. Произошел взрыв газа и горючего, которое было в доме. И со слов летчика и жены сына Медведева, они отправились к Медведеву за камнем. Кроме того Медведев был хорошо знаком с Пуршко, сына которого убили в Тель-Авиве, — кивнул он. — Сейчас вместо дома пепелище и не думаю, что возможно будет найти камень. Так что все семь собрать будет невозможно. Камушек мог быть спрятан где угодно, в какой-нибудь щели или на чердаке, поэтому его можно считать безвозвратно потерянным. Собственно, как и тот, который находился у Зудина, — добавил он. — Там тоже сплошные развалины. Сейф нашли, но он был открыт и, разумеется, камушек не нашли. Его вместе с осколками вывезут куда-нибудь. Вот так, — усмехнулся он. — Из-за этого камня были убиты люди в Монголии, и Зудина наверняка убрали тоже из-за...

— Но вполне может быть, — перебила его Берта, — что камень похитили...

— Все, кто там был, погибли, — проговорил Гейдрих. — Из дома не вышел никто. Зудин разговаривал с кем-то в кабинете, он только приехал, и тут раздался взрыв. Какие-то люди захватили микроавтобус, привозящий вечером напитки для Зудина и свежие продукты, и была перестрелка в подземном гараже, потом прогремел взрыв. Камушек был в сейфе и, значит, лежит где-то среди руин особняка, — покачал он головой. — Вот тебе и камни бессмертия! Сколько они уже забрали жизней. И я думаю, сколько заберут еще. И очень странно, что мадам Леберти выставляет камушек в музее. Или она думает, что все кончилось? — усмехнулся Вилли. — Ошибается. Конечно, на какое-то время все прекратится. Главные участники ушли, как говорят, в тень. Но малейший повод и снова начнут искать эти камни. И скорее всего в этот раз все начнется с мадам Леберти. Хотя, может, и нет, не начнется, — добавил он. — Все кинулись на поиски, и я в том числе, из-за найденного в Монголии алмаза. И все, как и я, думали, что скоро где-то будет обнаружен еще один. И каждый был уверен, что счастливцем окажется он. Сейчас два камня в России, но найти их невозможно. Это не по силам даже специалистам. Один у Леберти, это три. По непроверенным данным есть камень в Англии, но это пока ничем не подтвержденные слова какого-то врача. Кстати, — вспомнил он. — В Штатах убит профессор Чейз. — Он посмотрел на Берту. — Полиция и ФБР подозревают, что это как-то связано с убийством профессора Товасона в Монголии. Правда, они это не подтверждают, но и не опровергают.

— Значит, мы так и остались ни с чем, — недовольно отметила Берта.

— Получается, что так, — усмехнулся Гейдрих. — Но мы, в отличие от того же Зудина, живы. Кстати, операцию по захвату Иволгина нужно прекратить. Он ничего нового нам не скажет.

Ярославль. Россия

— Ну, скоро? — нетерпеливо спросила Татьяна, взглянув на часы.

— Перестань ты, — одернула ее Зина. — Нам всем не терпится, а ты еще масла в огонь подливаешь.

— Да никак я не поверю, — призвалась Таня, — что Никиту выпустят из милиции. Забрали с пистолетом и отпустят. Ваших-то, конечно, могут, — вздохнула она. — Не судимы, воевали, даже награды есть, а мой, — она махнула рукой, — два раза в тюрьме сидел. Сейчас ваши выйдут, а его, — она смахнула слезу, — посадят. Крайнего все равно нужно милиции-то.

— Стоят, — ответил в телефон Гурон, — три бабы. Ждут, наверное. Две тачки взяли. Так что работать придется скорее всего здесь. А...

— По дороге можно, — перебил его Тарасюк.

— Зима, — возразил парень. — Следы остаются, и трудно уйти. Я ее тут сделаю. И адвоката тоже завалят, — кивнул он.

— Он выехал, — проговорила молодая женщина в сотовый. — Как всегда, три машины. Выехал, как ты и говорил, в десять. Что мне делать?

— Все, — услышала она голос Иветова, — отдыхай. Деньги получила и свободна.

— Поняла, — засмеялась она и завела «десятку». — Если будет подобная работа, обращайся, — кивнула она. — Я с удовольствием...

— Надеюсь, такой больше не будет, — усмехнулся Алексей.

— И что? — спросил сидевший на деревянном ящике Дубовский.

— Он выехал, — услышал он в телефоне голос Алексея. — Здесь будет минут через десять. Хорошо, что мы заранее заняли места, — добавил Алексей. — Снег пошел, и следов видно не будет.

— А что будешь со своей знакомой делать? — усмехнулся Дубовский. — Ведь она узнает о том, что Доринова убили, и может догадаться. Пойдет в милицию и...

— Она, когда узнает, разумеется, первым делом позвонит мне, — дрогнул улыбкой голос Алексея. — Я, конечно, опровергну ее предположения, но предупредить смогу, что в случае, если мной по ее милости заинтересуется милиция, она будет соучастницей и даже, вполне возможно, заказчицей. С Дориновым она знакома и именно поэтому...

— Все, — остановил его Дубовский. — Алкашня какая-то на работу идет. Товарный разгружать. В общем, работаем, как договорились, — и отключил телефон.

— Ну что, — недовольно начал капитан милиции, — распишитесь и можете быть свободны. Хотя...

— Не переживай, начальник, — усмехнулся Никита. — Мы тебе пару пузырей самогона пришлем, выпьешь для успокоения. А вот когда наградят нас за уничтожение вооруженных бандитов, я спецом нарисуюсь и покажусь тебе. Тебе вообще как спится-то? — спросил он. — Орлов тебе хрен на нос повесил. Вроде и с пушкой взяли, а не посадили, да еще и награду дали. И...

— В зону попадешь, там с тебя за это спросят, — усмехнулся капитан.

— И не надейся, — хохотнул Никита. — За отморозков на зоне не спрашивают. А если кто-то типа их, ответить смогу.

— Спасибо, что поступили по справедливости и по закону, — пожал руку помощнику прокурора Ляховский.

— Лично я думаю, сидеть им надо, — усмехнулся сотрудник прокуратуры. — Но вы все так подвели, что их за гражданское мужество награждать надо.

— Знаете, уважаемый, — в своей манере начал адвокат, — буду с вами откровенен. Впервые за долгие годы своей практики я доволен результатом своей работы, ибо освободил действительно невиновных. Буду говорить в открытую, — продолжил он. — Пару раз были случаи, когда, доказывая непричастность обвиняемого к преступлению, я ненавидел сам себя. Но очень велика была ставка, — кивнул он. — А в данном случае я просто помог восторжествовать закону и не более.

— И сколько за эту помощь вам отстегнули? — усмехнулся помощник прокурора.

— Не так уж и много, — засмеялся Ляховский. — Что с них возьмешь, один кредит выплачивает, другой с работы уволен, третий никак с армейской жизнью не расстанется, хотя уже несколько лет не служит. Просто попросили, и я помог. И уже это доказывает, что я работал именно по закону и просто помог восстановить справедливость.

— Ну, — подобрав полы шубы, вылез из машины Доринов, — партия целиком?

— Да, дарагой, — кивнул тот. — Все привезли. И рыба замороженная, — усмехнулся смуглый.

— Очень хорошо, — довольно улыбнулся Доринов. — Сейчас увидишь, как все это доставляют, — кивнул он вылезшему из другой машины Кадичу. И тут слева от вагончика дважды выстрелил пистолет. Смуглолицему пуля попала в левую ягодицу. Заорав, он рухнул на снег. Рядом упал парень из охраны Доринова.

— В склад, — заорал кто-то. Трое парней, закрывая собой пригнувшегося, пятившегося к складу Доринова, стреляли по вагончику. Оттуда еще дважды выстрелил ТТ. Один парень упал. Остальные, упав в снег, стреляли по вагончику.

«Чего ждешь, Дуб?» — спрятавшись за железной, стоявшей посередине печкой, думал Алексей. И тут стрельба прекратилась. Выстрелы раздавались, но стреляли в сторону склада.

— В машину его, — двое, подхватив тело Доринова, подняли его. Артур, схватившись за живот, стоял на коленях.

— Да бросьте его на хрен! — заорал он. — Труп несете! Уходить надо, тут же...

— Стоять! — раздался окрик. — Бросить оружие.

— Это вохровцы, — заорал парень. — Бей их!

* * *

— Что? — спросил в сотовый Алексей. — Ты как?

— Нормально, — услышал он стонущий голос. — Уходи. Встретимся на квартире. — И связь оборвалась. Алексей вылез в окно и побежал вдоль линии.

— Рядом с точкой ВОХР, — морщась, говорил в сотовый Дубовский, — бой. Быстрее. — Он выключил телефон и, прижав его к правому виску, поднес к телефону ствол ТТ. — В тюрьму я не пойду, — простонал он и нажал на курок.

— Вовремя, — увидев идущие на скорости две милицейские машины, кивнул Алексей. — Сейчас и ОМОН подкатит. Видно, из ВОХРа позвонили.

— Был звонок от неизвестного, — докладывал полковнику старлей. — Затем из вооруженной охраны ЖД. Там целый бой.

— Наряды какие-нибудь подъехали к месту? — спросил тот.

— Я люблю тебя, — повиснув на шее Белова, плача, шептала Лида. — Мне так плохо не было никогда. Я боялась, что потеряла тебя.

— Спасибо тебе, Лидка! — орал обнявший жену Никита. — Тебе мы тоже женщину найдем, — заверил он Бурина. Тот, подняв голову, смотрел в небо.

«Как в рай попал, — думал он. — И как люди годами в тюрьме сидят?» В кармане прозвучал вызов сотового.

— Во. — Он усмехнулся. — За эти дни как-то привык без телефона. Да, мам, — поднес он телефон к уху.

— Приезжай, — услышал он плачущий голос матери. — Алена погибла вместе с родителями. Димка у меня. Приез...

— Уже выезжаю, — кивнул он. — Мне ехать надо, — сказала он Белову. — Жена погибла, а сын у матери. Мы

404

увидимся еще, но сейчас я уехал. В аэропорт и первым самолетом...

— Вместо посылки полетишь? — спокойно спросил Сергей. — У тебя денег на автобус нет.

— Тьфу ты, — опомнился Александр.

— Хватит? — вытащила из сумочки кошелек Лида и протянула ему пятьсот евро. — Дома оставила...

— Вполне, — кивнул тот. — Ты мужикам все объясни, — попросил он Сергея.

— Тут наркоты полно, — повернулся к вошедшему в здание склада полковнику капитан милиции, — килограммов десять, если не больше.

— А кто там? — опросил полковник.

— Доринов, — ответил капитан, — Павел Игоревич. И рядом какой-то Кадич. И трое ду́хов, — уточнил он. — Там джип стоит с астраханскими номерами, на нем, видно, приехали.

— А это кто? — кивнул на валявшегося Дубовского полковник.

— Киллер, — ответил капитан. — Сам застрелился. Мне кажется, он в милицию звонил. Второй в вагончике был, ушел. Гильзы нашли, пытались достать по следам, но жучара опытный попался. По рельсам ушел. Объявили, конечно, перехват, но где и как его найдешь. Если только оружие при нем будет.

— А в чем дело? — стоя с поднятыми руками, спросил Алексей.

— Откуда и куда? — спросил старший сержант ДПС.

— Да приехал Ярославль посмотреть, — улыбнулся Заветов. — А что, запрещено?

— Да, собственно, нет, — отдавая ему паспорт и права, качнул головой милиционер.

«На квартиру ехать нет смысла, — думал, садясь в машину Заветов. — Там ничего нужного нет. Пальцы мы все протерли. Поеду, рядом встану, вдруг Дуб все-таки придет. Хотя навряд ли», — вспомнил он стонущий голос приятеля. — Но подожду. И домой. Полинку, эту сучку, за горло взять хочется, — процедил он. — Хотя это, наверное, небезопасно, — усмехнулся он. — Поеду в Саратов к Ирке. Давно сестренку не видел. Она уже второй год зовет. Хоть племянника увижу. Точно, — кивнул он. — Если Дуб придет, вместе поедем. Нет, один. Денег он оставил прилично. Но у меня такое чувство было, что он как бы прощается. А я стреляю как Рембо, — усмехнулся Алексей. — Четверых приложил. Правда, стрелял в одного, а упал другой. Но стояли рядом. А это неприятно, когда пули свистят, — поежился он.

Москва

— Все, — кивнул Тарасюк. — Сейчас буду зво... — Зазвонил стоявший на столике телефон. — Ну, кому там чего надо? — процедил Михаил и снял трубку.

— Привет, Тарас, — усмехнулся голос.

— Кто это? — спросил он.

— Летун Пашка. Помнишь такого?

— А откуда ты номер узнал? — настороженно спросил Михаил.

— Твоя баба сумочку оставила, вот и нашел. Я, собственно, тебя поздравить хочу, — послышался смех.

— С чем? — прищурился Михаил.

— Вдовец ты, Миха, — услышал он. — Твоя Натка с братом и папаней сгорела в доме. Так сказать, семейный погребальный костер, как в Индии, — хохотнул он.

— Чего? — прошипел Михаил. — Ты серьезно?

— Вполне, — услышал он. — Если не веришь, приезжай. Они с Мишкой батю за какой-то камень трясти поехали. С ними еще три шестерки было. Остался один и тот, как шашлык, поджаренный. А Жека и Натка сгорели. И пахан их. Сейчас выясняют, кто где. Ну, чтоб на табличках на кладбище не ошибиться, — усмехнулся Летун. — Ты затихни пока и не дергайся. Про тебя менты тут спрашивали, — пояснил причину своего звонка Павел.

— Да я не знаю, — сказал сидевший у стола в кресле пожилой седоволосый мужчина, — чего он не звонит, — просипел он. — Сейчас узнаю, — кивнул и отключил телефон. Нажал вызов по номеру. — Занят, чертов сын.

— И надолго ты? — спросила полная пожилая женщина.

— Не знаю, — ответила Полина. — Скажу точно сегодня вечером.

Ярославль

— Подожди, — улыбнулась Лида. Вытащила сотовый.

— Ну, как там дела? — услышала она голос Тарасюка. — Насколько я понял, все нормально. Теперь твоя очередь.

— Хорошо, — кивнула она. — Красноярский край, поселок Волчье. Мед... — Договорить ей не дал злой мат. Она отвела руку с телефоном.

— Да не могу понять кто, — раздраженно говорил куривший около «десятки» молодой мужчина. — Мы все точки вроде бы закрыли, но никого не было. Я не пойму, откуда могут...

— Убит адвокат, — раздался голос в телефоне.

Ляховский, шагнувший к Лиде, покачнулся и упал на нее. Подхватив адвоката, Лида испуганно посмотрела на бросившегося к ним Сергея. Тот в прыжке сбил ее вместе с Ляховским на асфальт. От асфальта срикошетила пуля.

— Он в машине, — крикнул кто-то. — В доме напротив второй! — выстрелив из пистолета вверх, крикнул мужчина, продававший цветы.

Получив пулю в левое плечо, снайпер, выронив винтовку, отшатнулся к перилам. Зажимая плечо ладонью правой руки, бросился вверх по лестнице. На площадке открылась дверь.

— Тихо, — забежав в квартиру, оттолкнув при этом молодую женщину, заорал он. Удар женской ноги в меховом сапоге пришелся ему между ног. Сдавленно вскрикнув, согнувшись, он осел. Подскочивший молодой мужчина ударом в затылок сбил его на пол и, вывернув правую руку, защелкнул на кисти наручник. Второй зацепил за ножку старого комода.

— И как прозевали? — вбегая в квартиру, заорал плотный мужчина в полушубке.

— Да он из квартиры вышел, — виновато ответила женщина. — Мы думали...

— Почему никого не было на лестнице? — довольно зло спросил плотный.

— Спугнуть боялись, — ответил надевший наручники.

Темно-серый «форд», набирая скорость, уходил задом. Бежавшие к машине трое мужчин вскинули руки с оружием.

— Отставить, — гаркнул среднего роста мужчина. — Зацепите кого-нибудь! — Из переулка на скорости вылетела «ауди». «Форд» ударил «ауди» в заднюю дверцу.

— Убью! — вжав тормоз, заорал Заветов.

— Спасибо, мужик! — крикнул кто-то из подбежавших. Водитель «форда», распахнув дверцу, ударил ею первого. Дважды выстрелил из пистолета и выскочил. Выстрелил еще. Удар ноги Заветова в подбородок бросил его спиной на «форд».

— Наш он, — кивнул один из подбежавших.

***

Гурон, оскалясь, с ножом в правой руке пятился назад.

— Брось ножичек, — посоветовал один из двух молодых мужчин с пистолетами в руках. — Порежешься.

— Иди сюда, турок, — процедил Гурон. Двое переглянулись. Одновременно выстрелили оба пистолета. Получив по пуле в левое и правое плечо, Гурон, выронив нож, упал.

— Я же говорил, порежешься, — подошел к нему один. Второй рукой в перчатке поднял винтовку с оптическим прицелом.

— На кой адвоката-то убил?

— Во! — заорал Илья. — Вот он! — кивнув, бросился к стоявшему возле «ауди» Заветову.

— Ты чего, мужик? — отскочил тот. — Я тебя...

— От гастарбайтеров спас, — подскочил тот. — Помнишь, возле...

— Тьфу ты, — усмехнулся Алексей. — А я думал, ты...

— Я тебя сразу признал, — протянул руку Илья. — Если бы не ты, я бы...

— А я тебя, собственно, искал, — кивнул Заветов. — Когда я от милиционеров рванул, что-то ногой зацепил. Потом увезли тебя, вернулся и нашел пакет. А там деньги. Триста пятьде...

— Где деньги? — бросаясь к нему, закричала Зинаида. — Где...

— Да тише ты, Зинка, — остановил ее Илья. — Ты это, в натуре, говоришь или...

— Мы с Оксаной объявление в газету дали: «На кого напали возле магазина на Автозаводской, возле переулка...»

— А деньги где? — снова закричала Зина.

— Да у Оксаны, — кивнул Алексей. — Сейчас поедем и заберем. Я с нее расписку взял. Возьмет хотя бы рубль, свои отдаст. Я там прочитал про банк и понял, что ты кредит отдавать шел. Сейчас поедем и заберем.

***

— Как ты? — спросил Лиду Сергей.

— Ногой ударилась, — вздохнула та, — когда ты меня уронил. Знаешь что, Белов, — посмотрела она ему в глаза, — женись на мне. Я тебе сына рожу, и ты его воспитаешь...

— Знаешь что, — вполне серьезно проговорил он. — Я бы с удовольствием это сделал, но я безработный, а сидеть у тебя на шее, — он вздохнул, — я не...

— Я тебя устрою на работу, — улыбнулась она. — У меня знакомый ЧОП держит. Вот и будешь охранником. Они группы сопровождают и получают очень неплохие деньги.

— Надо обдумать это, — улыбнулся Сергей.

Москва

— Спокойно, — предупредил сбитого на асфальт Тарасюка плечистый мужчина.

— Да в чем дело? — заорал Михаил.

— В подготовке покушения на убийство, — улыбнулся плечистый. — В организации убийства двух и более людей. Тебе, похоже, придется доживать в камере для пожизненно осужденных, — улыбнулся опер. Тарасюка, застегнув наручники на его кистях, держали двое.

— Какое убийство? — испуганно заорал он. — Вы...

— Березиной Лидии и Ляховского, — улыбнулся опер. — Все ваши переговоры записывались. Тебя на прослушку поставили сразу после твоего разговора с Березиной. Точнее, во время его, — кивнул он. — Где Вождь? — требовательно спросил он.

— Какой вождь? — испуганно спросил Михаил.

— Сиплый такой голос у него, — усмехнулся опер. — А фамилия Вожин. Зовут Анатолий Викторович. Живет в пригороде Зеленограда, — подмигнул он Тарасюку.

410

Зеленоград

Дважды пробив пулями дверь, выстрелил пистолет.

— Перестань, Вожин, — прижимаясь спиной к стене справа от двери, крикнул крепкий мужчина в штатском. — Ну на кой черт тебе спецназ нужен? Там парни серьезные и здоровье попортить основательно могут! Сдавайся и выходи. Ты же... — Снова трижды прогремели выстрелы.

— Ну что? — довольно зло спросил один из пяти оперов. — И чего мы ждем? Хоккей сегодня, а мы тут до утра его уговаривать будем?

— Начальник, — раздался сиплый голос за дверью, — ты зря на меня наезжаешь. Я тебе сейчас... — Хлопнул выстрел. Опера услышали грохот упавшего тела. Один, стоявший слева от двери, ударил по ней ногой. Дважды выстрелил пистолет. Ударивший ногой показал один палец. Крепкий кивнул.

— Дверь хлипкая, вышибем на раз. — Оперативник снова ударил по двери ногой. Хлопнул выстрел. Трое, отделившись от стены, врезались плечами в дверь. Та распахнулась. Стоявший напротив двери рослый парень, как раз выщелкнув пустую обойму, вставил новую. Отпрянув назад, передернул затвор. Грохнули три выстрела. Две пули вошли в правое плечо, одна в бедро левой ноги. На полу валялся худой седой мужчина.

— Вот почему он сипел, — увидев шрам от операции на горле, кивнул один из оперов.

Тарасюка убили в камере ИВС в первую же ночь. Задушил попавший за тройное убийство уголовник. Тарасюк послал его, и тот обиделся. Из людей Вождя были задержаны двенадцать человек. Все были осуждены на длительные сроки лишения свободы. Никто из них лично Вождя не знал, он набирал людей через Тарасюка. Неизвестность, собственно, была на руку бандитам, платили им хорошо, о делах милиции Сиплый был, видимо, осведомлен неплохо. Про Полину Муравину никто ничего не сообщил, и ее дальнейшая судьба неизвестна. Бурин живет в Туле, воспитывает сына, работает в ЧОПе. Казаковы выплатили кредит и живут неплохо. Орловы поддерживают с ними дружеские отношения. Вениамин Богатырев вышел из больницы через двадцать два дня и, несмотря на недовольство сестры, много времени проводит за компьютером. Он не теряет надежды выйти хотя бы еще на один камушек бессмертия. Заветов уехал к сестре и, позвонив Илье, сказал, что задержится у нее на неопределенное время. Белов и Березина в Москве. Она по-прежнему дает частные уроки английского и истории. Он работает в фирме сопровождающим машины с грузом.

В Красноярском крае, в поселке Волчье около обугленных остатков дома Медведя каждый вечер, несмотря на погоду, стоит стройная молодая женщина. Все знают, что это поселковый фельдшер Сиротина Евгения. К ней относятся все очень хорошо.

ИЗДАТЕЛЬСКАЯ ГРУППА аст

ПРИОБРЕТАЙТЕ КНИГИ ПО ИЗДАТЕЛЬСКИМ ЦЕНАМ
В СЕТИ КНИЖНЫХ МАГАЗИНОВ буква

МОСКВА:

- м. «Алексеевская», пр-т Мира, д. 114, стр. 2 (Му-Му), т. (495) 687-57-56
- м. «Коньково», ул. Профсоюзная, д. 109, к. 2, т. (495) 429-72-55
- м. «Новые Черемушки», ТЦ «Черемушки», ул. Профсоюзная, д. 56, 4 этаж, пав. 4а-09, т. (495) 739-63-52
- м. «Парк культуры», Зубовский б-р, д. 17, т. (499) 246-99-76
- м. «Петровско-Разумовская», ТРК «XL», Дмитровское ш., д. 89, 2 этаж, т. (495) 783-97-08
- м. «Преображенская площадь», ул. Большая Черкизовская, д. 2, к. 1, т.(499) 161-43-11
- м. «Сокол», ТК «Метромаркет», Ленинградский пр-т, д.76, к.1, 3 этаж, т. (495) 781-40-76
- м. «Тимирязевская», Дмитровское ш., 15/1, т. (499) 977-74-44
- м. «Тульская», ул. Большая Тульская, д.13, ТЦ «Ереван Плаза», 3 этаж, т. (495) 542-55-38
- м. «Университет», Мичуринский пр-т, д. 8, стр. 29, т. (499) 783-40-00
- м. «Царицыно», ул. Луганская, д. 7, к.1, т. (495) 322-28-22
- м. «Щукинская», ТЦ «Щука», ул. Щукинская, вл. 42, 3 этаж, т. (495) 229-97-40
- М.О., г. Зеленоград, ТЦ «Зеленоград», Крюковская пл., д. 1, стр. 1, 3 этаж, т. (499) 940-02-90
- М.О., г. Люберцы, Октябрьский пр-т, д. 151/9, т. (495) 554-61-10
- М.О., г. Лобня, Краснополянский пр-д, д. 2, ТРЦ «Поворот»

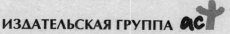

Литературно-художественное издание

16+

Бабкин Борис
Камни бессмертия

Роман

Ответственный редактор О.А. Ежова
Ответственный корректор И.М. Цулая
Компьютерная верстка: О.С. Попова
Технический редактор Т.В. Полонская

Общероссийский классификатор продукции
ОК-005-93, том 2; 953000 — книги, брошюры

Наши электронные адреса: WWW.AST.RU
E-mail: astpub@aha.ru

ООО «Издательство Астрель»
129085, г. Москва, пр-д Ольминского, д. 3а

Издание осуществлено при техническом участии
ООО «Издательство АСТ»

Издано при участии ООО «Харвест». ЛИ № 02330/0494377 от 16.03.2009.
Ул. Кульман, д. 1, корп. 3, эт. 4, к. 42, 220013, г. Минск, Республика Беларусь.
E-mail редакции: harvest@anitex.by

Республиканское унитарное предприятие
«Издательство «Белорусский Дом печати».
ЛП № 02330/0494179 от 03.04.2009.
Пр. Независимости, 79, 220013, г. Минск, Республика Беларусь.

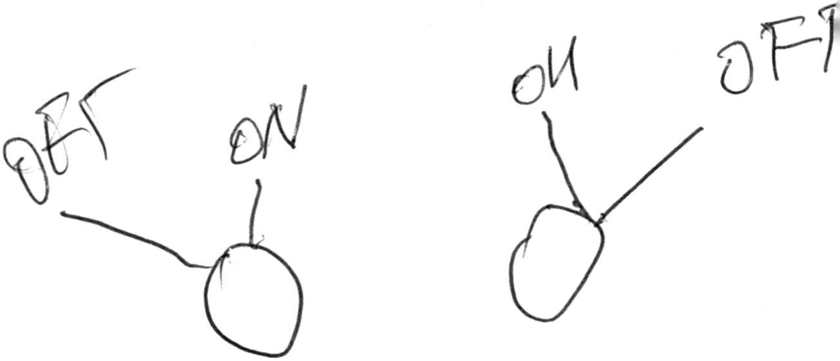
OFF
ON
ON
OFF